Zu diesem Buch

Seit Aids ins letzte Alpental vorgedrungen ist und «die infiziert, die in der Liebe für den Wechsel sind», muß der Fabrikdirektor auf Partnertausch und Prostituierte verzichten und wieder auf seine Frau Gerti zurückgreifen. Gerti will den sexuellen Attakken entfliehen, der routinemäßigen, langweiligen, tödlichen Wiederholung des Immergleichen. Sie ist oft abgängig, landet bisweilen, betrunken, auf der Gendarmerie. Ihre Sexualität kann sie nicht leben als Mutter; Mutterschaft und Sexualität löschen einander aus. Gerti verliebt sich in das Götterbild Michael, einen Studenten, der sie auf einer ihrer Fluchten aufliest, nach allen Regeln seiner jungen Aufreißer-Kunst verführt und demütigt.

«‹Lust› ist, wie alle Romane Elfriede Jelineks, ein Sprachspiel, virtuos mitunter, präzise und kalt, kalauernd oft und albern; als böse Porno-Parodie könnte ‹Lust› gelesen werden, die durch den Rhythmus der Sätze, durch Wiederholungen die stets verfügbare Frau, den immer potenten Mann der Lächerlichkeit preisgibt, abrechnet mit Männerphantasie und Männerrede.» («Der Spiegel»)

Elfriede Jelinek, geboren am 20. Oktober 1946 in Mürzzuschlag/Steiermark und in Wien aufgewachsen, studierte Theaterwissenschaft, Kunstgeschichte und Musik. Lyrik und Prosatexte erschienen in Anthologien und Literaturzeitschriften. 1986 erhielt Elfriede Jelinek den Heinrich-Böll-Preis der Stadt Köln, 1987 den Literaturpreis des Landes Steiermark.

Von Elfriede Jelinek erschienen außerdem: «Die Ausgesperrten» (rororo Nr. 5519), «Die Klavierspielerin» (rororo Nr. 5812), «Michael. Ein Jugendbuch für die Infantilgesellschaft» (rororo Nr. 5880), «wir sind lockvögel baby!» (rororo Nr. 12341), «Die Liebhaberinnen» (rororo Nr. 12467), «Oh Wildnis, oh Schutz vor ihr» (Rowohlt 1985) und «Totenauberg» (Rowohlt 1991). Ferner erschien: Erika Pluhar liest «Oh Wildnis, oh Schutz vor ihr» (Literatur für KopfHörer Nr. 66002).

Elfriede Jelinek

LUST

Rowohlt

Die Arbeit der Autorin am vorliegenden
Text wurde durch den
Deutschen Literaturfonds e. V.
gefördert.

70.–90. Tausend Mai 1992

Veröffentlicht im Rowohlt Taschenbuch Verlag GmbH,
Reinbek bei Hamburg, Januar 1992
Copyright © 1989 by Rowohlt Verlag GmbH,
Reinbek bei Hamburg
Umschlaggestaltung Klaus Detjen
Gesamtherstellung Clausen & Bosse, Leck
Printed in Germany
1280-ISBN 3 499 13042 4

Tief in versenktem Raume
trank ich vom Freund... Als ich zum Tag mich wandte,
war bis zum fernsten Saume
kein Ding, das ich noch kannte –
die Herde war entrückt, mit der ich rannte.

Johannes vom Kreuz

1.

Vorhängeschleier spannen sich zwischen der Frau in ihrem Gehäuse und den übrigen, die auch Eigenheime und Eigenheiten besitzen. Die Armen, auch sie haben ihre Wohnsitze, in denen ihre freundlichen Gesichter zusammengefaßt sind, nur das immer gleiche scheidet sie. In dieser Lage schlafen sie ein: indem sie auf ihre Verbindungen zum Direktor hinweisen, der, atmend, ihr ewiger Vater ist. Dieser Mann, der ihnen die Wahrheit ausschenkt wie seinen Atem, so selbstverständlich regiert er, der hat gerade genug von den Frauen, daß er mit lauter Stimme herumschreit, er brauche nur diese eine, die seine. Er ist unwissend wie die Bäume ringsum. Er ist verheiratet, das ist ein Gegengewicht zu seinen Vergnügungen. Die beiden Eheleute erröten nicht voreinander, lachen und sind und waren sich alles.

Die Wintersonne ist derzeit klein und deprimiert eine ganze Generation junger Europäer, die hier heranwächst oder zum Schifahren herkommt. Die Kinder der Papierarbeiter: Die Welt könnte von ihnen erkannt werden um sechs Uhr früh, wenn sie in den Stall gehen und grausame Fremde für Tiere werden. Die Frau geht mit ihrem Kind spazieren. Sie gilt allein schon mehr als die Hälfte von allen Körpern hier, die andre Hälfte arbeitet in der Papierfabrik unter dem Mann, nachdem die Sirene aufgejault hat. Und die Menschen halten sich genau an das nächste, das sich unter ihnen ausstreckt. Die Frau hat einen großen reinen Kopf. Sie geht mit dem Kind eine gute Stunde lang fort, aber das Kind, betrunken vom

Licht, will lieber unempfindlich werden im Sport. Kaum läßt man es aus den Augen, schmeißt es seine kleinen Knochen schon in den Schnee, baut Bälle und wirft damit. Der Boden scheint vom Blut wie frisch hergerichtet. Auf dem verschneiten Weg zersplitterte Vogelfedern. Ein Marder oder eine Katze haben ihr natürliches Schauspiel geboten, auf allen vieren kriechend, ein Tier ist gegessen worden. Der Kadaver ist verschleppt. Die Frau ist aus der Stadt hierher gebracht worden, wo ihr Mann die Papierfabrik leitet. Der Mann wird nicht mitgezählt unter den Bewohnern, er zählt allein. Das Blut spritzt auf dem Weg herum.

Der Mann. Er ist ein ziemlich großer Raum, in dem Sprechen noch möglich ist. Auch der Sohn muß schon beginnen, Geige zu lernen. Der Direktor kennt seine Arbeiter nicht einzeln, aber er kennt ihren Gesamtwert, grüß euch Gott, alle miteinander. Ein Werkschor ist angeschafft worden und wird mit Spendengeldern unterhalten, damit der Direktor mit sich dirigieren kann. Der Chor fährt mit Bussen herum, damit Menschen sagen können, das war einmalig. Dafür müssen sie oft eine Runde durch die Kleinstädte machen, ihre ungemessenen Schritte und ihre unmäßigen Wünsche vor den Auslagenscheiben der Provinz spazierenführen. Der Chor bietet sich in den Sälen von vorn dar, die Rückfront gegen die Wirtshauskanten gerichtet. Den Vogel, wenn er fliegt, sieht man auch nur von unten. Mit bedächtigen arbeitsamen Schritten quellen die Sänger aus dem gemieteten Bus, der von ihrem Mist dampft, und sie erproben ihre Stimmen gleich in der Sonne. Die Gesangeswolken erheben sich unter der Hülle des Himmels, wenn die Gefangenen vorgeführt werden. Ihre Familien hausen derweil ohne den Vater und mit nur geringem Einkommen. Sie essen Würste und trinken Bier und Wein. Sie schaden ihren Stimmen und Sinnen, weil sie beides unbedacht einsetzen. Schade, daß sie nur von Geringen abstammen, ein Orchester aus Graz könnte jeden einzelnen von ihnen ersetzen, aber auch unterstützen, je nachdem wie es aufgelegt wäre. Diese schrecklich schwachen Stimmen, von Luft und Zeit bedeckt. Der Direktor will, daß sie mit ihren Stimmen um seine Fürsorge betteln gehn. Auch Geringe können bei ihm einen großen Anfang machen, wenn sie ihm musikalisch aufgefallen sind. Der Chor wird als das Hobby des Direktors gepflegt, die Männer stehen in ihren Laufställen, wenn sie nicht fahren. Der Direktor steckt auch eigenes Geld hinein, wenn es um die blutigen, stinkenden Ausscheidungen der Bezirksmeisterschaft geht. Er gewährt sich und seinen Sängern Bestand über den flüchtenden Augenblick hinaus. Die Männer, diese Bauwerke oberhalb der Erde, und sie wollen immer noch weiterbauen. Damit ihre Frauen sie an ihren Werken noch erkennen, wenn sie in Pension gehen. Aber an den Wochenenden, da werden die Himmlischen schwach. Da steigen sie nicht aufs Baugerüst, sondern aufs Wirtshauspodium und singen unter Zwang, als könnten die Toten zurückkommen und applaudieren. Die Männer wollen größer sein, und dasselbe wollen ihre Werke und Werte. Ihre Erbaulichkeiten.

Die Frau ist manchmal nicht zufrieden mit diesen Makeln, die auf ihrem Leben lasten: Mann und Sohn. Der Sohn eine farbige Abbildung, ein einmaliges Kind, aber es läßt sich fotografieren. Es läuft hinter dem Vater her, damit aus ihm auch ein Mann werden kann. Und der Vater legt ihm die Geige an, daß die Schaumflocken vom Gebiß sprühen. Die Frau haftet mit ihrem Leben dafür, daß alles klappt und sie sich wohl fühlen aneinander. Über diese Frau hat der Mann sich weitergegeben an die Ewigkeit. Diese Frau ist möglichst guter Herkunft gewesen und hat sich ans Kind weitergegeben. Das Kind ist brav, außer im Sport, wo es wild sein darf und sich nichts gefallen läßt von den Freunden, die es, einstimmig, als ihre Leiter in den Himmel der Vollbeschäftigung gewählt haben. Sein Vater läßt sich nicht von der Erde verwehen, er leitet die Fabrik und sein Gedächtnis, in dessen Taschen er nach den Namen der Arbeiter kramt, die dem Chorsingen zu entkommen versuchen. Das Kind fährt gut Schi, die Dorfkinder vergehen wie das Gras darunter. Sie stehen neben ihren Schuhen. Die Frau in ihrem Tagesbeutel, der jeden Tag ausgewaschen wird, stellt sich nicht mehr auf die Brettln, nein, sie gewährt dem Kind Anker an ihrer seligen Küste, aber das Kind rennt immer wieder davon, um sein Feuer zu den armen Kleinhäuslern zu tragen. Angesteckt sollen sie werden von seinem Schwung. In seinem schönen Gewand will es über die Erde fahren. Und der Vater ist angefüllt wie eine Schweinsblase, er singt, spielt, schreit, fickt. Der Chor zieht ihm zu Willen von Feld zu Fels, von Würsteln zu Braten, und singt ebenfalls. Er fragt nicht, was er dafür bekommt, aber seine Mitglieder werden nie von der Lohnliste gestrichen. So hell ist das Haus eingerichtet, das spart man am Licht wieder ein! Ja, es ersetzt das Licht, und Gesang würzt das Gericht.

Der Chor ist frisch eingetroffen. Ältere Inländer, die ihren Frauen zu entkommen wünschen, manchmal auch die Frauen selbst mit ihren steifen Locken (die heilige Macht der Friseure auf dem Land, die die schönen Frauen mit kräftigen Prisen Dauerwellen würzen!), sie sind aus den Fahrzeugen gestiegen und machen sich einen Festtag. Der Chor kann ja nicht vor Licht und Luft alleine singen. Ruhig tritt die Frau des Direktors am Sonntag nach vorn. In der Stiftskirche, wo Gott, dessen bloßer Eindruck auf seinen Bildern empörend ist, mit ihr redet. Die alten Frauen, die dort knien, wissen schon, wie's ausgeht. Sie wissen, wie das Ende lautet, aber dazwischen haben sie aus Zeitmangel nichts gelernt. Sie hangeln sich jetzt von Hinweistafel zu Hinweistafel des Kreuzwegs, nur damit sie in Bälde dem himml. Vater, dem Glied der Einfältigkeit, gegenübertreten dürfen, als Aufnahmezeugnis ihre schlaffen Bälge in der Hand. Am Ende steht die Zeit still, und das Gehör bricht aus dem Geröll lebenslanger Wahrnehmung aus. Schön ist die Natur in einem Park und Gesang in einem Wirtshaus.

Inmitten all der Gebirgsstöcke ringsum, zu denen die trainierten Sportler auf Besuch kommen, merkt die Frau, daß ihr ein fester Halt fehlt, eine Haltestelle, wo das Leben warten könnte. Die Familie kann Gutes tun, aber sie muß dafür auch gut essen und die Beute der Feiertage einbringen. Die Geliebtesten hängen an der Mutter, selig sitzen sie beisammen. Die Frau spricht zu ihrem Sohn, durchzieht ihn (Speck, in dem die Maden der Liebe weiden) mit ihrem leisen, zärtlichen Geschrei. Sie ist besorgt um ihn, schützt ihn mit ihren weichen Waf-

11

fen. Jeden Tag scheint er ein wenig mehr zu sterben, je älter er wird. Den Sohn freut das Gejammer der Mutter nicht, gleich fordert er ein Geschenk. In solch kurzen Abhandlungen wünschen sie sich zu verständigen: mit einer Spiel- und Sportwarenhandlung. Lieb wirft sie sich über den Sohn, aber auch als rauschender Bach fließt sie unter ihm dahin, verhallt in der Tiefe. Sie hat nur dieses eine Kind. Ihr Mann kommt aus seinem Büro zurück, und gleich reißt sie ihren Körper eng an sich, damit die Sinne des Mannes nicht auf den Geschmack kommen. Musik aus dem Plattenspieler und dem Barock ertönt. Möglichst einig sein mit den Farbfotos aus dem Urlaub, sich von einem Jahr zum nächsten nicht verändern. Kein wahres Wort ist an diesem Kind dran, es will nur mit seinen Schiern losziehen, das schwöre ich Ihnen.

Der Sohn spricht außerhalb der Fütterungszeiten wenig mit seiner Mutter, obwohl diese ihn beschwörend mit einer Decke aus Essen überzieht. Die Mutter lockt das Kind auf einen Spaziergang und bezahlt pro Minute dafür, denn sie muß dem schön gekleideten Kind zuhören. Es spricht ja selbst wie aus dem Fernsehen, von dem es sich ernährt. Jetzt geht es wieder fort, ohne sich zu fürchten, denn es hat heute das Grauen der Videos noch nicht geschaut. Die Bergsöhne schlafen manchmal schon um acht Uhr abends, während der Direktor mit geschickten Händen noch einmal Kunst in seinen Motor füllt. Und welche mächtigere Stimme ist es, die die Herden auf der Wiese aufzustehen heißt, alle zusammen? Und die armen Müden auch, in der Früh, wenn sie ans andre Ufer hinüberschauen, wo die Ferienhäuser der Reichen stehen? Ich glaube, sie nennt sich Ö3 Wecker und läßt ab sechs

Uhr früh Schlager vom Band, diese fleißigen Nagetiere, die uns schon vom Morgen an den Tag wegfressen.

In den Hitlerzimmern der Tankstellen schlagen sie jetzt wieder aufeinander ein, diese kleinen Geschlechter an ihren Gängelbändern, die sich unter ihren bunten Schirmchen verschwenden wie ihre halben Portionen Eis. So schnell ist es immer vorbei, und so lang dauert die Arbeit und stehen die Felsen. Diese Leute können sich durch endlose Wiederholungen doch nur einfach vervielfältigen. Diese hungrige Meute, die zieht ihr Geschlecht aus den Türln, die sie praktisch an sich angebracht hat. Fenster haben diese Leute nicht, damit sie ihre Partner dabei nicht auch noch anschauen müssen. Wie Vieh hält man uns, und da machen wir uns noch Sorgen ums Fortkommen!

Auf der Erde liegen friedliche Wege. In der Familie wartet immer einer umsonst oder fällt im Kampf um seinen Vorteil. Sicherheit gibt der Mutter die viele Mühe, die das Kind, gekrümmt um das Instrument, wieder vernichtet. Die Einheimischen sind hier nicht heimisch, sie müssen zur Ruhe gehen, wenn in den Sportlern das abendliche Leben erst richtig erwacht. Denen gehört der Tag und gehört die Nacht. Die Mutter überwacht das Kind, indem sie auf ihrer Wohnmauer hockt, damit es dem Kind nicht zu wohl wird. Diese Geige ist dem Kind nicht sehr zugeneigt. In den Katalogen gehen die Gleichgesinnten trotzig ihren eigenen Weg, damit sie sich gegenseitig ins Maß einschenken können. Es werden Kontaktanzeigen gelesen, und jeder freut sich an seinem eigenen kleinen Licht, das er in die Dunkelheit eines fremden Leibes wirft. Tüchtige Lebenstischler annoncieren, um ihre kleinen Wandverbaue in fremden dunklen Nischen anbringen zu dürfen. Einer allein sollte sich selbst eigentlich nicht zuviel werden! Der Direktor liest die Anzeigen und bestellt seiner Frau im Fachhandel ein Fach, in das sie sich legen kann, aus roter Perlonspitze mit Löchern in der Stille, durch die die Sterne scheinen. Dem Mann genügt eine allein nicht, doch die drohende Krankheit hemmt ihn, seinen Stachel auszufahren und Honig zu saugen. Eines Tages wird er drauf vergessen, daß sein Geschlecht ihn hinwegzuraffen vermag, und er wird seinen Teil von der Ernte einfordern: wir wollen Spaß! Wir wollen in uns abzweigen! Kompliziert liegen die Anzeiger auf ihren Matratzen und beschreiben die Pfade, auf denen sie wandeln. Hoffentlich geht ihnen ihr Ofen nicht aus, so daß sie selber ausgehen und Enttäuschungen erleben müssen. Dem Direktor genügt seine Frau nicht, aber jetzt ist er, ein Mensch mit Öffentlichkeitsrecht, auf diesen Kleinwagen angewiesen. Er versucht das Beste: zu leben und geliebt zu werden. Die Kinder der Zweckdienlichen: selbst sind sie Bedienstete in der Papierfabrik (das Ungebundene reizt sie, aus dessen Stoff die Bücher gebunden werden), sie haben eine unschöne Form. Sirenen müssen ihnen erst jaulen, um sie zu beleben. Gleichzeitig werden sie aber aus dem Leben wieder hinausgeworfen und fallen wie Katarakte, überflüssig, von der Höhe ihrer Ersparnisse hinab. Das Steuer ist ihnen schon entrissen worden, und ihre Frauen steuern an ihrerstatt den sicheren Hafen an, den zu vermeiden und zu verminen die Männer sich soviel Mühe gaben. Sie sind von dürren Stöcken gelesen, und sie sind schnell ausgelesen. Auf ihren Matratzen werden sie von Todeslust ergriffen, und ihre Frauen kommen von ihrer eigenen Hand um (oder müssen von der öffentlichen Hand erhalten werden). Sie sind nicht privat, denn sie haben keine schöne Wohnung, sie sind nur, was man von ihnen sieht und was man manchmal vom Chor hört. Nichts Gutes. Können vieles gleichzeitig tun und kräuseln doch nicht das Wasser im Becken, wo die Frau des Direktors sich in ihrem Badeanzug nach der Decke streckt, die sich weit oben in der Natur befindet, unermeßlich hoch und fern von uns Normalverbrauchern.

Das Wasser ist blau und geht nie zur Ruhe. Doch der Mann kommt von seinem Tageswerk nach Hause zurück. Geschmack ist nicht jedermanns Sache. Das Kind hat heute nachmittag Unterricht. Der Direktor hat alles auf Computer umgestellt, schreibt sich als Hobby die Programme selbst. Nicht liebt er Wildes, der stumme Wald sagt ihm gar nichts. Die Frau öffnet die Tür, und er erkennt, daß nichts zu groß für seine Herrschaft ist, aber auch nichts darf zu klein sein, sonst wird's sofort geöffnet. Seine Gier ist aufrichtig, sie paßt zu ihm wie die Geige unter das Kinn seines Kindes. Die Lieben begegnen sich im Haus mehrmals, denn ihnen kommt alles aus dem Herzen und wird ins Helle hinein verkündet. Der Mann möchte jetzt mit seiner himmlischen Frau allein sein. Die armen Leute müssen zahlen, bevor sie sich ans Ufer legen dürfen.

Jetzt hat die Frau nicht einmal Zeit, die Augen niederzuschlagen. Der Direktor pflichtet ihr nicht bei, als sie in die Küche will und etwas hinrichten. Er ergreift entschieden ihren Arm. Zuerst will er sie sich vornehmen, dafür hat er 2 Termine abgesagt. Die Frau öffnet den Mund, um ihm abzusagen. Sie denkt an seine Kraft und schließt den Mund wieder. Dieser Mann würde auch im Schoß von Felsen seine Melodie spielen, er würde schallend auf der Geige und dem Glied streicheln. Immer wieder geht dieses Lied los, dieser knallende Laut, der so überraschend furchtbar ist, von unwilligen Blicken begleitet. Diese Frau hat nicht das Herz, sich abzuschlagen, sie wandelt wehrlos. Der Mann ist immer bereit und freut sich auf sich. Der fröhliche Tag ist Armen wie Reichen gegönnt, doch leider gönnen ihn die Armen den Reichen nicht. Die Frau lacht nervös, als sich der Mann, noch im Mantel, gezielt vor ihr entblößt. Er entblödet sich nicht, seinen Schwanz dahingestellt zu lassen. Die Frau lacht lauter und schlägt sich mit der Hand erschrocken auf den Mund. Ihr werden Prügel angedroht. Sie hallt noch wider von der Musik auf dem Plattenteller, wo sich ihre und andrer Menschen Gefühle in Gestalt von Joh. Seb. Bach, für den menschl. Genuß bestens geeignet, im Kreis herum drehen. Der Mann ragt inmitten seiner Stacheln von Haar und Hitze aus sich heraus. So vergrößern die Männer sich und ihre Werke, die aber bald wieder hinter ihnen zusammenfallen. Sicherer stehen die Bäume im Wald. Der Direktor spricht ruhig von der Fut und wie er sie gleich auseinanderreißen wird. Er ist wie betrunken. Seine Worte schwanken herum. Er hält die Frau mit der linken Hand an der Hüfte fest und zieht ihr, wenn überhaupt, die zweckdienliche Kleidung über den Kopf. Sie zappelt vor seinem Schwergewicht. Er schimpft laut über ihre Strumpfhosen, die er ihr längstens verboten hat. Strümpfe seien weiblicher und nützen die Löcher besser aus, wenn sie nicht überhaupt neue schaffen. Er werde die Frau ab sofort mindestens zweimal zur Gänze auskosten, kündigt er an. Die Frauen, mit Hoffnungen zugepflanzt, leben von der Erinnerung, die Männer jedoch vom Augenblick, der ihnen gehört und sich, sorgsam gepflegt, zu einem Häuferl Zeit zusammensetzen läßt, das ebenfalls ihnen gehört. In der Nacht müssen sie schlafen, da können sie nicht nachtanken. Sie sind lauter Feuer und erwärmen sich (über sich) in kleinen Gefäßen. Überraschenderweise ist diese Frau heimlich durch Tabletten unfruchtbar gemacht, des Mannes nie besänftigtes Herz würde es nicht gestatten, daß aus seinem immer vollen Tank kein Leben ausgeschenkt werden kann.

Neben der Frau fallen Kleidungshaufen zusammen wie tote Tiere. Der Mann, immer noch im Mantel, steht mit seinem starken Glied zwischen den Falten seiner Kleidung, als fiele Licht auf einen Stein. Strumpfhose und Unterhose bilden einen feuchten Ring um die Hausschuhe der Frau, aus denen sie steigt. Das Glück scheint die Frau schlaff zu machen, sie kann es nicht fassen. Der schwere Schädel des Direktors wühlt sich beißend in ihr Schamhaar, allzeit bereit ist sein Verlangen, etwas von ihr zu verlangen. Er neigt sein Haupt ins Freie und drückt statt dessen das ihrige an seinen Flaschenhals, wo es ihr schmecken soll. Ihre Beine sind gefesselt, sie selbst wird befühlt. Er spaltet ihr den Schädel über seinem Schwanz, verschwindet in ihr und zwickt sie als Hilfslieferung noch fest in den Hintern. Er drückt ihre Stirn nach hinten, daß ihr Genick ungeschickt knackt, und schlürft an ihren Schamlippen, alles zusammengenommen und gebündelt, damit still aus seinen Augen das Leben auf sie schauen kann. Das Obst wird schon noch reifen. Das kommt heraus, wenn man viele menschl. Gewohnheiten aufeinanderstapelt, damit man im Wipfel was abpflük-ken kann, das einem dann doch nicht schmeckt. Es ist alles durch Verbote, die Vorboten der Gelüste, begrenzt. Auch auf einem kleinen Hügel wächst nicht endlos viel, und unsre Grenzen sind auch nicht weiter, als wir es fassen können, und wir fassen nicht viel mit unsren harten kleinen Blutgefäßen.

Der Mann geht ganz allein weiter. Lange tut es der Frau aber nicht gut, in dieser Stellung auszuharren, die sie bei ihm im Haus hat. Sie zappelt, muß die Beine ein bißchen öffnen, achtlos wird ihr mit seinen Zähnen etwas von ihrem Bauch gerupft. Der Mann lebt in seiner eigenen Lebenshölle, aber manchmal muß er herauskommen und einen Ausflug auf die Weide machen. Die Frau wehrt sich, doch gewiß nur zum Schein, sie kann noch mehr Ohrfeigen bekommen, wenn sie die Seele des Mannes leugnen will, die sich hell erleuchten möcht. Ziemlich viel ist getrunken worden. Fast entleert sich der Direktor in seine kostspielige Umgebung, in deren Dämmer er über die Diät wütet, die die Frau ihm kocht. Sie will ihn nicht einlassen. Dabei fühlt er sich so groß, als wäre er jeder. Nur sich ein wenig abladen zwischen den Stehlampen, das würde ihn entlasten, muß er doch die Last von vielen tragen, die einfach nur dumm an den Ufern wach-sen wie Gras und nicht an den Morgen denken, da sie aufstehen müssen. Hermann. Jetzt breitet er seine Frau, nachdem er sie unten aus ihren Schuhen gehoben hat, über den Tisch im Wohnzimmer. Überall kann jeder her-einschauen und neidisch sein, wieviel Schönes von den Reichen verborgengehalten wird. Sie wird auf den Tisch gepreßt, ihre Brüste große warme Fladen Dung, sie fallen auseinander. Der Mann hebt das Bein in seinem eigenen Garten, dann geht er hinaus und hebt es an jeder weiteren Ecke. Die dämmrigsten Gründe bleiben nicht verschont von ihm. Das ist so normal wie Eros, der die beiden noch nie zu entfachen vermochte aus den dünnen Hölzern, die sie, geboren wie sie nun einmal sind, aber nicht geborgen, partout nicht bleiben wollen. Nein, der Direktor wird doch auf Inserate antworten, um seinen Ford Imperium gegen ein neueres, kräftigeres Modell einzutauschen. Wenn nur nicht die Angst vor der neuesten Krankheit wäre, die Werkstätte des Herrn würde nimmermehr schweigen. Und auch in der Wohnung klebten die Anschläge auf dem schwarzen Brett: Lust, der weiße Abgeordnete; mächtige Wellen laufen durch die Zeit, und mächtig wollen die Männer immerdar etwas. Lieb ist ihnen die Ferne, aber was naheliegt, das benützen sie auch. Die Frau will fort, entkommen dieser stinkenden Fessel, in der das Holz vor ihrer Hütte schmachtet. Die Frau ist dem Nichts entwendet worden und wird mit dem Stempel des Mannes jeden Tag aufs neue entwertet. Sie ist verloren. Er kippt die Baggerschaufeln ihrer Beine über sich. Vom Tisch fallen mehrere Gegenstände, die dem Kind gehören, und prallen weich auf den Teppich. Der Mann ist derjenige, der klassische Musik noch zu schätzen weiß. Mit einem Arm greift er vor sich hin und eröffnet eine Anlage. Es klingt, die Frau läßt sich viel gefallen, und es leben die Sterblichen von Lohn und Arbeit, aber, nicht wahr, Musik gehört halt einfach dazu. Der Direktor hält die Frau mit seinem Gewicht nieder. Um die freudig von der Mühe zur Ruh wechselnden Arbeiter niederzuhalten, genügt seine Unterschrift, er muß sich nicht mit seinem Körper drauflegen. Und sein Stachel schläft nie an seinen Hoden. Aber in der Brust schlafen die Freunde, mit denen er einst ins Bordell ging. Der Frau wird ein neues Kleid versprochen, während der Mann sich den Mantel und das Jackett wegreißt. Er kämpft mit dem Alkohol, seine Krawatte ist ihm zum Strick gedreht. Ich möchte das jetzt an dieser Stelle neu in Worte kleiden! Mit einem Untergriff ist vorhin die Stereoanlage in Brand gesetzt worden, jetzt rast die Musik vom Teller und bewegt den Direktor etwas schneller. Tonärmel springen nach vorn, um einzugreifen, ein Direktor muß seinen Schwanz auf die Welt bringen! Sein Vergnügen soll überdauern, bis der Boden zu sehen ist und die Armen, aus denen die Liebe geleert worden ist, aus ihren Gleisen gerissen werden und ins Arbeitsamt fahren müssen. Alles soll ewig sein und noch dazu oft wiederholt werden können, so sprechen die Männer und zerren an den Zügeln, die einst liebevoll ihre Mama gehalten hat. Ja, das geht wohl. Und jetzt fährt dieser Mann wie geschmiert in seine Frau hinein und wieder heraus. Auf diesem Feld kann sich die Natur nicht geirrt haben, denn wir wollten doch nie etwas andres wachsen lassen. Sie befinden sich hier in einer Fleischgemeinde, und die Nebenerwerbsbauern, die leicht weinen, wenn sie nicht eingestellt werden, ja, die werden zornig, wenn ihre Frauen sanft über das überraschte Schlachtvieh streicheln. Mit dem Tod befreunden die Herren sich gern, aber der Betrieb soll weitergehn. Und auch den Ärmsten wird das Vergnügen gerne gegönnt von den weiblichen Armen, in denen sie täglich ab 22 Uhr groß werden dürfen. Für diesen Direktor gilt aber nicht die Zeit, denn er erzeugt sie ja selbst in seiner Fabrik, und die Uhren werden gestochen, bis sie schrein.

Er beißt die Frau in die Brust, und dadurch schießen ihre Hände nach vorn. Das weckt ihn nur noch mehr auf, er schlägt sie auf den Hinterkopf und hält ihre Hände, seine alten Feindinnen, fester. Auch seine Knechte liebt er nicht. Er stopft sein Geschlecht in die Frau. Die Musik schreit, die Körper schreiten voran. Die Frau Direktor gerät etwas aus ihrer Fassung, deswegen hat die Birne ja auch solche Schwierigkeiten beim Glühen. Ein schlafender Hund ist der Mann, den man nicht hätte wecken sollen und aus dem Rund der Geschäftsfreunde nach Hause holen. Die Waffe trägt er unterm Gürtel. Jetzt ist er wie ein Schuß herausgeknallt. Der Einsatz im Sport ist verloren. Die Frau wird geküßt. Spuckend wird ihr Liebes ins Ohr geträufelt, diese Blume hat nicht lang geblüht, mögen Sie ihr nicht danken? Vorhin hat er sich noch in ihr herumgewälzt, bald werden seine Finger auf der Geige einen guten Ton erzeugen. Was wendet die Frau den Kopf? In der Natur haben wir doch alle Platz! Selbst das kleinste Glied noch, obwohl es nicht sehr gefragt ist. Dieser Mann hat sich in die Frau ausgeleert, eines Tages möchte er sich dafür in Gold aufwiegeln lassen zu noch rauschenderen Taten im Swimmingpool! In ordentlich gekrümmter Absprungshaltung fällt der Direktor von der Frau ab, seine Abfälle läßt er ihr da. Denn bald umschließt die Falle des Haushalts sie wieder, und sie kehrt zurück woher sie kam. Die Sonne ist noch lang nicht untergegangen. Der Mann hat sich heiter ergossen und geht, während Schlamm aus seinem Mund und seinem Genital austritt, sich vom Genuß seines Tagesgebäcks säubern.

Die Gemeinde blickt in allem auf sie, die haben dort nicht so viele Sportsmädel. Die Frau wiegt sich in ihren Sorgen, Hermann wandelt auf ihr in der Ruhe der Nacht. Und auch ihr Sohn, er beherrscht die andren Kinder vollkommener als seine Geige. Der Vater verfertigt das geringste, das unter der Flamme seiner Leidenschaft verfliegt: Papier. Nur Aschespuren bleiben, wo das Auge weilt auf den Werken der Männer. Die Frau wendet den Blick vom Tisch ab, den sie gedeckt hat, öffnet eine seitlich an ihrem Kleid angebrachte Luke und schüttelt die Abfälle vom Essen hinein, dabei bleibt sie sich treu. Heute trinkt die Familie, ganz unter sich, die eigenen Erinnerungen aus dem Projektor. Das Essen kommt spät auf den Tisch, zugleich mit dem Kind, das darin wütet. Es richtet sich nach nichts, was man ihm sagt, es richtet alles hin und her. Seit Monaten verspricht es Verbesserungen an seinem Geigenspiel, doch der Vater genießt die Ohrfeigen mehr, die er dieser freundlichen jungen Natur austeilt. Solch unnütze Ausgaben macht dieses Land auch im allgemeinen, da es sich von der Kunst ernährt, nicht aber alle seine Bürger und Gläubigen, von denen keiner das Prädikat: besonders wertvoll verdient.

Die Zunge der Frau ist ein Kleid, das alles zudeckt. Sie absolviert sich knisternd in dem gesalzenen Knabbergebäck, das im Fernsehen viel größer aussieht als in unsren Mündern, wo es rasch unscheinbar wird. Trotzdem, auch wir schütten es in die Abwasserkanäle unsrer abendlich gestimmten Leiber. Der Vater beugt sich über seinen Sohn, zärtlich wie Wurst. Der wird sein BMX Rad gewiß bekommen. Den Neid der Dorfkinder genießt der

Sohn des Direktors wie eine steife Prise Macht. Sofort geht er ins Freie etwas zertrümmern. Doch der Vater verlangt ihn als Beute, bedrohlich soll er seinen Kopf heute noch der Geige nähern, damit es so klingt, daß man es woanders auch noch zum Schmieren der Gefühle verwenden kann. Der Vater zeigt seine teure Geburtsschnitte gern am Instrument vor. Und wie er selbst, der Vater, das Instrument seines Kindes bedient, als wärs eine abgelegte Hülle! Das Kind soll sein Handelsgelenk weich halten und mit dem Bogen von zartestem Bau hin und her streifen auf den Weiden der ewigen Künstler, die belebt werden sollen mit beliebten, bekannten Klängen. Es erklingt dann schaurig, schartig Mozart, wenn Sie Glück haben und Ihnen die Fußgelenke rechtzeitig gefesselt wurden, damit Sie nicht zum Grasen auf eine andre Wiese gehen können.

Die Banken werben mit Taschen an Riemen um die Kleinsten der Kleinen. Schon dieses Gesindel, Gesinde seiner Eltern, hat das Bedürfnis nach einem Kontostand. In ein paar Jahren hat das Geld dann eine schöne Gestalt angenommen, ein Fahrzeug zum Totmachen oder eine Wohnungseinrichtung zum Totsein. Vorausgesetzt, Sie sind – wie der Sohn des Direktors – unter vierzehn und noch ledig und lebendig, noch Kind, aber schon als Kunde des Lebens gekündigt. Für diese künftigen zünftigen Verbraucher werden die Stunden noch lang werden, in denen sie mehr wert zu werden wünschen. Vielleicht werden manche von uns selbst Schalterbeamte, denn wozu stehen hier schließlich die Bankerln herum? Wohl kaum für unsre Ältesten, die Geschäftsträger gewesen sein werden. Das Kind eilt in die Hundekälte hinaus, kaum daß es fertig gebacken ist. Es muß sich einfach in heilsamen Stürzen von seinem Heim abkühlen und seinem Volk beim Schreien lauschen, damit es ihm zu noch mehr Geschrei Anlaß bieten kann.

Der Mann kommt vom zweiten Rasieren, die Frau wie ein Schifferl vor seinem Schwall herzutreiben. Ihre Berge und Täler samt Gezweige sind zwar reichliche Entwürfe, doch es fehlt durch Entwürdigung der letzte Schliff daran. Der Mann erschafft, vom Wind emporgeweht, die Frau, er zieht ihr den Scheitel und wirft ihre Beine auseinander wie welke Knochen. Er sieht Gottes tektonische Verwerfungen an ihren Oberschenkeln, sie machen ihm nichts aus, er klettert in seinen Hausbergen herum auf sicherem gewohnten Steig, er kennt jeden Tritt, den er austeilt. Der stürzt nicht ab, der ist hier zuhaus. Endlich die Beine unter den Tisch strecken zu können, wer wünschte sich das nicht. Eigentum verpflichtet den Besitzer zu nichts, den Konkurrenten zu Neid. Diese Frau hat schon seit Jahren ihren Rückwärtsgang ins Buch des Lebens eingelegt, was erwartet sie noch. Er greift ihr unter den Rock, er prasselt durch die Wände ihrer Unterwäsche. Er will sich (die Familie ist unter sich, einer unter dem andern) in seine Frau hineinzwängen, damit er seine Grenzen spürt. Er würde über die Ufer treten, ich glaube bald, wenn ihm, dem Steuerlosen, nicht schwindlig würde auf seinem eigenen Pfad. Überhaupt, die Männer würden uns über den Kopf wachsen, wenn wir sie nicht manchmal in uns einschlössen, bis sie klein und still von uns umgeben sind. Die Frau streckt jetzt unwillkürlich die Zunge heraus, denn der Direktor hat einen Muskel an ihrem Kiefer betätigt, mit dessen Hilfe eine Schlange jederzeit Gift kotzen könnte, man muß es ihr nur zeigen. Der Mann führt sie ins Bad, redet beruhigend auf sie ein und bückt sie über den Wannenrand. Er greift in ihrem Gebüsch herum, damit er endlich einsteigen kann und nicht erst auf die Nacht verwiesen werden muß. Ihr Laub, ihre Zweige biegt er auseinander. Die Fragmente des Kleides werden ihr abgerissen. Haar fällt in den Abfluß. Fest wird ihr auf den Hintern geschlagen, die Spannung dieses Portals soll endlich nachlassen, damit die Menge brüllend und schiebend ans Büffet stürzen kann, dieser liebe Verbund von Konsumenten und Lebensmittelpunktkonzernen. Hier sind wir und werden zum Dienst gebraucht. Der Frau wird ein gleichartiges, gleichwertiges oder ähnliches Organ entgegengestreckt. Er reißt ihr den Arsch auf! Mehr braucht er eigentlich nicht, mit Ausnahme seines monatlichen Spitzengehalts. Sein Gebein erbebt, und er verschwendet seinen ganzen Inhalt, viel mehr als er an Geld einzunehmen vermochte, an die Frau, wie könnte sie nicht gerührt sein von diesem Strahl. Ja, jetzt enthält sie den ganzen Mann, soviel sie tragen kann, und der erhält sie, solange er an ihrem Interieur und den Tapeten noch Gefallen findet. Er wirft ihr Vorderteil in die Badewanne und spreizt als Geschäftsführer dieses Lokals und ähnlicher Lokale ihr Hinterzimmer. Kein Gast außer ihm darf soviel frische Luft hereinlassen. Dort wächst der Hausschwamm, man hört ihn Wasser saugen und Abfall produzieren. Kein anderer als der Direktor kann die Frau so unter seinen Regen und seine Traufe zwingen. Bald wird er sich schreiend erleichtert haben, dieses riesige Pferd, das seinen Karren mit verdrehten Augen und Gischtflocken am Gebiß in den Dreck zerrt. Und auch der PKW der Frau soll nicht dazu dienen, daß sie auf eigenen Wegen fährt, er hat ihr ja schon eine Spur vorgelegt mit seinen Geschossen, die brüllend Schneisen in den Wald gebrochen haben.

Die Frau stößt mit dem Absatz ihres Hausschuhs ungefügt nach hinten, um das Ungefüge ihres Mannes zu treffen. Sein Gemächte hat sie wie einen Mähdrescher gegen den Badewannenrand schlagen hören. Das macht ihn wütend. Kotreste werden bald an ihm kleben, was für ein Leben. Schlau kocht es im schwachen Geschlecht, das sich bemüht, auch noch schön zu sein. Der Mann beschließt, der Frau das Einhalten des Ehevertrags zu gebieten. Er preßt ihr die Hand auf den Mund und wird mit ein paar Prozent ihrer Kieferkraft gebissen. Da muß er die Hand wieder wegziehen. Er deckt die Frau mit Nacht zu, steckt ihr aber seine elektr. Leitung zu ihrer Erleuchtung und seiner Zufriedenheit in den Hintern. Sie versucht ihn abzuschütteln, erlahmt aber bald, sie muß bleiben, die Augen zu. Nicht liebt er Wildes, wild ist er selber. Ringsum gähnende Leere im Haus, bis auf den Buschen Haare vorn an ihrem und seinem Bauch, zum Zeichen: hier wird ausgeschenkt. Hier gibts den Heurigen alle Tage wieder. Wir sind doch alle nicht von gestern. Linkisch wird der Frau ins warme Ohrloch getröpfelt, was die Macht des Mannes alles kann, da braucht's keiner Listen und keiner Waffen. Sie muß nur das Tor aufmachen, denn hier wohnt er, und seinen Samen kann er nur unter Vorwänden und Vorhängen noch mühsam zurückhalten. Lächelnd treibt der Schöpfer aus den Männern ihr Produkt, damit es unter uns herumzurasen sich angewöhnen kann. Der Mann zerteilt die Schöpfung mit seinen kräftigen Tempi, und auch die Zeit vergeht in ihrem eigenen Tempo. Er zertrümmert die Kacheln und Scheiben in diesem schattigen Raum, der unter seinem Treiben und an seinem hellen Licht sich freut. Nur in der Frau da ist es dunkel. Er zieht in ihren Arsch ein und schlägt vorn ihr Gesicht gegen den Wannenrand. Sie schreit noch einmal. Er richtet sich in seiner kleinen Pilotenkanzel auf längeres Bleiben ein. Er selbst ist vielleicht schon zur Ruhe gegangen, aber sein Glied zieht noch nach seinem Willen von Klippe zu Klippe. So einer wirft sich in die Scheiße wie andre vom Strand ins Meer, setzt sein extra Saugegerät ein und hält mit nichts hinter dem riesigen Berg, bis er seinen Staubsack ganz geleert hat.

2.

Später ruft sie nach dem Sohn. Und ist doch schon vorher gesättigt von dem lieben Bild des Kindes, dem einzigen Schutzhäuschen gegen die Untergriffe des Mannes, der sie fester hält als der Besucher das Getränk seiner Wahl. Er braucht keine Schutzhütte für sein Geschlecht, und sein Strom nimmt die kürzeste Bahn. Das Kind weiß viel von alledem, betrachtet lächelnd die Schlüssellöcher, durch die es die Wonnen in der Wohnung auskundschaftet. Den Körper der Mutter besieht es sich schlau und dreist, gleich nachdem es aus der Unwelt draußen, die in der Kinderzeitschrift Wunderwelt genannt wird, hereinkommt. Treibt der Mutter das Lächeln im Gesicht herum wie ein Kahn oder ist es fest eingegraben? Das Kind sieht seiner Mutter nichts nach, wenn es sich unter ihre weiße Abzugshaube drängt, im Nest, das der Vater gebaut hat. Sie gehören einander für die Fleischbeschauer, die sich vor dem Zaun drängen, streben selbst auch noch zueinander, steuerlos wie das Wolkenpotpourri am purpurnen Himmel droben. Wissen nicht warum, doch, das Kind hat ein hungriges Maul mit dreckigen Reden zu stopfen, in denen seine Mutter vorkommt und deren oft blutige Hosen. Das Kind weiß alles. Es ist weiß und hat ein braunes Gesicht von der Sonne. Am Abend wird es dann sattgebadet sein und gebetet und gearbeitet haben. Und sich an die Frau kleben, an ihr weiden, sie in die Brustwarzen beißen zur Strafe, daß vorher der Vater ihre Tunnels und Röhren ausweiten durfte, hören Sie! Die Sprache selbst will jetzt sprechen gehen!

28

Das Wunder der Reise ist ja, daß man einem fremden Ort begegnet und ihn schaudernd wieder flieht. Doch wenn man beieinander bleiben muß, als vierfarbige schlecht fabrizierte Nachbildungen von Natur, einander ganz angehörig, eine Familie, dann werden Sie nur Papst, Küche und die österr. Volkspartei finden, dieses Werk zu ehren und allen seinen Sünden einen Preisnachlaß zu gewähren. Die Familie, dieser Geier, hält sich selbst als Haustier. Das Kind hört nie zu. Es sitzt über seinem heimlichen Spielmaterial, das zum Teil aus schweinischen Bildern, zum Teil aus dem Vorbild für diese Bilder besteht. Der Sohn schaut auf sein Schwanzerl, das öfter Ladehemmung hat. Knausrig hockt das Kind über seiner geheimen Privatsammlung, beinahe menschlich in seiner plappernden Gier, der Papst hat ganze Bibliotheken dafür. Es wird gegessen, noch im fühllosen Schlund findet der Mann die Nahrung, die seine Frau bereitet hat, lobenswert. Heute hat sie selbst gekocht! Was auf dem Teller geschieht, gelangt in seinen Wohnort, an seine Adresse tief unten in seinem Leib, wo es herumgeworfen wird wie ein junger Adler im Schleudergang der Lüfte. Dafür sorgt die Frau und sorgen die Frauen. Der Mann fragt mit seinen stummen Blicken die Frau, ob jetzt noch Zeit wäre, sie grenzenlos aus ihren Angeln zu fegen. Aber das Kind, es könnte deutlich hörbar werden, wenn der Vater jetzt in die gähnende Leere seiner Frau griffe, sie gibt ihm das zu bedächtigen und hofft damit zu entkommen. Doch schon wird sie, dem Spielbetrieb des Mannes gehorchend, fortgeführt. Sie klammert sich an der Schlafzimmertür fest, doch die Grenzen sind im Bad, eine Tür weiter, und heute schon einmal überschritten worden.

Das geht ganz still vor sich. Der Mann ist heute aus-
nahmsweise mittags zum Essen nach Hause gekommen.
In der Schwebe empfängt von den Weiden draußen der
Mensch seine tierische Nahrung, doch er erkennt seine
vierbeinigen Freunde in der Schüssel nicht wieder. Ganz
zuletzt soll die Frau ihre Kleidung ablegen, jetzt haben
wir mehr Zeit dafür. Das Kind ist ausgestopft worden, es
muß in der Schule stillsitzen. Doch damit die Frau aufgehoben ist, muß sie in die Wogen, die geifernde Gischt des
Mannes. Der sieht sich als schöner Wilder, der in der
Fleischbank seiner Frau einkaufen geht. Die Familie, so
klein wie eine Imbißstube auf dem Bahnhof, ganz allein,
ein Männlein auf einem Bein, denn auf das zweite Bein,
die Frau, kann man sich doch nie verlassen. Die Ansprüche des Mannes auf eigene Gebiete, deren himmlische
Bergwanderwege nur er begehen darf, sind bereits ange-
meldet beim Katastrophenschutz österr. Frauen. Auf den
schönen Steigen schickt er sich selbst zum Spielen, aber
das Gebirg wirft ihn pünktlich um sieben Uhr abends in
seinen Horst aus selbst zusammengetragenen Zweiglein
zurück. Seine Frau warte auf ihn, wie er der Natur lächelnd vorlügt. Wie mit Lassobanden muß er sie einfan-
gen. Er ist mit ihr eine lebenslängliche Gruppe. Ein
Raum, winzig und kahl wie das Gedächtnis, enthält ihn
doch als Ganzes. Die Frau stirbt nicht, sie entsteht ja gerade erst aus dem Geschlecht des Mannes, der ihren Un-
terleib im Labor bereits vollständig nachgebaut hat. Wie
der Mann es doch liebt, als Körper aus seiner Truhe heraus aufzutreten und möglichst rasch aufzutauen!

Das Kind, während seine Eltern, der Vater aufgedreht
wie eine Flamme, die Mutter nur ein Hauch, mit dem das

Glas beschlagen wird, eins über den andren herfallen, klappert gelangweilt mit dem Briefkastenschlitz. Der Schulbus steckt manchmal im starken Schnee dieses Winters fest. Kinder hungern darin, die doch ein gemütliches Zuhause hätten. Sie müssen vor diesem linkischen Anger Natur (was für ein Wunder, daß diese grausam gepeitschte Natur immer noch Forderungen an uns zu stellen wagt!) kapitulieren, werden in eine Notunterkunft gebracht und lesen ein Mickey Mouseheft oder ein andres Heft, das ihr Vater nicht in der Hand hat. Sie werden Würstel im Schlafsack bekommen und unaufgehoben sein. Sogar Autos drehen manchmal durch bei diesem Wetter. Doch wir haben es warm und sicher für die heilige Wandlung, da wir endlich bereit sind, uns von unsrem Partner enttäuschen zu lassen. Und wie gern! Bis Erfahrungsbücher uns Unbewohnbare beraten kommen, nur ja nicht still allein zu bleiben.

Der Vater wirft sich auf die Sparbüchse der Mutter, wo ihre Heimlichkeiten sich aufhalten, um vor ihm verborgen gehalten zu werden. Von einer Stunde zur andren, ob gewichtige Nacht, ob wichtiger Tag, er ist der einzige Einzahler, er gerät außer sich. Sein Geschlecht ist ihm schon fast zu schwer zum Heben. Die Frau soll's jetzt ein bißchen tragen. Schon morgens, im Halbschlaf, tastet er sich in die Furche ihrer Hinterbacken vor, sie schläft noch, von hinten greift er in ihren weichen Hügel, Licht, wo bist du, das Herz ist schon wach. Das Tennisspiel kann warten in seinem Clubhaus, wo es antiseptisch ist. Zuerst, wie Kinder gehorchend, kommen zwei Finger in die Frau, dann wird das kompakte Brennstoffpaket nachgelegt. Der Medien-, der Melodienkoffer, der unsre

insche im Gedächtnis des Höchsten gespeichert hält,
tt mit Musik in den Äther hinaus. Es wird alles erfüllt
werden, so steht es uns zu, atmet recht tief! Wir kennen
das beste genau, es steht bei uns zu Haus auf der Kredenz.
Der Mann ergreift seinen ruhigen Binkel mit der Hand
und drängt damit an die erstaunten Hintertüren seiner
Frau. Die hört seinen Lendenwagen schon von fern kommen. Sie beginnt, kein Gefühl in sich wohnen zu lassen,
aber wir haben ja noch einen Kofferraum! Da geht der
schwere Genitalienhaufen hinein, nur keine Sorge wegen
der Gerüche. Die Polster, überzeugend bezogen, bleiben
nicht rein. Wie blind kassiert die Frau Geborgenheit aus
dem spuckenden Spender des Mannes, der ihre Brüste
melkt. Seien wir jetzt zu Haus, die Bäume haben das Laub
von den Bergen geworfen. Der immergrüne Mann, er
muß sich bei dieser Frau nicht schützen, freundlich ist er
eingehüllt, kein Gewölk am Himmel. Wie gern wohnt das
Eigentum bei uns. Es kann sich auf keinen besseren Platz
setzen als unter unsre Geschlechtsteile, die darüber klaffen wie die Klippen über dem Strom. Dafür bekommt
diese Frau jeden Monat bar das Leben auf den Tisch ge-
knallt für ihren Alltagsherd. Morgen wird sie erneut dem
Kind die Tür von der Schule ins Leben öffnen, auch diesen
Lebensgesang hat der Mann gekauft und röstet seine
schwere Wurst im Blätterteig von Haar und Haut in ihrem
Ofen. Aber der Schulbus steckt fest.

Die Frau spricht davon, daß auch das Kind essen muß.
Ihr Mann hört nicht, blättert flüchtig in seinem Taschen-
lexikon. Das Haus gehört ihm, sein Wort ist dort schon
eingetroffen und wird beherzigt werden. Er zieht das Geschlecht seiner Frau auseinander, ob er sich auch leser-

lich dort eingeschrieben hat. Er stößt mit der Zunge zornig hinein, mit dieser Kunst ist er eines Tages aus heiterem Himmel nach Hause gekommen. Freudig ist er ein Gott. Und bald wird er wieder im Büro sein und mit der Sekretärin scherzeln. Er hat sich selbst vorzuweisen! Er probiert sich in immer neuen Stellungen aus, in denen er mit mächtigen Tritten seinen Karren ins nüchterne Gewässer seiner Frau stößt und wie ein Rasender zu paddeln beginnt. Schwimmflügel benötigt er nicht, er wird sich nie so ein Stück Plastik übers rote Kopferl ziehen, bloß damit er gesund bleibt. Gesund ist seine Frau schon die längste Zeit. Sie krümmt sich unter ihm, schreit, als aus seiner wohleingerichteten Eichel eine ganze Herde unruhiger Samenkörner stürzt. Was ist los. So laut kann nur einer mit dem Eis klirren, der sich um seine Lebensstellung keine Sorge zu machen braucht.

Dieser Mann, der jetzt sein Haustier in die Klammer seiner Schenkel gespannt hält, um es in die Wangen beißen und in die Titten zwicken zu können, der hat schließlich ein eigenes Programm entworfen, um den Betrieb auf seinen Kern zu reduzieren. Ja, Sie haben ganz richtig gesehen! Und Sie sehen noch mehr, wenn am Morgen das Tor erwacht und die gebückten Rücken der glänzenden Herde (genug getrunken!), kaum daß sie der Sonne gewahr wurden, schon wieder verschwinden im Dunkel, um ihr Schicksal zum Trocknen dort aufzuhängen, ja, und manchmal steckt einer von ihnen noch drin in der tropfenden Hülle. Wer erbarmt sich unser. Lieber soll Überschuß im Übermaß für den Konzern erwirtschaftet werden, als daß die Überflüssigen, getreu wenigstens ihren armen Namen, etwas für Garten und Heim sich erwirtschaften könnten. Profit für den ausländischen Multi, zu dem die Fabrik gehört, damit der brüllend aus dem Schlaf schrecken, uns alle in Papier einwickeln und aufessen kann. Das Kind hat seine Werkstatt, in der es haust und behauen wird. Zu Weihnachten hat es ein eigenes Solo zum besten gehalten, vor der hl. Krippe mit dem Kinde lieb wie es selbst eins ist. Der Schnee ist in diesem Jahr früh angekommen und wird dafür lange bleiben, tut mir leid.

Später kommt eine unerbetene, unerbittliche Nachbarin der Frau ins Haus. Es regnet Vorwürfe aus ihr heraus, dauerhafte Schwäche dieses weibl. Menschengeschlechts, das nun erwacht ist und, die Treppen aufsteigend, nur in seinen Klagen aus sich selbst auszubrechen vermag. Die Nachbarin ist lästig wie ein Insekt. Sie beleuchtet die Leute auf der Wiese mit ihrem Licht und ihrem Kummer, den sie der Gnade der Direktorin preisgibt, und auch preist sie den Sohn des Gottes, der die Menschen in diesem Landstrich aus Erde geschaffen und ihre Bäume in Papier verwandelt hat, um vor ihm Gnade für ihre bald die Handelsakademie vollendende Tochter zu finden. Ihr Mann trifft nicht mehr sie, sondern er trifft eine zwanzigjährige Serviererin im Bahnhofsrestaurant. Doch die Frau des Direktors hat keine Worte mehr für ihren Gast, diese Erfrischungen sind ihr ausgegangen. Leicht umgibt sie der Reichtum ihrer Möbel und Bilder, sie ruhten nicht, bis sie ihr gehört haben.

Der Mann ist im Kern groß und genießbar, ein Bürger, der singt und spielt. Er schafft seiner Frau, damit ihr Körper sich jeden Tag ordentlich zum Dienst melden kann,

Reizwäsche via Katalog an. Verwegenes hat er erwählt, damit sie den Vorbildern auf den Fotos gleich zu werden trachtet. Die Wäsche ist an sie verschwendet. Sie vergißt sie im Kasten und schweigt. Keine roten Spitzen stören ihre weite Ruhe, aber, wenn er es recht bedenkt, gerade so hat er es gern: daß sich seine Menschen ganz vergessen, wenn er ihnen die Liebesstricke gedreht hat. Ruhig vergehen sie wie Zeit in ihrer Wohnung und warten auf ihn. Das Kind, das hungrig vom Sport umschlichen wird. Die Frau, die durstig mit Fotos und Filmen verglichen wird. Familien ohne Anhang und ohne Anhänglichkeit könnten in Kombiwagen vorgefahren kommen, die Geräte im Kofferraum, die Peitschen, die Ruten, die Fesseln und die Wickelbande aus Gummi für die großen Wickelkinder, deren Geschlechter immer nur weinen, plärren und schnappen, daß ein Größerer sie endlich zähmen möge. Einmal werden auch ihre Frauen endlich Ruh und Milch geben. Sogar Spritzen wie der Blitz verabreichen die Männer sich liebreich, damit sie es länger aushalten in den klappernden Büchsen, die ihre Frauen ihnen flehentlich entgegenhalten. Damit sie sich wieder sammeln und anschließend ihre Geschäftspartner aufs Kreuz legen können. Über dem Knabbergebäck in den Schalen stehen Frauen geknickt, lachen, und bald stürzen die Herren in die Couchecken, wo sie, zusammensinkend, die Leiber spalten, ihre Schwänze ins Licht hängen und, so rasch wie möglich, die von ihnen Bezauberten wieder fliehn. Wie sehnen sich die Männer, daß ihre Schüsse ins Weite, Unhaltsame, Unterhaltsame gehen sollen! Die Frauen, durch braune Streifen vom Aufenthalt ihrer Kinder in ihnen gekennzeichnet, müssen sich servieren, nackt wie bei der Geburt ihre Säugerlinge. Die schweren

Weingläser schwanken auf den Tabletts, und ihre himmlischen Herren umfangen sie von hinten, von vorn, von überall, Finger fahren hinein und hinaus, Münder saugen zwischen den Schenkeln und zerbrechen ihr liebstes Spielzeug, ja, jetzt ruhen sie sich aus Leibeskräften aus, die Liebesgefährten und die vielen tobenden Pferdestärken, die ihnen beigewohnt haben. Das Werk einiger Friseure ist zerstört, für die Putzfrauen ist neuer Abfall geschaffen worden, und dann fahren sie alle wieder fort, ungezwungen in ihren Autos wie in den liebend Armen ihrer Frauen. Wer wird sich denn genieren vor seinen eigenen Autositzen? Nur Schokolade wird hier nicht gegessen. Diese Flecken, die einzig übrigbleiben von etwas, das uns das Beste schien, gehen oft nicht mehr heraus.

Nie könnte der Mann plötzlich verschwunden sein, so sehr hockt er hier in seinem schönen Haus, das sich am Abend das Dunkel der Wälder und den Dünkel seiner Bewohner anzieht. Steht ihm wirklich gut! Mitleid wäre verschwendet an die Frau. Die Poren ihres Kindes sind noch so klein. Die Frau schwankt unter der Last ihres schweren Glücks. Mit kluger Führung kann ihr Arrest noch aufgehoben werden, doch die Rast darf sie ihrem Mann nicht verwehren. Das Schnellgericht dürfte bereits in ihm zu kochen beginnen. Schon daß er hier ist, scheint seinen Schlitz anzufeuchten. Meist ist das Ende von Betriebsausflügen feuchtfröhlich, es zuckt das Verborgene, es wollen seine Sekrete ins Freie hinaus. Leben besteht ja größtenteils darin, daß nichts dort bleiben will wo es ist. So, wolle den Wandel! Auf diese Weise entsteht Unruhe, und die Leute besuchen einander, müssen sich aber immer selbst mit sich herumtragen. Wohlgeordnete

Knechte, stehen sie vor ihren Geschlechtswürsten und hauen mit dem Besteck auf den Tisch, daß ihnen schneller ein Loch serviert werde, in das sie sich verziehen können, nur um wieder, noch gieriger geworden, aufzutauchen und neuen Unbedürftigen ihre Gastfreundschaft anzutragen. Nicht einmal Sekretärinnen wollen zugeben, daß sie sich von den Griffen in ihre Blusen angeprangert fühlen. Sie lachen. Hier existieren ungehörig viele, als daß alle genügend ungehöriges Futter bekommen könnten.

Der Mann erscheint in der Früh als die nackte Wahrheit und reißt die Frau um. Er gibt ihr einen Hieb auf den Hintern, von fern herkommend. Die Tuben klappern schon auf dem Badezimmerbord, der Schonbezug zuckt auf dem Abort. Die Tiegel wiegen sich, weithin glänzend. Man hört die Stille, die in der Rute des Mannes die ganze Nacht gedauert hat. Dann spricht er, und durch nichts ist er abzuwenden. Auf dem ebenen Boden steht die Frau, müd vom langen Zug durch die Nacht, und ihre Öse soll jetzt geweitet werden. So intim wie ein Walzwerk ist sie schon lang geworden, denn sogar vor den Geschäftspartnern wird mit ihr der Länge und der Breite nach geprahlt, in kurzen kräftigen Klimmzügen eilen die schmutzigen Sprachsalven aus dem Direktor in die Höh. Und die Untergebenen schweigen verlegen. Der Mann ringt sich was ab, wir hören noch voneinander. Der Direktor greift in die Tasche dieses Körpers, der ihm gehört, beisammen sind die Geliebten, nichts fehlt. Dieser Mann ist ein Freund von lockerem Gerede, und immer lockt das Weib. Daher kann er unmöglich länger an sich halten, dieser stille Büchsenöffner, gleichwie die Pflanze das Licht hilflos sucht, sobald es abgedreht ist. Das Kind spielt schon recht nett auf Befehl allein. Wie wird dieses Kind erst aufgeigen, wenn es, nach Papas Vorbild im Reisespaß, ein Mann und Vater geworden ist! Auf das lange lästige Gestilltwerden kann sich das Kind gar nicht mehr besinnen, werden doch weiterhin all seine Forderungen gestillt. So lang hat die Frau sich an das Kind ausgeschenkt, und was lernt es daraus? Daß man Ausdauer haben muß, zeigt sich der Himmel in Gestalt eines Hügels, auf den man um einen schönen Preis rauf muß.

Nein, diese Frau irrt sich nicht, dieses Kind hat sie längst verloren, bis es reift, und dann ist es fort. Und kräftig zieht der Vater sie ins Licht, sie muß sich öffnen für den Expreßzug, der daherdonnert. Jeden Tag dasselbe, selbst Landschaften ändern sich ja, und sei es aus Langeweile, wegen der Jahreszeiten. So steht die Frau still wie eine Klomuschel, damit der Mann sein Geschäft in sie hineinmachen kann. Er drückt ihr den Kopf in die Badewanne und droht, die Hand in ihr Haar gekrallt, daß wie man sich bettet so liebt man. Nein, weint die Frau, an ihr hängt keine Liebe. Schon klappert der Mann mit seinen Knöpfen. Der Nylonschlafrock wird herumgestülpt, er wickelt sich ihr um die Ohren. Es winselt in den Eingeweiden wie von gefangenen Tieren, die heraus wollen mit schweren Tritten. Das Batistnachthemd, hell und stumpf wie ein Zündlicht, wird der Frau ins Maul gestopft, und die Natur des Mannes erscheint zögernd von außen. Sein unschuldig Wasser wird abgeschlagen. Dicht neben der Frau plätschert es aus dem dunklen Rauch des Schamhaars in die Badewanne, direkt an ihrer gesenkten Wange vorbei. Das Email strahlt in frischem Glanz.

Schnell ist der Schwanz des Mannes in dieser freundlichen Umgebung aufgewachsen. Die Frau muß husten, während ihr die Flanken geweitet werden. Der Büchsenöffner wird aus der grauenhaften Flanellhose gezogen, und eine milchige Flüssigkeit erscheint, nachdem der Mann etwa eine Weile, die ein Fettfleck braucht, eingewirkt hat und liebend sich in einer stacheligen Haarwolke ertönen hat lassen. Viel zu früh tritt das Glied aus seinem Fach ans Licht hinaus. Die Frau, der ihr Arsch, diese schattige Straße, aufs äußerste aufgespreizt worden ist, muß hinter dem Mann zurückstehen bleiben. Er reißt ihr Steuer herum und zwingt sie, ihn anzuschauen. Er kehrt sich wütend ihre Vorderfront zu, zwingt sie, seinen verhallenden Pimmel anzufassen, der schon wieder zu zucken beginnt, will er doch wohnen in dir, du liebe Zeit, und in Ihnen, Sie liebende Nacht! Er drückt der Frau das Haar in seinen Erguß, in den Rest davon, den ihre einfältigen Augen erblicken sollen. Schwer denken sie nach, die Helden, wenn ihre Arbeit getan ist. Die Frau wird mit Sperma eingeschmiert. Auf die Weise, daß man ihr ein schönes Haus gebaut hat, wird man die Partnerin nicht verlieren, und draußen stehen die armen Reihenhäuser der Ärmsten aus ihren Ärmeln und Sexämtern Gejagten bereits zu Dutzenden zum Verkauf, zur öffentlichen Versteigerung, zur heimlichen Verbrennung. Und was einmal ein Heim war, drängt jetzt unter den Hammer der Herren von der Gemeinde. Was einmal eine Arbeit war, wird den Herzen entrissen mit Gewalt. Nur von den Frauen können wir's uns in winziger Münze zurückholen. Wohin sollten sie sonst gehn, die Frauen, als zu denen, die im Starken herumplätschern und froh locken mit den Abfällen, die ihnen wie Schaum vom Gebiß fliegen? Ihre Generatoren erzeugen unnötige Produkte und ihre Generationen erzeugen unötige Probleme. Jetzt hat dieser Direktor seine kritische Masse rechtzeitig angehalten. Vorn drückt er der Frau das Gesicht in sein Intimprodukt, dann läßt er sie Blicke in seinen Intimbereich tun. Nicht will an seinem scharfen Strahl sie sich laben, aber sie muß, die Liebe verlangt's. Sie muß ihn gepflegt werden lassen, sauberlecken und mit den Haaren abtrocknen. Jesus hat diesen Wettlauf damals gewonnen, daß er von einer Frau abgewischt worden ist. Schließlich erhält die Frau einen sie wieder abschließenden Schlag auf den Hintern, grob fährt die Hand ihres Herrn in ihren Ritzen und Sprüngen herum, seine Zunge leckt ihren Nacken ab, ihr Haar wird in die Wanne geworfen, an ihrem Kitzler wird kräftig gezogen, daß ihr die Knie vorn zusammenklappen und der Arsch wie ein Faltstuhl herausspringt, und auch viele andere Menschen folgen Seinem Kommando.

Ja, was machen wir derweil mit dem Kind? Das überlegt inzwischen ein Geschenk, das es gekauft haben möchte, um von den zusammengepflockten Eltern nichts Heimliches gesehen zu haben. In jedem Geschäft, das es erblickt, will dieses Kind ein Stück Leben frisch (vom Lebendigen, von den guten Lebensdingen) herausgeschnitten bekommen. Dieses Kind spielt alle tückischen Stückeln. Es ist dies die neueste Generation, und das letzte ist gerade gut genug für sie. Bald aber wird auch sie gehn, wie gingen wir sonst weiter?

Der Vater hat einen Haufen Sperma abgeladen, die Frau soll alles ordentlich wegputzen. Was sie nicht aufleckt, muß sie aufwischen gehn. Der Direktor zieht ihr die

Reste ihrer Kleidung aus und beobachtet sie beim Wischen und Flechten, beim Weben und Winden von Fetzen. Einmal fallen die Brüste nach vorn, dann schwanken sie vor der Frau herum, während sie scheuert und erneuert. Er zwickt die Warzen zwischen Daumen, Zeigefinger und Mittelfinger, und dann dreht er dran herum, als wollte er eine Mikrokosmos Birne einschrauben. Er schlägt mit seinen jähzornigen, schweren Kaldaunen, die vorn, ein helles Himmelsfenster, im Ausschnitt seiner Hose erscheinen, von hinten gegen ihre Schenkel. Wenn sie sich bückt, muß sie die Beine spreizen. Er kann jetzt ihren ganzen Feigenbaum mit einer Hand umfassen und die Finger zornig Wanderer spielen lassen. Übrigens, wenn sie schon die Beine aufgeklappt hat, kann sie sich gleich über ihn stellen und ihm in den Mund pissen. Was, sie kann nicht? Stoßen wir ihr das Knie nach oben und treffen klatschend (Applaus, Applaus!) ihre weichen Futlappen, die sich gleich leise schmatzend öffnen werden, und wir Männer müssen sofort mit dem Maßkrug auf den Tisch hauen. Wenn sie dann noch nicht seichen kann, zerren wir ihr ganzes weibl. Geschlecht an den Schamhaaren nach unten, bis sie in den Kniegelenken einknickt und, aufs äußerste gespreizt, auf den Brustkorb des Herrn Direktor hinuntersinkt. Wie ein geöffnetes Handtaschel hält er ihre Fut an den Haaren auseinander und schleift sie sich übers Gesicht, um sie grob auslecken zu können, ein Ochse am reifen Salzstock, und das Gebirge ist in Feuer getaucht. Die Last der Scheiter ruht auf den Männern. Ihr Wasser murmelt Unverständliches, und die Frauen nehmen es mit ihren saugkräftigen Lumpen und sogar mit Ajax auch noch auf.

Die Frau trinkt einen Rest kalten Kaffee aus ihrer trüben Tasse. Wie zur Flucht hat sie sich wieder mit einem Hauch Strumpfhosen überzogen. Keine hier hat es so gut wie sie. Ihr hängt die stille Klaue ihres Herrn über dem Kopf, damit sie im Raubtierkäfig heimisch wird. Am Abend schon beginnt der Direktor damit, der Müden zuzulächeln, sein Ziel anzupeilen. Er wird später gegen sie anbranden, er muß der Erste in dieser österreichischen Sparkasse bleiben! Die Frau greift ins Leere, wo die Speisen verderben, als wollte sie ihn von ihrer Schlummerstätte abschütteln. So werden sie einander immer verfehlen auf der breiten Fährnis der Straße, die ihnen die Schreckensbergbahn ihrer Ehe erschließen soll. Diese Frau wird von den Dorfbewohnern beneidet, wie schön sie sich kleidet. Und den Dreck ihres Hauses saugt eine Frau auf, die fürs Putzen bestellt wurde aus dem Katalog der Dorfbewohner, die doch nur brüderlich leben wollten. Das Kind ist recht spät geboren worden, aber nicht zu spät, daß nicht noch ein klagender Erwachsener aus ihm werden könnte. Der Mann schreit in seiner Lust, und die Stimme der Frau schmiegt sich an ihn, damit er seinen Stab schwingen und teure Nettigkeiten für die Wohnung anschaffen möge. Eine neue Garnitur, damit sie eingesetzt werden kann an den Bahnhöfen, wo die beiden ihr seliges Geschlecht reiben gehen. Aber niemand kann zaubern. Als der Mann aus seiner Trunkenheit erwacht, duckt er sich gleich, es der Frau rechtzumachen. Er ist gutmütig. Ja, er bezahlt schon, er hat alles bezahlt, was Sie hier in Farbe abgebildet sehen. Trocknen Sie Ihre Wangen!

Am Abend werden ihre Teller Heimatloses bergen. Die Speisen werden einander flüchtig vorgestellt sein und sollen sich schon bald lieb in den Körpern mischen. Und wie es erst unter manchen Dächern zugeht! Das Essen ist in diesem Haus nicht wichtig, für den Mann muß es viel sein, damit der Starke lächelnd sinkt und nachgibt. Wurst und Käse am Abend, Wein, Bier und Schnaps. Und Milch, damit das Kind beschützt ist. Das ist der Aufstrich und der Aufschnitt auf die Legende, daß der Mittelstand nach unten hin abgesichert ist und nach oben hin unter Naturschutz steht (unter dem Schutz der Natur). Und zwar schützen ihn die, die darunterliegen, damit er nicht ins Bodenlose stürzt.

Schon früh am Morgen hat sich der Mann erleichtert. Große Mengen bilden sich unter ihm, und er hat sich auch noch viel auf die Gabel und die Schultern gehäuft. Er prasselt mit seinem Urin herum. Man hört ihn überall unter seinem Dach, wie er mit seinem schweren Penis in die Rastplätze seiner Frau kracht, wo er sich endlich ausleeren kann. Erleichtert um sein Produkt, geht er wieder hin zu den Kleinsten der Wesen, die unter seiner Leitung ihr eigenes Produkt erschaffen. Das Papier, das sie gemacht haben, ist ihnen fremd und wird auch nicht lang bestehen können, während ihr Direktor sich schreiend wälzt unter den Stößen seines Geschlechts, mit dem er verwandt ist. Die Konkurrenz drückt gegen die Wände, es gilt, ihre Schliche schon vorher gekannt zu haben, sonst müssen wieder ein paar selige Menschen entlassen werden und von ihrer Existenz befreit. So tritt dieser Mann in die Natur und trägt seine Verantwortung auf dem Rücken, damit er die Hände frei hat. Er verlangt von seiner Frau, die er regiert und die ihn regeneriert, daß sie ihn nackt unter dem Mantel ihres Hauses zu erwarten habe, wenn er die zwanzig Kilometer eigens vom Büro nach Hause kommt. Das Kind wird fortgeschafft sein. Auf dem Tritt in den Schulbus noch ist es über seine Sportgeräte gefallen, in die es sich verspießert hat.

Die Frau erwacht hastig aus dem warmen Druckverband der Ruhe, in den sie sich geflüchtet hat. Sie hebt alles auf, was das Kind ihr noch rasch vor seiner Abreise verabfolgt hat. Den Rest erledigt die Haushälterin, die schon viel gesehen und vom Boden aufgehoben hat in diesem Haus. Als das Kind noch klein war, ist seine Mutter mit ihm manchmal in den Supermarkt gefahren, freundlich vom Chef persönlich an der Bande der wartenden Hausfrauen entlang geleitet. Das Kind saß im Einkaufskarren, der etwa dem Mutterleib entspricht, und wie gern hielt das Kind sich drin auf! Es haben halt die rasanten Wagen oft Löcher an den falschen Stellen und werden doch mehr geliebt als die eigene Familie von den frisch Achtzehnjährigen, die, sterbend noch verklammert mit ihnen, Eltern und Elternhaus fliehn. Und dann diese magischen, magnetischen Schutzvorrichtungen an den neuen Kleidern, oh, hätte der Mensch sie doch auch! Damit er nicht aus sich herausfällt, wenn er die Aussichten, die er nicht hat, bewundert. Das Geschlecht soll vor Krankheiten geschützt werden wie die Frau vor der Welt, damit sie nicht unvorsichtig aus dem Fenster schaut und im Leben wandelt und ihr Leben wandeln möchte. Ja, doch nur die Kleider werden von den Warenhäusern beschützt. Es schrillt, wenn jemand unbefugt mit ihnen durch die Sperre bricht, um, stets unterwegs, Wanderer, ins stumme Reich der Toten und Kaffeesorten zu blicken. Da ziehen wir schon besser zu Fuß und schlecht gekleidet in unsre Geschlechter ein und hausen dort unter unsren eigenen Abfällen; zumindest dulden wie kein andres Fahrzeug in unsrem kleinen Fuhrpark. So halten wir das Leben ewig in Gang, wo es zieht und wo wir selbst hingezogen und fortgerissen werden von einem freundlichen Gesicht, in dem wir das unsre schrecklich gespiegelt sehen.

Diese Frau hat sich erst letzte Woche einen Hosenanzug in der Boutique gekauft. Sie lächelt, als hätte sie was zu verbergen und hat doch nur das stumme Reich ihres Körpers. Drei neue Pullover versteckt sie im Schrank, um keinen Anlaß zum Mißtrauen zu geben, sie wolle mit ihrer blutigen Furche sich einen neuen Wonnemonat bereiten. Doch sie pflückt nur die gütige Frucht Geld vom Baum ihres Mannes. Kein liebes Laub wattiert mehr die Bäume. Der Mann kontrolliert ihr Konto, und schon wieder sind Tausende im Wind tobende Bäume seiner Axt zum Opfer gefallen. Das Wirtschaftsgeld wird der Frau ausgezahlt und mehr! Er glaubt eigentlich nicht, daß er für den bequemen Schaukelstuhl, in dem er, ein zufriedener Bub, seinen Stengel ausruhen und sich strecken läßt, auch noch bezahlen soll. Unter dem Schutz seines hl. Familiennamens steht sie, und unter dem Schirm seiner Konten, von denen er regelmäßig Bericht erstattet. Sie soll wissen, was sie an ihm hat. Und umgekehrt weiß er von ihrem Garten, der, stets geöffnet, zum Herumwühlen und Grunzen bestens geeignet ist. Was einem gehört, muß auch benutzt werden, wozu hätten wir es denn?

Kaum ist die Frau alleingelassen, zieht sie sich schon ihr Geleit von Geld, Geldeswert und Geldentwertung an und geht mit ihren fest eingeschraubten Sicherheiten ein wenig spazieren. Wie ein Schatten gleitet sie durchs Meer der Menge, die das Papier erzeugt, auf dem ihr Lebensschifferl tanzt. Ja, das Meer, das gern lebendig auch uns begräbt! Denn hinten wartet die Menge der dummen Erwerbslosen, die auf die Chance lauern, daß jemand ihre Spur endlich aufnimmt. Und wir? Wollen weiter fliegen? Dafür müssen wir neunmal Klugen erst mal höher hinaufsteigen und uns runterregnen lassen, denn: sich regen bringt Segen! Die Frau legt die Hand, das Allzweckkleid, vor die Augen. Bald werden Mann und Kind wieder von Eßwaren überzogen werden müssen. Was wird heute abend sein, da der Mann kompakt, aufgeladen und fabrikneu vom Band hinunter gleitet statt rast? Er hat sich wie eine Mutter sorgsam aufgezogen in seiner Flasche Leben. Und am Abend will er's loswerden. Er prickelt. Heut abend, wir hätten es fast vergessen, ist die vom Gesetz vorgesehene Zeit dafür, und die Frau wartet mit ihrem saugfähigen Tuch darauf, alles aufzufangen, was der Mann tagsüber produziert hat. Und die andren Menschen schwinden im Schatten und begraben ihre Hoffnungen lebendig.

Diese Landschaft ist recht groß, das muß gesagt werden, eine lockere Fessel um unser Schicksal, das im Nebel liegt. Zwei Burschen verfolgen einander auf Mopeds, doch der Schnee macht ihrem Fahren rasch ein Ende. Es stürzen sie und fallen. Die Frau lacht jäh. Wenigstens einmal möchte sie entschlossen nach vorne gehen. Ihr Mann hat heut in ihrem Körper aufgetrumpft, als wäre er zu zweit gekommen. Warten Sie noch ein wenig auf den Abend, bis Sie in den Stromkreis treten! Jetzt hat den Mann ein stählernes Gegengewicht, etwa von der Größe eines Telefons, ins Büro gezogen. Unter spritzenden Steinen ist er zu seinem Schreibtischsessel, wo er Schicksale verwaltet, und vor einen Bildschirm, wo ein Schirennen veranstaltet wird, vorgedrungen. Auch er liebt den Sport, das hat sein Kind von ihm gelernt. Die Menschen wiegten sich sonst geduldig in ihren Betten, käme nicht Bewegung aus dem Bildschirm und manchmal sogar aus ihren eigenen Füßen und Herzen. Dem Mann drückt es die feinsten Härchen an die Haut, wenn er über die Landstraße rast. So schnell fährt er. Es poltert wie in Landestracht, wenn er nach jemandem ruft. Der Chor wird auch bald anzutreten haben.

Am Sonntag gehen sie als Beispiel für das gesellige Leben, das im Heer herrscht, zur Kirche. Anschließend füllen sie sich aus ihren Wandverhauen ab, in denen fröhlich, frei, Bücher und Andenken an ihre Knechtschaft existieren. Auch Arzt und Apotheker scheuen den Gang zu Papst und Muttergottes nicht. Keinem neiden sie seine Arbeit, sie drängen, aus höheren Schulen hervorgesprossen, pflegend und gut gepflegt, ins Wirtshaus. Dort bleiben sie eine Weile und beleben sich aneinander. Der Arzt neidet dem Apotheker die Apotheke, die er selber gerne profitabel führte. Der Apotheker bekommt die Leute zu sehen, wie sie frisch vom Arzt gewogen und im Blutdruck zu schwer befunden wurden. Üppig breitet er seine Präparate über die Arbeitslosen der Gegend, damit sie wieder froh werden und vergnügt mit ihren Zehen spielen vor ihren Häusern. Ihre Frauen haben fürs Essen gesorgt und bieten sich auch sonst immer reichlich an. Die lassen sich nicht von der Speisekarte streichen. Damit es den Männern an nichts mangelt und sie vom Vorarbeiter des Nichts nicht in den Mangel genommen werden können. Manche ziehen fort, eben noch waren sie uns gewohnt.

Die Frau des Direktors zieht, darin ähnelt sie dem Zwang, der auf der Bankbeamtin ruht (jeden Tag ein andres Kleid), mehrfach am Tag eine frisch gereinigte Gardine, einen Wolkenstore, zwischen sich und die sehnenden Häupter der Frauen im Dorf, in denen sie sicherer wohnt als in ihrem eigenen Wohnzimmer. Der Direktor spricht mit seinem Kind, das unwillentlich in die Höhe springt, damit es nachher noch zu einem Freund gehen darf. Dieses Kind ist nicht befugt, sich seine Freunde zur Sättigung auszuwählen, denn die Väter der Freunde essen SEIN Brot! Dieses Kind wandert auf der Erde voran und lenkt die andren wie seine Spielzeugautos. Die Mutter begleitet auf dem Klavier alles, was sie vorfindet, und draußen sinken einander mutlose Köpfe an die Brust. Die haben sich gekauft, was sie mit Augen, größer als ihr Appetit, gesehen haben, und jetzt vergnügt sich das Dorf an den Versteigerungen der allzu frech auf blankem Erdboden erstandenen Gebäude. In zartes Wollen gehüllt, wie zarte Wolle gewaschen, so stehen sie vor den Bankschaltern, hinter denen selige Kinder mit ihren weißen Blusen und mit fremdem Geld spielen, und leeren ihr und ihrer Behausungen Schicksal aus der Lohntüte in den breit strömenden Zinsfluß. Der Bankdirektor blickt nach unten, und ihm schwindelt, wie die Leute über ihre Einkünfte schwindeln, damit sie ihre

Selbstbauhäusel nicht hergeben müssen. Was sie einst geliebt haben, muß er ihnen, so nah vorm Ziel, doch noch nehmen. Er sieht im Geist ihr Leiden all, wenn er, kein Unmensch, in ihre Fenster hineinschaut. An diesem frostigen Ort zanken die Armen sich. Es knallen die Schlachtschußapparate und die Jagdgewehre (mit Wasser in den sirrenden Läufen). Es schlingen sich um die Spiele des Lebens die Stricke. Es jubeln, zufrieden wie Fische, die Raiffeisenbanken, die das Geld der Dörfler verwesen und verwesen sehn. Ein ewiges ländliches Fest ist's für die Agrargenossenschaften, die den einzelnen nicht kennen wollen, den sie mit abgestandenen Milchprodukten und giftigem Käse überschütten. Noch dem Kleinsten ihrer Mitglieder nehmen sie die Äpfel aus den Augen und das Schwarze unterm Nagel. Bis daß einer seine Räder durchdrehn läßt und als Mörder das Nest mit der toten Familie schreiend umflattert. Wie wollte er, ein so kleines Behältnis, das alles umfassen? Nur eine kleinformatige Zeitung wagt es, das mächtige Leben der Menschen, die Furchtbares traf, für ein paar Schilling aus unsrem schmalbrüstigen Geldbörsel zu nehmen.

Was man aus dem Fenster sieht, ist oft auch schön gewachsen, dieses Mädel Natur. Der Mann, auch in der Lust noch Beamter, geht einem menschlichen Bedürfnis nach, nicht zu verwechseln mit dem unangenehmen Bedürfnis nach einem Menschen! Der Direktor liegt wie eine Landschaft da, doch vom Geist der Unruhe besesselt. Er hat seinen Schmelzkäse gleichmäßig aufgetragen, und was sieht er im Gesicht seiner Frau? Das menschliche Antlitz seiner Diktatur? Wie ausradiert scheint die Frau in der neu gekauften Reizwäsche, in der sie sich, auf

seine Bitte hin wie in einer neuen Raumordnung umher-
bewegt. Es spielt mit den Menschen das Geld. Manchmal packt den Direktor in einem lichten Moment die
Reue, und er wirft sein großes Gesicht in die Schürze
der Frau. Gleich darauf schlägt er ihr schon wieder den
Kopf gegen den schmutzigen Badewannenrand und
schaut nach, ob der frisch ausgeschaufelte Weg bis zu
ihrem dunklen Türl reicht, hinter dem sie sich selbst auf
dem Schoß sitzt und wiegt, eine verwöhnte Frau, in der
man ruhig bis zu ihrem guten Ende herumblättern
kann. Wie sollen denn die Arbeitslosen leben in der
Welt, wenn sie nicht solche billigen Romane zum Vorbild hätten?

Dieser Direktor, der in Ruhe zur Belegschaft spricht
und sich dafür von ihr Lieder singen läßt, der wirft sein
Stück Gut am liebsten tagsüber, im Hellen, der Frau in
den Leib. Er schaut gern seiner Gesundheit beim Wachsen zu. Die Frau fleht, wenigstens vor ihrem Kind, diesem wüsten Tier, das bis zuletzt unerwartet aus seiner
Ringecke schießen könnte, etwas Vorsicht walten zu
lassen. Still taucht im rechten Moment der Sohn, ihr
Brutstück, auf, schaut ein wenig den Eltern beim Kosten zu (wie sie sich an die Teller auf ihrem reichhaltigen, rein gehaltenen Büffet klammern) und verschwindet wieder, die Nachbarskinder, die ohne künstliche,
künstlerische Paradiese aufwachsen müssen, mit seinen
Sportgeräten und seinem Sportgerede zu martern. Das
Kind ist unter der Sonne gereift wie Obst. Sein Vater,
ganz wie Ihr Blickpunkt ist, taucht mit einem gesunden
Köpfler in die Mutter ein. Worte reichen dafür nicht
aus. Wir wollen Taten sehen und müssen dafür beim

Eingang der Anstalt bezahlen und unsre ständig wie Wasser rauschenden Bedürfnisse ablegen.

Wenn schon die kleinen Häuser früher schlafen gehn müssen, in den großen herrscht noch Leben und Elektrizität zwischen den Geschlechtern. Und, wenn wir schon vom Wasser sprechen, das Wasser rinnt ihren Leibern zusammen. Wir sind ganz privat unter uns, weil wir uns auch in der Öffentlichkeit nicht genieren müssen. Haben sie, Geliebte, einander gefunden, dann schaukeln sie sich wohlig auf den Getränken, die aus ihren golden etikettierten Flaschen quellen und sind in sich zu Haus. Sie finden Ruhe ineinander, nachdem sie ihre Geschlechtsteile aufgeregt haben, und sind sich eins und das einzige. Dem Staub haben sie sich entlockt, und während ringsum die Armen sterben, erschaffen die Besseren sich ihr stummes Recht aufeinander jeden Tag neu und genießen einander. Genug Kräfte haben sie ja aufgespart in ihren Büchsen und Hosen und Herzen, damit sie kräftig in den Pfirsich beißen können, der eben noch so schön geblüht hat. Es gehört alles ihnen, und sogar der Schlaf schmeichelt ihnen noch hinter ihren geschlossenen Wimpern, da man ihr gieriges Blinzeln nicht sieht. Unbemerkt vom Geliebten dürfen sie nie bleiben, und so stürzen sie jeden Tag hinaus, um neue Klamotten und Konten zu ernten und, einherschwankend mit all dem Gerät, das sie den überaus Reichen, den über alles Hinausreichenden, abgelauscht haben, werden sie fremd und täglich frisch und neu für das liebe Wesen, das sie sind, haben und behalten wollen. Die Schwachen aber wohnen beieinander, denn sie sind, was wir nicht sein wollen, und meinen noch, nirgends besser zu wohnen und nur ihre eigene

Kost gewohnt zu sein. Die kriegen auch sonst nichts zu kosten und werden vor der Zeit aufgeweckt. Nicht einer zuviel fällt seiner Arbeit zum Opfer. Die sind sich genug, wir aber wollen mehr! Ein Sturmgewehr! Im Licht gehn, und wenn wir unsere Taschenlampen anfachen müßten, deren Schein gerade für zwei Personen aus der feinen fernen Herde reicht: Ausgerechnet wir müssen es sein!

3.

In saftiger Ruhe schiebt der Mann das Bild seiner Frau in den Schlitz des Betrachters. Schaudernd greifen die Wälder nach dem Haus, in dem die Bilder der Videos, eine bepackte Herde von Zeugungsfähigen, vor den Augenzeugen über den Schirm ziehen. An ihren Fesseln werden die Frauen ins Bild gezerrt, nur ihre tägl. Gewohnheiten sind erbarmungsloser. Der Blick der Frau überwuchert die Ebene der Bilder, die sie jeden Tag mit ihrem Mann zurückzulegen hat, bis sie sich selbst zurücklegen muß. Gar nicht geknickt von seinem voll für ihn verantwortlichen Beruf, steht der Direktor im Saft und saugt an ihren Zitzen und Ritzen, ruft nach dem Beginn der Nacht und der Nachtvorstellung. So grünen auch an den Berghängen lebende Bilder, und die Kletterer treten mit ihren festen Schuhen hinein.

Das unvermutete Eintreten des Kindes gestaltet sich fast zu einer ebensolchen Tragödie wie das hiesige Klima. Wie eine Trägerrakete schießt der Sohn, gerade und strahlend, ins Zimmer, wo der Bildschirm rauscht und seine Wasser in den Raum hinein abschlägt. Er erhascht mit seinen einfältigen Augen gerade noch die leidenden Körper, wenn sie, klaffend wie wunde Abgründe, einander besuchen kommen und die Männer mit ihren schweren Schöpfungsgeräten, Handwerker ihrer Lust, im Inneren der Frau verhallen. Nur ihre Körper und Köpfe bleiben draußen und erfinden neue Mutterleiber aus Glas zum Hineinschauen. Sofort fährt der Vater von der Mutter hinunter, nachdem er, aus seinem groben Motor furzend, den Rückwärtsgang eingelegt und eine Kehre in den Teppich gefahren hat. Das Kind gibt vor, nichts verstanden zu haben, es ist doch selbst schon wählender, wühlender Konsument. Wie Blätter wehen im Gedächtnis seine Bedürfnisse, verwöhnt ist sein Geschmack von den unsterblichen Bildern in den Sport Katalogen der Sportgeschäfte, die den Staatsbürger zum Wohl! auffordern. Es gehört alles ihm und seinen lieben Eltern, denen wiederum das Kind gehört. Die Mutter bedeckt sich grob wie mit Heu. Das Böse Vater zu nennen, hat das Kind schon gelernt, aber der Papa kauft immerhin und immerdar die Warenkörbe, die Fettsäcke, und hält den Sohn an goldene Seile gebunden. Als hätte das Kind die ebenfalls in Banden ruhende Natur seiner Mutter auf dem Sofa nicht bemerkt, liest es den Eltern eine Wunschliste voller miteinander konkurrierender Gegenstände vor. Man kann auf Sand, Schotter, Stein, Wasser, Eis, Schnee oder einem Perserteppich damit fahren! Und es soll gekauft werden, damit man fern aus der Landschaft nach Hause zurückblicken kann. Die Frau zerstreut sich in ihren Handfesseln. Sie strampelt mit den Beinen und hält die Augen ins Ungewisse ihres Kindes gerichtet, was wird wohl aus ihm werden? Ein junger Adler, der an einem Kleinwagen nagt? Mit Schnabelhieben in die Brust eines Menschen hackt? Der beim Slalom, der hinterm Haus, zum Spaß und damit die Menschen sich an Umwege gewöhnen, gesteckt ist, sich besiegen lassen kann? Alles, was dieses Kind und dieser Mann sich wünschen, ist auf seine Weise gefährlich. Die Mutter versucht, mit den Zähnen eine Decke über ihre bloßen Brustwarzen zu ziehen, in die der Vater gerade noch fest hineingebissen hat. Die Bilder auf dem Schirm werden jäh zur Ruhe gewiegt. Das Kind ist eingetreten. Das Kind wünscht sich einen Motorschlitten, der aber in dieser Gegend staatlich verboten ist. Der Kunde hat einen Anspruch: die Frau muß entsprechend aussehen.

Der Direktor will jederzeit, auch während der Bürostunden, zu Hause anrufen können, um festzustellen, ob an ihn gedacht ist. Er ist unausweichlich wie der Tod. Immer bereit zu sein, ihr Herz herauszureißen, es auf die Zunge zu legen wie eine Hostie und zu zeigen, daß auch der restliche Körper für den Herrn zubereitet ist, das erwartet er von seiner Frau. Dafür führt er sie am Zaum und unterwirft sie seiner Sehhilfe unter seinen Augenbrauen. Er sieht alles und hat ein Recht auf Einblick, denn scharf blüht sein Schwanz in seinem stachligen Beet, und es schwellen die Küsse an seinen Lippen. Doch zuerst muß er sich alles ansehen, damit er Appetit bekommt. Man ißt nämlich auch mit den Augen, und nichts bleibt verborgen außer den scheuen Augen der Toten der Himmel, den sie sich letztlich erhofft hatten. Daher will der Mann seiner Frau den Himmel auf Erden bereiten, und sie bereitet manchmal das Essen. Man kann sie gut und gern dreimal pro Woche von ihr verlangen, ihre berühmte Linzertorte, und den berühmten Linzer Toten darf der Mann auch verehren, im Hinterzimmer des Gasthofs, wo die Menschen sich an der Gnade der Geschichte, sich jederzeit wiederholen zu können, erfreuen und dabei ins Glas schauen, was demnächst von der Regierung kommt.

Der Direktor ist so groß, daß unmöglich in einem Tag um ihn herumgegangen werden kann. Dieser Mensch ist nach allen Seiten hin offen, aber vor allem nach oben, wo Regen und Schnee herkommen. Er hat keinen über sich, nur den Mutterkonzern, vor dem sich sowieso keiner schützen kann. Doch vor der scharfen Seite der Frau kann man seinen Hahn unbesorgt öffnen und abspritzen. Wie ein Fisch zuckt die Frau, weil sie die Hände aneinandergebunden hat, während der Mann sie kitzelt und ein wenig mit Nadeln sticht. Er horcht in sich hinein, wo er seine Gefühle gehortet hat. Worte wie Blätter fallen aus dem Video am Bildschirm und gehen vor dieser Einmann-Menschheit zu Boden. Verlegen beschützerisch schaut die Frau auf einen sterbenden Blumenstock am Fensterbrett. Auch der Mann spricht jetzt, grob wie der gute Kern im Obst. Er nimmt kein Blatt vor den Mund. Und während seine Lüfte und Säfte ziehen, spricht er pausenlos von seinem Tun und nicht Lassenkönnen und schafft sich mit wilden Klauen und zahmen Zähnen Zutritt in den Verkehrsort, um auch noch seinen Senf zu seiner Wurst dazugeben zu können. Das Geschlecht seiner Frau ein Wald, aus dem es ihm zornig zurückhallt.

Neuerdings hat er seiner Frau Gerti auch verboten, sich zu waschen, denn auch ihr Geruch gehört ihm ganz. Er wütet in seinem kleinen Waldstück, kracht mit seinem schweren Brotkanten in ihre Parkplätze, daß sie oft ganz zugeschwollen ist, verflixt und zugenäht. Seit er es nicht mehr wagt, mittels Partnertausch Inseraten lustige lüsterne fremde Menschen anzulocken, ist er sich selbst alleine der liebste unter den Winden geworden, die seiner Frau unter den Rock fahren. Wie einen Faden soll diese Frau ihre Gerüche nach Schweiß, Pisse, Scheiße hinter sich herziehen, und er kontrolliert, ob der Bach auch brav in seinem Bett bleibt, wenn er's verlangt. Dieser lebende Abfallhaufen, wo die Würmer und Ratten graben. Grollend wirft er sich hinein und macht seine Tempi, die ihn rasch ans andre Ende bringen, wo er zu Haus ist und es wieder gemütlich haben möcht und auch einmal einen fahren läßt oder einen Fisch springen. Er liest die Zeitungen. Aus dem Sumpf ihres Kissens reißt er die Frau und knackt sie gleich auf. Und hat heute einmal ihr ganzes angenehmes Wesen zum Spielen mit den Zitzen und zum Zittern vor dem, was seine Adern wieder mit seinem Glied angerichtet haben, auf dem Sofa sitzen.

Es gefällt ihm, daß diese im Ort bestangezogene Frau in ihrem eigenen Schmutz herumlaufen soll. Er schlägt sie zornig auf den Kopf. In der hl. Wandlung hat er ihren Körper auf seine Ausmaße umbauen lassen. Das ist ein Gefäß, zur Entnahme bestimmt, und auch er füllt sich in der Nacht immer wieder, dieser Selbstbedienungsladen, dieser Kaufmannsladen für Kinder, wo man unbesorgt auf die kleine Seite gehen kann. Mit dem Haustorschlüssel hat man schon das Anrecht auf das Tagesgericht erworben, und man kann die Klitoris in die Länge ziehen oder die Klotüre zuschmeißen, die röm. kath. Heimat biegt sich, aber sie läßt die Leute zur Schwangerenberatung und zum Heiraten gehn. Und das Haus muß SOS blinken, während die Frau zur Anwendung gebracht wird. Später wird eine Flasche Auslese entkorkt werden, und dann werden auf dem Bildschirm ausgelassene Auserlesene zu sehen sein, die gegenseitig vor ihren Geschlechtsteilen sitzen, hineinschauen, an der Klinke rütteln und sich ruck- zuckend verschütten. Ja, begierig sind wir zu schauen, aber andre schauen auf uns und kauen Salzstangerln oder die dicken Würste der Herren oder die dicken Wülste der Damen!

Vielleicht wird morgen das Kind bei den Nachbarn untergebracht sein, die ein genau ähnliches Haus haben, nur weniger. Der Mann will seinen wilden Karren in den Dreck der Frau fahren, die sich an die Atemtechnik greift und rasch beiseite wirft, um seinem krachend ins Unterholz ihrer Hose einbrechenden Schwanz zu entgehen. Sein Körper hat durch Gesang und Musik schon die unterschiedlichsten Leute überwältigt, zu kleinen Portionen geformt und für später, wenn sie auf dem Arbeitsmarkt oder im Chor der Marktgesetze gebraucht werden, eingefroren. Der Mond scheint, die Sterne erscheinen auch alle, und die schwere Maschine des Mannes kommt von fern her nach Haus, zerteilt die Furche, die sie mit ihren Zähnen gerissen hat, läßt geschnittenes Gras wie Schaum in die Luft fliegen und die Frau vollaufen.

4.

Die Frau springt, verlegen mit ihrem Körper rudernd, in den Wind hinein. Sie ist Fleisch geworden und hat unter uns gewohnet. Dem Hunger in jeder Hinsicht dienlich sein, das ist ihre Gassenschank gewesen: sich für den Mann, das Kind abnutzen lassen, gebettet in deren sanfte Zügel. Sie versucht es damit, einmal Luft zu holen in ihrem Fangnetz. Sie wirft sich ihren Schlafrock über und beginnt, in Hausschuhen den verschneiten Weg entlangzustapfen.

Vorher muß sie noch die Tassen und Geräte für den Ernstfall in die Spinde räumen. Sie steht unter dem Fließwasser und bürstet die Spuren ihrer Familie vom Porzellan. So konserviert sich die Frau, in ihren Zutaten nämlich, aus denen sie gemacht ist. Sie ordnet alles, auch die eigene Kleidung, der Größe nach. Voll Scham lacht sie darüber. Aber das ist kein Spaß. Sie häuft Ordnung auf die Seligkeiten, die sie hat. Es bleibt ihr nichts. Von den blutigen Vogelfedern auf ihrem Weg sind nicht mehr viele zu sehen, denn: auch ein Tier muß essen. Ein rußiger Film hat sich auf den Schnee gelegt, das ist in wenigen Stunden fertig gewesen.

Der Mann greift in seinem Büro befriedigt unter den Lampenschirm seines Hosenbunds. Er lüftet sich. Von der Gestalt seiner Frau spricht er, ohne vorher anzudeuten, daß er jetzt am Wort ist. Seien Sie still, jetzt spricht sein Werk für ihn, es hat sich eigens einen vielstimmigen Chor dafür angeschafft. Nein, vor der Zukunft hat er keine Angst, sein eigener Beutel hängt ja auch an ihm!

Die Frau spürt, wie ihr der Schnee langsam in Raum und Zeit dringt. Noch lang wird nicht Frühling sein. Die Natur schafft es nicht einmal heute, frisch gestrichen auszusehen. Schmutz klebt an den Bäumen. Ein Hund eilt an ihr vorbei, er humpelt. Es kommen ihr Frauen entgegen, abgetragen wie jahrelang in Pappschachteln aufgehoben. Als ob sie in einem schönen Haus erwacht wären, blicken die Frauen auf diese eine unter ihnen, die so absonderlich erscheint, weil sie sich immer absondert. Das Werk gibt vielen ihrer Männer Arbeit, was sonst. Bewußtlos vor Zeit, verbrächten sie diese mit vielen Dopplern Wein lieber als mit der eigenen Familie. Die Frau fliegt an ihnen vorbei, sie steigt ins Dunkle und hat sich noch nicht einmal Schuhe angezogen für den Schnee! Das Kind rast derweil irgendwo herum, wo noch mehrere von seiner Sorte sich tümmlern. Es hat das frisch gekochte Essen mit Worten zurückgewiesen, die der Mutter klappernde Wunden schlugen, und sich ein Wurstbrot aus dem Kastel gezerrt. Die Mutter hat einen ganzen Teil des Vormittags Karotten fein durch ein Sieb gedrückt, damit sie den Augen des Kindes nützen. Das Essen fürs Kind macht sie selbst. Über dem Mülleimer, ein gebeugter Strunk Mensch, hat sie sich dann über die Portion des Kindes hergemacht. Das Kind hat sie ja auch aus sich heraus gemacht. Ihr Sinn für Humor ist dabei klein geblieben. Vom Zaun neben dem Bach hängen die Eiszapfen, die Hauptstadt ist ganz nahe, nimmt man den PKW des Menschen als Maß. Das Tal öffnet sich weit, viele sind nicht in ihm beschäftigt. Die übrigen, die auch irgendwo sich aufhalten müssen (in den Laststätten ihrer Existenz), pendeln jeden Tag hinaus zur Papierfabrik und weiter noch, viel weiter! Dort droben auf jenem

Berge, da steh ich tausendmal mit meiner Herde. Der Mund der Frau gefriert klein wie eine Eismurmel. Sie krallt sich an das mit Rauhreif überzogene Holz des Geländers. Der Bach hat sich von beiden Seiten her vollkommen zugebaut, das Eis klopft ihm schon auf die Schulter. Die Schöpfung dröhnt unter den Fesseln der Naturgesetze. Es gluckst schwach. So wie das Tauwetter in dem guten Leben, das wir alle führen, die Barrieren sprengen wird, so daß wir einer zum andern hupfen können, so wird der Tod vielleicht die Welt dieser Frau zu Ende denken. Wir wollen jetzt aber nicht persönlich werden. Knirschend fressen sich die Räder eines Kleinwagens durch den harten Schnee. Wo er auch herkommt, er ist dort mehr zu Haus als sein Besitzer. Was wäre der Pendler ohne ihn? Ein Misthaufen, weil er mit anderen zusammen im Schachterl des Eisenbahnwaggons nichts als Dreck ist, denkt seine parlamentarische Vertretung. Die Masse macht's, daß unsere Fabriken nicht zusammenstürzen, weil sie von innen gestützt werden von Menschenhaufen, die Soziales in ihre Gestelle zu räumen versuchen. Und die Arbeitslosen erst, die ein schattiges Heer bilden von Nichtigen, die man nicht fürchten muß, weil sie alle trotzdem die Christel soziale Demokratie wählen. Der Herr Direktor ist aus Fleisch und voll Blut und davon ißt er auch noch gut, weil Damen mit Einsiede-Schürzen es ihm servieren.

Es wird geraten, die Fahrzeuge bei dieser Witterung stehenzulassen, andrerseits dürfen Sie an Ihrem Arbeitsplatz nicht zu spät eintreffen! In diesem Versmaß fahren die Streupflüge über die Straßen und hinterlegen ihre Ware. Die Frau kann nur mit sich selbst dienen. Und noch etwas, hören Sie: die Pannenwagen nicht unnötig aus ihren Quartieren scheuchen! Sie als Mensch hätten das ja auch nicht gern.

Heulend sausen die Kinder in ihren Geburtstagsschalen aus Plastik, die ihnen noch an der Haut kleben oder um die Ohren fliegen, über den von ihnen eigens glattgebügelten Schnee zu Tal. Mißmutig wenden sich die Größeren unter ihnen ab und lassen Liftkarten über ihre wattierten Körperfutterale baumeln, Geschwindigkeit ist keine Hexerei. Sie brüllen wie Bahnhöfe. Die Frau erschrickt vor ihnen. Drückt sich entsetzt in die Wächten, die der Schneepflug ihr hinterlassen hat. Knirschend wälzen sich Fahrzeuge mit ihrer Familienbefrachtung, eine Tracht kümmerlicher Prügel, an ihr vorüber. Oben drücken die Schier auf die Deckel der Autos, um den Haß der Insassen zurückzustauen. Die Geräte starren wehrhaft herunter wie Maschinengewehre. Pflügen sich durch die vielen anderen Menschenbehältnisse, weil sie einen besseren Platz verdienen. So denkt jeder und zeigt es mit dem lieben Schmutz seiner Gebärden aus den Fenstern heraus an.

Der Sport, diese Festung des kleinen Mannes, aus der er herausschießen kann!

Wirklich jeder kann es sich leisten, sich den Fuß oder beide Arme zu brechen, glauben Sie mir! Trotzdem: Sie können nicht umhin, solche Menschen als Abhängige zu bezeichnen, wenn sie sich auf die Berghänge begeben, wo sie abgleiten und sich auch noch wohl fühlen dabei. Doch abhängig wovon? Ja, von ihren eigenen, nie genesenden Bildern, die ihnen, als wären sie nichts als Gehilfen der Wirklichkeit, jeden Tag aufs neue gezeigt werden, nur größer, schöner, schneller. So fallen sie, von der Wasserscheide des Fernsehens gestoßen, auf die andere Seite hinunter, zu den Kleinen auf dem Idiotenhügel. Au! Sie kommen nie in Diskussionen zu Wort, und wenn doch, verlören sie es sofort an einen, der als Experte geladen wurde auf das Lastauto ihrer Sorgen. Und der Höchste, der unsre Leistungstabellen studiert hat, ist taub für ihr Jammern nach einem eigenen Haus, das man braucht, damit man den Sport gleich von der Eingangstür aus besudeln kann, diese hohe olympische Idee.

Die Frau rutscht bei jedem Schritt aus. Lachende Gesichter weisen mit keinerlei Laut aus den PKW Fenstern. Der Fahrer bringt sich in Lebensgefahr, über sein Eigen gebeugt. Der Schnee fällt satt für alle herab. Doch sie gleiten verschieden wie auch die Menschen selbst sind. Die einen können es besser, die anderen wollen es am besten können. Wo ist der Lifthang für alle Schwierigkeitsgrade, damit wir rasch mehr werden? Was vorher schlaff in seiner Behausung gelebt hat, wird an der Luft sofort fest, aber dafür halt entsprechend kleiner, ihr sichergebauten Alpen!

Die Frau geht aus der Deckung ihrer Verhältnisse fort. Preßt ihren Schlafrock mißgestimmt an sich. Schlägt die Hände um sich herum. Manche der Kinder, die sie von fern her brüllen hört, sind aus ihrer wöchentlich stattfindenden wohlgebauten Tanz- und Rhythmusgruppe herausgerissen worden. Als Hobby dieser Frau wurden diese Kinder gezüchtet. Wir haben schließlich genug Platz und Liebe zum Kind, das im Takt klatschen lernen soll. In der Schule wird ihm das dann helfen, im Takt zu nicken oder aufzustehen, wenn's an das Gebet geht. Ihr Sohn ist mitten darunter, er beweist mit jedem Schrei, daß er über den anderen hängt als ein schmutziger Finger. Von jedem Wurstbrot muß er zuerst abbeißen, denn jedes Kind hat einen Vater, und jeder Vater muß Geld verdienen. Er terrorisiert auf seinen Kleinspur-Schiern die Kleinkinder auf ihren Rodeln. Er ist die neueste Ausgabe eines hellen Gestirns, das auch noch die Stirn hat, jeden Tag aufs neue, aber stets neu eingekleidet, zu erscheinen. Keiner muckt gegen ihn auf, nur sein Rücken muß viele versteckte, vergeudete Gebärden schlucken. Er sieht sich schon als eine Formulierung seines Vaters. Die Frau täuscht sich nicht, sie hebt vage die Hand gegen den fernen Sohn, den sie an der Stimme erkannt hat. Er brüllt sich die übrigen Kinder zu seinem Maße zurecht. Schneidet sie, wie der Winter die Landschaft, mit Worten zu dreckigen Hügeln.

Mit der Hand schreibt die Frau Zeichen in die Luft. Sie muß sich ihren Lebensunterhalt nicht verdienen, sie wird von ihrem Mann unterhalten. Wenn er von der Arbeit nach Hause zurückkommt und es sich verdient hat, daß er, am Ende des Tages, seine Überschrift darüber setzt. Dieses Kind ist kein Zufall! Der Sohn gehört ihm! Jetzt sieht er den Tod nicht mehr.

Mit zurückgestauter Liebe sucht sie den Sohn aus dem Kinderhaufen heraus. Er brüllt, ohne sich abzuschwächen. Ist er schon so aus ihrem Erdgeschoß herausgekrochen? Oder, um mit dem Wort seines himml. Vaters zu sprechen, erst durch Irreführung (Engführung) der Kunst zu einem anderen, als je einer in diesem Alter gewesen ist, zurechtgeschnitzt worden? Dieses Kind beansprucht von den Andersgesinnten Rechte, umfangreich wie Staatsverträge, es gibt die Formel seines Vaters weiter: mach mehr aus dir! Schön! Eine Erektion! So trägt sich der Mann vor sich her, damit er sich jederzeit anschauen kann. Und das Kind, gemacht aus einem Wesen, das längst schon, wie Schlacke, hinter ihm zusammengefallen ist (die Glockenform seiner Mutter), wird sich auch bald, in ein paar Jahren, zum Himmel spritzen, wo die Kleinen schon mit einer Jause erwartet werden.

Das Kind, es fährt durch die Kameraden und Kameras hindurch wie durch liebliche Türen.

In die Füße der Frau ist die Kälte gekrochen. Ihre Schuhsohlen sind nicht der Rede wert, aber sie selbst spricht ja auch nicht oft. Diese Hauspatschen trennen sie nicht mehr vom Eis der Welt. Sie stapft dahin. Achtgeben soll sie, gleiten statt von andren gehetzt werden, aber eine Hetz muß sein! Nichts andres bedeutet es, wenn die Geschlechter mit den goldenen Köpfen, mehr schlecht als recht, sich entfalten vor den Möbeln, den einzigen Vertrauten ihrer Begabungen. Und wenn sie einmal abfällig herabgeworfen würden von den Gipfeln ihrer Wünsche? Die Frau hält sich am Geländer fest, aber sie kommt doch ganz gut vorwärts. Lebensmittel werden ringsumher nach Hause geschleppt, denn den Familien ist das Essen Lebensmittelpunkt. Von den Gebissen der Frauen spritzen die Haferflocken, mir scheint, sie haben Angst, was die teuren Zutaten miteinander in der Pfanne treiben könnten. Und die Männer ereignen sich vor ihren Tellern. Die Arbeitslosen, in ihrer Abweichung von allen

Verhältnissen, die Gott gewollt und mit dem Bund der Ehe abgesegnet hat, die können sich grade noch das Leben leisten, aber erleben dürfen sie nichts mehr, auf dem Abend-Teuerspielplatz, im Kino bei einem schönen Film oder im Kaffeehaus bei einer schönen Frau. Nur die Benützung ihrer eigenen Familie ist gratis. So grenzt sich einer vom andern durch sein Geschlecht ab, das die Natur in dieser Form nicht so gewollt haben kann. Und so teilt die Natur mit uns, damit wir ihre Produkte essen und von den Besitzern der Fabriken und Banken dafür aufgegessen werden. Die Zinsen fressen uns die Haare vom Kopf. Nur was das Wasser macht, weiß niemand. Aber was wir mit dem Wasser gemacht haben, sieht man gleich, nachdem die Zellulosefabrik sich in den Bach, der ohne Weile eilt, entleert hat. Der soll sein Gift auch woanders hintragen, wo gern Fischleichname gegessen werden. Die Frauen stecken den Kopf in die Einkaufstaschen, in denen sie das Arbeitslosengeld fortgetragen haben. Wohl angeführt sind sie vom Konsumladen, der ihnen die Sonderangebote durchsagt. Ja, besondre Angebote waren sie selbst einmal! Und die Männer wurden nach Vermögen ausgesucht. Sie vermögen mehr, als man ihnen im Arbeitsamt zutraut! Am Küchentisch sitzen, Bier trinken und Karten spielen: nicht einmal ein Hund wäre so geduldig, angebunden vor den herrlichen Geschäften mit den Waren, die uns verspotten.

Nichts geht verloren, der Staat arbeitet mit dem, was wir nicht sehn. Wohin geht unser Geld, wenn wir es endlich losgeworden sind? Warm fühlen sich die Hände auf den Scheinen an, die Münze schmilzt von der Faust, die sich doch von ihr trennen muß. Die Zeit soll am Monatsersten stehenbleiben, damit wir unser warmes Geldhäufchen, das stinkt und dampft von unsrer Arbeit, noch ein wenig anschauen können, bevor wir's auf unsre Konten tragen, damit es unsre Bedürfnisse schön saftig wachsen läßt. Am liebsten ruhten wir aus in unsrem heißen goldenen Dung. Aber die unruhige Liebe schaut bereits um uns herum, wo es etwas Besseres gibt als das, was wir schon haben. Das Schifahren kennen die Menschen, die ursprünglich hier wuchsen wie Gras, an seinem Ursprung (in Mürzzuschlag/Stmk. ist das berühmteste Schimuseum der Welt!), nur vom Anschauen her. So tief über den kalten Boden sind sie gebeugt, daß sie die Spur nicht finden. Dauernd fahren andre an ihnen vorüber und hinterlegen ihre Notdurft in den Wäldern.

Wie ein Pferd reißt die Frau an ihren Zügeln. In verlegener Reisewäsche sind die durch Sonderzeitungs Inserate herbeigelockten Fremden, meist zu zweit aneinandergebunden, einst auf ihrem Sofa gekauert. Gedrückt kicherten Frauen vor ihren Gläsern auf ihren Vorsetzern, und auch die Glieder ihrer Männer bedurften des Vorsatzes: dann aber vorwärts! Die Herren sind so frei und wechseln den Futtersack gern einmal aus. Geschickt stehen sie vor dem Wohnzimmertisch und werfen sich die Beine der Frauen links und rechts über die Schultern, denn in der Fremde geht man, vorübergehend, gern von seinen Gewohnheiten ab, nur um wieder, getröstet, nach Haus zu den alten Gewöhnlichkeiten zurückzukehren. Dort stehen ihre Betten auf festem Boden, und, um zu erblühen, werden die Frauen, die zum Friseur gehen einmal die Woche, in die Mangel genommen. Es wird nur so herumgeschmissen mit den gepolsterten Leibern zwischen den gepolsterten Garnituren, als hätten wir einen unbegrenzten Erlebnisvorrat in der Lotterie gewonnen. Die intimste Wäsche wird verkauft, damit das Erleben – wie wir Frauen es gern und ergebnislos versuchen – immer anders ausschaut, wenn es uns besuchen kommt, um uns im Schlaf wiederzufinden und aufzubewahren.

Der Direktor ist unermüdlich aufgestachelt von seinem Fleisch und den Frechheiten der Presse. Er nimmt sich Freiheiten heraus, gern z. B. uriniert er, wie es Hunde tun, gegen seine Frau, nachdem er aus ihr und ihren Kleidern einen kleinen Berg gebaut hat, damit es steiler mit ihm bergab geht. Die Skala der Lust ist nach oben hin offen, dafür werden wir keinen Richter brauchen. Der Mann benutzt und beschmiert die Frau wie das Papier, das er herstellt. Er sorgt für das Wohl und das Wehe in seinem Haus, reißt seinen Schwanz gierig aus der Tüte, noch ehe er die Tür zugeworfen hat. Stopft ihn der Frau noch warm vom Fleischer in den Mund, daß ihr Gebiß knirscht. Selbst wenn Gäste zum Abendessen ihr Licht in sein Gemüt tragen, wispert er seiner Frau Nichtigkeiten über ihre Geschlechtsteile ins Ohr. Grob legt er unter dem Tischtuch Hand an sie, bebaut ihre Furche, geht mit ihrer kläffenden Furcht, die an der Kette zerrt, vor den Geschäftsfreunden äußerln. Die Frau soll nicht um ihn herum können, daher hält er sie kurz. Sie soll nicht umhin können, immer daran zu denken, wie er es ihr mit seiner streng riechenden Losung eintränken könnte. Er greift ihr vor den Gästen in den Ausschnitt, lacht und schenkt Aufschnitt her. Wer von ihnen braucht nicht Papier, und der zufriedene Kunde ist König. Wer hat nicht Sinn für Humor?

Die Frau geht weiter. Eine Zeitlang kommt dieser fremde große Hund mit, erwartungsvoll, ob er sie in den Fuß beißen könnte, denn sie hat keine guten Schuhe an. Der Alpenverein hat gewarnt, der Tod wartet in den Bergen. Die Frau tritt nach dem Hund. Es soll sie keiner mehr erwarten dürfen. In den Häusern wird bald das Licht angehen, es ereignet sich dann das Wahre und das Warme, und in den Büchsen der Frauen beginnen die kleinen Hämmer zu klopfen.

Das Tal, durchgeistert von den Wünschen der Nebenerwerbsbauern, die Kinder des Himmels, aber nicht ihres Personalchefs sind, schiebt sich immer enger zusammen, wie ein Schaufelbagger die Schritte der Frau aufzunehmen. Vorbei geht's an den unsterblichen Seelen der Erwerbslosen, die, wie der Papst befahl, von Jahr zu Jahr mehr werden. Jugendliche fliehen ihre Väter und werden von deren Flüchen, die scharf sind wie Axthiebe, durch die leeren Schuppen und Scheunen gejagt. Die Fabrik küßt die Erde, wo sie ihr allzu gierig Menschen entnommen hat. Wir müssen rationell mit den Bundesforsten und den Bundesförderungsmitteln umgehen lernen. Papier wird immer gebraucht. Sehen Sie: Ohne Landkarten führten unsre Schritte zum Abgrund. Verlegen drückt die Frau die Hände in die Taschen des Schlafrocks. Ihr Mann beschäftigt sich durchaus mit den Beschäftigungslosen, glauben Sie mir, er denkt über sie nach und bringt sie unter Tag.

Der Gebirgsbach, in dem hier, an seinem Oberlauf, noch keine Chemikalien schwimmen lernen, nur manchmal kümmerliche Menschenfäkalien, er rüttelt sich neben der Frau durchs Bett. Die Hänge werden steiler. Dort vorn, hinter der Kurve, wächst die gebrochene Landschaft bereits wieder zusammen. Der Wind wird kälter. Die Frau beugt sich tief über sich. Ihr Mann hat sie heute durch Tritte schon zweimal anspringen lassen. Dann schien seine Batterie endlich leer zu sein, und er nahm gierig, mit Riesensätzen, alle Hürden bis in die Fabrik unter seine Reifen. Es knirscht der Boden, aber die Erde hält ihre Reißzähne geschlossen. In dieser Höhe gibt sie kaum noch was her außer Geröll von den Muren. Die Frau spürt ihre Füße längst nicht mehr. Dieser Weg führt allerhöchstens noch zu einem kleinen Sägewerk, und das steht meist still. Wer nichts zu beißen hat, der hat auch nichts zu sägen. Wir sind allein. Die wenigen Katen und Keuschen neben dem Weg sind gleich, aber ähnlich. Aus den Dächern alter Rauch. Die Besitzer trocknen die Ströme der Tränen am Ofen. Abfälle türmen sich neben den Klohütten, abgestoßene Emailkübel, die sich fünfzig Jahre und mehr verausgabt haben. Holzstapel, alte Kisten, Kaninchenställe, aus denen Ströme von Blut quellen. Tötet der Mensch, so töten auch Wolf und Fuchs, seine großen Vorbilder. Sie schleichen um die Hühnerverschläge, denn verschlagen sind auch sie. Sie kommen nur nachts vorbei. Viele Haustiere bekommen von ihnen die Tollwut und vergreifen sich am Menschen, ihrem Vorgesetzten. Einander zur Speise, schauen sie sich an.

Ganz klein von unsrem Gesichtspunkt aus, sehen wir die Frau am Ende ihres Weges vergehen. Die Sonne steht schon sehr tief. Ungeschickt senkt sie sich den Felswänden zu. Das Herz des Kindes schlägt anderswo und für den Sport. Dieser Menschensohn, das Kind der Frau, eigentlich ist er feige, er weicht mit seinem Gerät ins Flache aus, und man hört ihn längst nicht mehr. Jetzt spätestens müßte diese Frau umkehren, dort vorn hängt nur noch einer am Kreuz – ein Leid, das seither alle andren Leiden grandios überschattet hat. Angesichts der schönen Aussicht weiß man nicht, soll man den Augenblick endlos ausdehnen und dafür auf die restliche Zeit, die einem noch zusteht, verzichten? Fotografien erwecken oft diesen Eindruck, doch später sind wir ganz froh, wenn wir noch leben und sie anschauen können. Es ist ja nicht so, daß wir diese restliche Zeit, die uns noch bliebe, einschicken könnten und dafür ein Werbegeschenk erhielten. Dennoch soll immer alles beginnen und nie etwas enden. Zum Feld gehen die Menschen und wollen einen Eindruck mitbringen, den ihre müden Füße dem Boden abgerungen haben. Sogar die Kinder wollen nichts als existieren, und das möglichst schnell auf dem Lifthang, kaum sind sie aus dem Fahrzeug gesprungen. Wir holen uns unschuldig Atem.

Das Kind dieser Frau sieht ja noch nicht über die nächste Stufe hinaus. Seine Eltern müssen das an seiner Statt, in seiner Stadt tun, an deren Ausfallstraßen sie beten, ihr Kind möge alle andren übertreffen. Naßgestimmt wendet es manchmal noch der Mutter den Mund zu, das Gesicht halb abgehalftert, schon vom Kummet der Geige befreit. Und erst sein Vater. Der spricht in den Hotelbars der Kreisstadt vom Körper seiner Frau wie von der Gründung eines Vereins, den seine Fabrik sponsert, obwohl er bald in die Rationalliga absteigen muß. Über die Lippen des Vaters kommen stechend riechende Worte, die in keinem Buch stehen. Es geht doch nicht, daß man einen lebendigen Menschen derart zerfleddert und dann nicht einmal liest! Jahrhunderte kriegen diesen Mann nicht klein, der steht immer wieder auf. Jesus: der ist auch nicht totzukriegen!

Heute früh noch ist die Frau im Wachtraum, in einem Wachraum ihres Hauses, wo sie auf ihren Mann gewartet hat, damit er Witterung aufnehme und sie ablecken käme, ratlos hin und her gewandert. Wollte er jetzt Orangen- oder Grapefruitsaft? Zornig deutet er im Flug auf die Marmeladen. Es ist vorgesehen, daß sie bis zum Abend auf ihn warten soll, bis er käme, das Haupt in sie zu betten. Täglich bringt er seine Technik in Anwendung, wie er's seit vielen Jahren tut, und haben sie nicht ein herziges Ergebnis gezeitigt? Mag einer sein Ziel treffen wie er will, die Männer werden mit der Scheibe in der Brust schon geboren und lassen sich von ihren Vätern über die Berge schicken, nur um wieder andre abzuschießen.

Der Boden ist schwer vereist. Müder Schotter sprenkelt die Platten, als hätte einer in diesem Klima etwas verloren. Die Gemeinde hat den Splitt hergeschickt, damit die Fahrzeuge sich nicht die Reifen brechen. Die Menschenwege sind nicht gestreut. Der Müßiggang der Arbeitslosen auf ihren leichten Sohlen belastet das Budget, aber kaum den Schnee. Und es ergreift einer ihr Schicksal, dessen Hände schon übervoll sind mit Weinglas und Teller von dem reichhaltigen kalten Büffet. So müssen die Politiker ihre überquellenden Herzen eben auf der Zunge tragen. Die Frau stemmt ihren Fuß gegen das Bankett. Hier herrscht das Gesetz des Katalysators: ohne die Hinzufügung von Geld reagiert die Umwelt nicht auf uns ehrgeizige Wanderer. Und sogar der Wald müßte sterben. Das Fenster auf und Gefühl herein! Dann zeigt die Frau, woran die Männerwelt erkrankt.

Hilflos rudernd steht die Gerti auf einer Eisplatte und bietet sich an. Ihr Schlafrock weht um sie herum. Sie greift in die Luft. Krähen schreien. Ihre Glieder wirft sie nach vorn, als hätte sie Sturm gesät und begriffe den Wind nicht, der um sie am Muttertag oder an der Tränke ihres Geschlechts gemacht wird, wenn der Mund des Mannes zum Absahnen unter dem Tischtuch erscheint. Die Frau geht immer der Erde nach, mit der sie oft verglichen wird, damit sie sich öffnet und das Glied des Mannes verschlingt. Sich vielleicht ein wenig hinlegen im Schnee? Sie würden nicht glauben, wie viele Paar Schuhe diese Frau daheim stehen hat! Wer ermuntert sie immer, noch mehr Kleider zu kaufen? Menschen zählen für diesen Direktor einfach, indem sie Menschen sind und verbraucht werden oder zu Verbrauchern gemacht werden können. Auf solche Weise wird zu den Stellungslosen dieser Region gesprochen, die als Speise für die Fabrik gedacht sind und doch selber essen wollen. Doppelt zählen sie für den Direktor, falls sie ein Instrument entfalten oder einen Schluck singen können. Zittern und Ziehharmonika. Die Zeit vergeht, aber sie soll auch noch zu uns sprechen. Kein Augenblick Ruhe. Ewig singt die Stereoanlage, hören Sie zu, wenn Sie über Geduld, aber keine Geige verfügen! Das Zimmer erhebt sich, ein Lichtschein dringt zu uns heraus, die Kosten für Sport und Freizeit wachsen selig in den Himmel, und die Leute werden auf den Operationstischen bis zur Verträglichkeit wieder zurechtgestutzt.

5.

Aus dem Supermarkt quellen die Waren, die die Menschen gefangennehmen. Am Samstag sollte der Mann Partner sein und helfen, sie in den Netzen einzuholen; und die Fischer singen. Diese einfach gemeine Weise hat der Mann inzwischen gelernt. Stumm weilt er unter den Frauen, die ihr Kleingeld zählen und den Hunger bekämpfen. Wie sollen zwei Menschen diese Einigkeit schaffen, wenn nicht einmal Menschenketten für den Frieden zu schließen sind? Die Frau wird begleitet, die Pakete und Taschen werden getragen, ohne daß getobt oder lärmentiert würde. So macht der Direktor sich breit vor den Leuten, er nimmt ihnen den Platz weg und kontrolliert, was gekauft wird, obwohl das die Aufgabe seiner Haushälterin wäre. Er, ein Gott, eilt unter seinen Geschöpfen dahin, die weniger als Kinder sind und unter Versuchungen, grenzenloser als die See, zusammenstürzen. Er schaut auch in die andren Warenkörbe und in fremde Halsausschnitte, in denen hartnäckige Erkältungskrankheiten bellen und hartnäckige Wünsche von Halstüchern bedeckt gehalten werden. Die Häuser sind oft kalt und feucht, so dicht neben dem Bach. Wenn er seine Frau, deren Hand ungeschickt über Totes, bis zur Klarsicht Verpacktes, in der Truhe streift, ansieht, ihre geringe Leistung Fleisch, ihre schöne Kleidung, überkommt ihn entsetzliche Ungeduld, ihr sein Gewicht in Fleisch zu überlassen; seinen Schwengel, für den alles hier so feil, so geil, so erschwinglich ist wie Papierschnitzel, unter ihren kraftlosen Fingern zu sonnenreifem Glanz aufschwellen zu lassen. Unter ihren schwach gelackten Krallen will er sein Kleintier aufwachen sehen und in der Frau wieder zur Ruhe betten. Sie soll sich endlich bemühen in ihrem seidenen Hemd! Daß er sich nicht immer die Arbeit machen muß, ihre Brüste oben herauszuheben und auf seine Handteller zu legen. Einmal soll sie sich selbst servieren kommen, sich gefälligst gefällig anbieten, ohne daß er erst eine halbe Stunde mit seinen Fingern die Früchte mühsam vom Stengel klauben muß. Es ist umsonst. Er bleibt vor der Kassa etwas zurück und umfaßt die gähnende Leere seines Eigentums, vor der die Waren Männchen machen. Es tanzen mehrere Angestellte des Supermarkts um ihn herum, denen er die Kinder genommen hat, die einen für die Fabrik, die andern, weil sie jetzt wegziehen oder sich dem Alkohol ergeben müssen. Diesem Herrn wird die Zeit nicht zu groß!

Die Einkaufstüten, die ihren Anforderungen gerecht geworden sind, rauschen durch die Diele, von den Fußtritten des Direktors vorangetrieben. Manchmal trampelt er in rasenden Wutanfällen im Essen herum, daß es bis zum Himmel spritzt. Dann wirft er die Frau mitten unter das Warenlager und vollendet das Bild mit ihr, die seine Luft atmen und seinen Penis und seinen After schlecken darf. Geübt fängt er im Flug ihre Titten aus dem Kleid heraus und bindet sie, die schon verwelken, an ihren Wurzeln mit Schnüren zu prallen Ballons zusammen. Er ergreift die Frau an ihrem Nackenkleid und bückt sich über sie, als wollte er sie aufheben und in den Sack stecken. Die Möbel ziehen wie in einem Blitzbesuch vorbei. Gleich sind die Kleider herumgestreut, und die beiden stecken mehr ineinander, als daß sie aneinander hängen würden. Diese Strecke ist seit Jahren schon abgeweidet. Zuckend holt der Direktor sein Produkt hervor, Papier ist es nicht. Es ist härtere Ware, wie man sie in härteren Zeiten braucht. Das Verborgenste zeigen die Menschen gerne einander, zum Zeichen, daß sie nichts zu verbergen haben und alles wahr ist, was sie ihren unerschöpflich strömenden Partnern zu sagen haben. Sie senden ihre Glieder aus, die einzigen Sendboten, die stets wieder zu ihnen zurückkehren. Vom Geld läßt sich das nicht sagen, obwohl es mehr geliebt wird als der Geliebteste unter den Hufen und Hörnern des Geliebten, an dem schon die Hunde nagen. Zuckend und schreiend werden die Produkte hervorgebracht, die winzigen Körperfabriken mahlen und knirschen, und das bescheidene Eigentum, beschwert nur vom Glück, das aus dem einsam redenden Fernsehapparat taumelt, ergießt sich, ein Rinnsal, in einen einsamen Teich aus Schlaf, in dem man von größeren Waren und teureren Produkten träumen kann. Und der Mensch blüht am Ufer.

Die Frau liegt weitoffen, weltoffen auf dem Boden, glitschige Eßwaren über sich gebreitet, und wird gesteigert um einen Effekt und mehrere Effekten. Nur ihr Mann handelt mit ihr und handelt ganz allein. Und schon fällt er aus sich heraus in die möblierte Leere des Zimmers. Nur sein eigener Körper wird ihm halbwegs gerecht und kann sich im Sport, wenn gewünscht, dröhnen und widerhallen hören. Wie ein Frosch muß die Frau ihre Beine seitlich anwinkeln, damit ihr Mann in sie möglichst weit, bis ins Landesgericht für Strafsachen, hineinschauen und sie untersuchen kann. Sie ist vollgeschüttet und vollgeschissen von ihm, muß aufstehen, die letzten Hülsen auf den Boden fallen lassen und einen Hausschwamm holen gehen, den Mann, diesen unversöhnlichen Feind ihres Geschlechts, von sich und dem Schleim, den sie hervorgerufen hat, zu säubern. Er steckt ihr den rechten Zeigefinger tief ins Arschloch hinein, und mit pendelnden Zitzen kniet sie über ihm und schrubbt, Haare in Augen und Mund, Schweiß auf der Stirn, fremden Speichel in der Halsgrube, den blassen Killerwal dort vor ihr, so lang, bis das freundliche Licht herunterfällt, die Nacht kommt und dieses Tier aufs neue mit seinem Schwanz zu peitschen beginnen kann.

Auf den Rückwegen vom Supermarkt pflegen sie sich auszuschweigen. Einige eilen, ihre Pferdestärken ausprobierend, an ihnen vorüber und werden unversöhnlich im Gedächtnis bewahrt. Die Milchbehälter am Wegesrand, durchtobt vom wüsten Atem des Atoms, stehen zur Abholung bereit. Die landwirtschaftlichen Genossenschaften jagen einander aus Konkurrenzgründen durch die Gegend, auch um dem Anblick der Kleinstbauern, die nicht viel Milch geben und die man nicht einmal ganz ausbluten lassen kann, nicht zu lang ausgesetzt zu sein. Die Frau hüllt sich in das Dunkel ihres Schweigens. Dann wieder kann sie, um ihren Mann zu demütigen, gar nicht genug lachen über seine pedantischen Patriarchen Gespinste, in denen sein Hirn klirrt, wenn er der Kassierin auf die Finger schaut. Und, wie so viele Frauen von Arbeitslosen, darf die nur ja keinen Fehler machen. Der Direktor schleicht sich heimlich an ihre Seite, und sie muß alles noch einmal eintippen, damit kein Posten zuviel ausgeschrieben wird. Es ist fast wie in seiner Fabrik, nur sind die Menschen kleiner und tragen Frauenkleider, aus denen sie hervorschauen, weil ihnen wiederum die Kleidung ihres Familiengefüges zu eng wird. Sie legen die Flügel an, und aus ihren Leibern schießen die Kinder, in deren neu geöffnete Augen die Väter ihre Blitze schleudern. Die wirren Herden der Kundinnen drängen im Kaufwahn an den von den Waren Bezauberten vorbei, um bald wieder in ihren Gräbern verschwinden zu können. Wie Felsen türmen sich ihre Köpfe vor den Sonderangeboten. Beschenkt werden sie nicht, vielmehr vermindert um einen Teil ihrer Verdienste, die sie sich in der Papierfabrik erworben haben. Entsetzt stehen sie vor ihrem Vorgesetzten, den sie hier nicht erwartet, ja, an den sie kaum gedacht haben. Oft überraschen uns Menschen an den Türen, mit denen wir nicht gerechnet haben, und wir werden für ihre Nahrung verantwortlich gemacht. Kleine Salzstangen und Fische aus Teig und Späne aus Kartoffeln sind alles, womit wir sie in unsren armen Schatten stellen können.

Regalschluchten stürzen auf den fernen Horizont zu. Die Menschentraube teilt sich, schon rutschen die letzten Kundenwünsche, wie die Träger schweißgetränkter Unterhemden, von morgenmüden Schultern herunter. Schwestern, Mütter, Töchter. Und das heilige Direktorenpaar strebt wieder, in ewiger Wiederholung, der Strafanstalt seines Geschlechts zu, wo es nach Erlösung jammern kann soviel es will. Doch aus den Klappen und Löchern ergießt sich nur grauenhafte, lauwarme Kost in die Zelle und über ihre ausgestreckten Hände. Das Geschlecht ist, genau wie die Natur, nicht ohne seinen Anhang, seine kleine Anhängerschar aus Produkten und Produktionen zu genießen. Es wird freundlich umkränzt mit Spitzenerzeugnissen der Textil- und Kosmetikindustrie. Ja, und vielleicht ist das Geschlecht die Natur des Menschen, ich meine, die Natur des Menschen besteht darin, dem Geschlecht hinterherzurennen, bis er, im ganzen und in seinen Grenzen gesehen, genauso wichtig geworden ist wie dieses. Ein Vergleich macht Sie sicher: der Mensch ist was er ißt. Bis ihn die Arbeit zu einem schmutzigen Haufen, einem geschmolzenen Schneemann, zusammenstaucht. Bis ihn, von seiner Herkunft gestriemt, nicht einmal das letzte Loch zum Hineinschlupfen mehr übrigbleibt. Ja, die Menschen, bis die endlich vernommen sind und die Wahrheit über sich erfahren... Hören Sie halt derweil mir zu: Diese Unwürdigen sind wichtig und gastfreundlich einzig für einen Tag, wenn sie sich vermählen. Aber schon ein Jahr später werden sie in Haftung für ihre Wohnungseinrichtungen und Fahrzeuge genommen. Es geschieht eine Sippenverhaftung, wenn sie die Raten nicht mehr bezahlen können. Die stottern noch die Betten ab, in denen sie sich wälzen! Lächeln die Gesichter von Fremden an, die sie an ihre Krippen führen. Damit sie ein paar Hälmchen Heu im Atem ihres Schlafs wehen lassen können, bevor sie wieder weiterziehen. Wir aber müssen jeden Tag zur Unzeit aufstehen, sind fremd und in der Ferne und sehen nur unsre kleine Straße entlang, wo unsre herzigen Geschlechtspartner inzwischen von andren begehrt und benutzt werden. Und in den Frauen soll ein Feuer brennen. Doch es sind nur tote Glutnester, auf die der Schatten des Nachmittags schon in der Früh fällt, wenn sie aus den Schlündern ihrer Mansardenbetten, wo sie auf das schreiende Kind aufpassen müssen, direkt in den Magen der Fabrik kriechen. Gehen Sie doch nach Haus, wenn Sie dessen müde sind! Sie werden nicht beneidet, und

Ihre Schönheit entwaffnet schon längst keinen mehr, vielmehr verläßt er Sie mit leichten Schritten und startet seinen Wagen dort, wo der Tau liegt und unter den ersten Strahlen aufglänzt, ganz im Gegensatz zu Ihrem stumpfen Haar!

Die Fabrik. Oh wie sie mit den Ungelernten herumschmeißt, die in sie hineinquellen aus unerschöpflichen Röhren. Wie sie die Stereoanlagen an unerschöpflichem Lärm übertrifft! Dieses Menschen Haus, also das Haus vom Direktor auf seiner Paarzelle, das uns unfehlbar erfrischt zurückläßt, wenn wir den Cola Automaten bedienen! Ein Zelt aus Licht und Lebewesen, in dem Papier fabriziert wird. Hart setzt die Konkurrenz diesem Standort den Hebel an und hobelt die Beschäftigten alle zu möglichst gleich dünnen Brettern. Der Konzern, der die Fabrik im benachbarten Bundesland besitzt, ist mächtiger und liegt an einer ergiebigeren Verkehrsader, in die sie bluten gehen können und ihre Säfte verschießen. Das Holz wird unkenntlich verkleinert und kommt in die Zellulosefabrik, und dann kommt die Zellulose in die Papierfabrik, wo bis zur Unkenntlichkeit Verkleinerte sie bearbeiten, habe ich zumindest gehört und bin zufrieden, daß ich, die ich frei bin, in der Mittagshitze mein Echo in den stillen Wald erbrechen kann. Das Heer der, wie ich, Verantwortungslosen, die in den Latrinen Zeitung lesen, sie schaffen aus dem Wald die Bäume fort, damit sie sich selber an deren Stelle hinsetzen und das Essen aus dem Papier wickeln können. In der Nacht trinken die Leute dann und machen sich Sorgen. Erhebet ein Zwist sich, so stürzet die Menge, gebläht und geblendet, in nächtliche Tiefen.

Die Fabrik ist zum Wald gekommen, verlangt aber längst schon nach einem anderen Land, in dem sie billiger produzieren kann. Die himmlischen Plakate an den Ausfallstraßen machen den Menschen Dampf, und schon ziehen sie los auf ihren Spielzeugeisenbahnschienen. Die Weichen werden eingestellt, und auch der Herr Direktor ist in der Höheren Hand, wobei er öffentliche Gelder verschlingt. Unüberschaubar ist die Politik der Eigner, die keiner kennt. Um fünf Uhr früh schlummern die Menschen an den Verkehrsampeln ein, wenn sie hundert Kilometer zur Fabrik herkommen und noch an der letzten Straßenkreuzung dem heiligen roten Licht, das mit ihnen spielt, erliegen und getötet werden, weil sie mit dem Fuß nicht vom Gas und im Traum nicht vom Spaß des Samstagabends gegangen sind. Die zärtlichen Bewegungen auf dem Bildschirm, von dem sie, schnaufend und scharrend, jahrelang ihr Futter bekommen haben, werden sie nun nie mehr wiedersehen.

Drum lassen sie alle ihre Frauen noch einmal erschallen, damit sie die Gerichtstrompeten wenigstens bis zum nächsten Monatsersten nicht mehr zu hören brauchen. Die Gerüchte und Gerichte an diesem Ort verstummen nie, und die von den Banken Verlassenen tschilpen in den Furchen und verzehren die letzten Brösel. Und hinter ihnen steht eine Frau, die Wirtschaftsgeld haben möchte und neue Bücher und Hefteln für die Kinder. Sie alle sind abhängig vom Direktor, diesem großen Kind von milder Laune, die aber krachend umschlagen kann wie ein Segel, und dann sitzen wir alle im selben Boot und fallen schnell auf der einen, der großen, wilden Seite heraus, auf die wir uns in letzter Sekunde geworfen haben, weil

wir's nicht verstehen, unsren tausendstimmigen Sirenen-
gesang besser einzusetzen. Auch im Zorn sind wir vergessen, es wächst nur das Geschwür in uns, und wir
schießen ins Unkraut.

6.

Es hantelt sich die Frau, in ihrer Verstörung den Notausgang aus ihren Erinnerungen nicht findend, am Zaun neben einem alten Spritzenhaus der freiw. Feuerwehr entlang. Sie läuft frei, ohne Leine. Das ungewaschene Geschirr ist ihr vom Kopf abgestreift. Jetzt hört sie es nicht mehr, das vertrauliche Klirren und Klingen der Schellen an ihrem Zaumzeug. Sie leckt sprachlos an sich empor, wie Funken. So läßt sie die fidele Gesellschaft ihres patenten Mannes, mit dem man eigentlich Pferde stehlen könnte und der immer noch wächst, achtlos nach den Flammen tretend, die aus seinem Genital schlagen, sowie die Gesellschaft ihres vom Geigenlehrer patentierten Kindes hinter sich, wo die beiden miteinander tönen und heulen können. Vor ihr nur der kalte Sturmwind vom Berg; der Raum ist von wenigen dünnen Pfadrinnsalen bedeckt, die in den Wald führen. Es dämmert. In ihren Zellen bluten die Hausfrauen aus dem Hirn und dem Geschlecht, zu dem sie gehören. Was sie selbst gezüchtet haben, müssen sie jetzt auch noch pflegen und am Leben erhalten mit ihren Armen, die mit ihren Hoffnungen ohnehin schon überladen sind.

Auf den Eiskanal des Taleinschnitts bewegt sich die Frau zu, ungeschickt wandelt sie über die gefrorenen Schollen. Hier und da werden durch eine offene Stalltüre Tiere entblößt, gleich darauf nichts mehr. Die After der Tiere sind ihr, pulsierende Schlammkrater, zugewandt. Der Bauer beeilt sich nicht gerade, ihnen die Notdurft von den Hinterhaxen zu kratzen. In den Massentierställen der reicheren Gegenden erhalten sie fürs falsche Scheißen elektrische Ausschläge vom Kopfjoch, dem Kuhtrainer, her. Neben den Hütten armselige Holzstöße, die sich an die Wände schmiegen. Das wenigste, was sich von Mensch und Tier hier sagen läßt: Vom Schnee werden sie beide weich zugebettet. Noch immer drängeln schüttere Pflanzen, zähe Kräuterwaren, ans Licht hinaus. Vereiste Zweige spielen mit dem Wasser. Ausgerechnet hier zu stranden, wo sogar das Echo bricht, an diesem zu Eis gepreßten Ufer! In der Natur ist ihre Größe inbegriffen, etwas Kleineres als sie könnte unsren Gefallen nimmer erregen und unsre Gefallsucht nicht anstacheln, uns ein Dirndl oder einen Jägeranzug zu kaufen. So wie Fahrzeuge sich fernen Ländern, so nähern wir uns wie Gestirne dem Unaufhörlichen dieser Landschaft. Wir können einfach nicht zu Hause bleiben, ein Gasthaus ist uns hingebreitet, damit unsre Schritte Halt finden und die Natur in ihre Schranken gewiesen wird, hier ist ein Gehege für zahme Rehe, dort ein Waldlehrpfad. Und schon kennen wir uns wieder aus. Kein Fels wirft zornig uns jetzt noch hinunter, im Gegenteil, wir schauen auf das Ufer, das mit leeren Milchpackungen und Konservendosen übersät ist, und lernen die Grenzen kennen, die die Natur unsrem Konsum gesetzt hat. Der Frühling wird alles an den Tag bringen. Dieser blasse Fleck Sonne am Himmel, und auf der Erde nur noch wenige Arten. Die Luft ist sehr trocken. Die Frau – es friert ihr der Hauch vom Mund weg, den sie mit einem Eck von ihrem rosa Nylonschlafrock bedeckt. Prinzipiell steht das Leben jedem offen.

Der Wind erpreßt Stimme von ihr. Einen unwillkürlichen, nicht sehr wilden Schrei preßt es ihr aus den Lungen, einen tauben Ton. So hilflos wie der Acker des Kindes, aus dem die Töne geschlägert werden, das sich aber gut daran gewöhnt hat. Sie kann ihrem geliebten Kind gegen dessen Vater nicht beistehen, denn der Vater hat schließlich den Bestellschein für die Extras wie Musik und Touristik ausgefüllt. Jetzt liegt das hinter ihr. Vorlaut wirft sich jetzt vielleicht der Sohn, ein auf den Rücken gewendeter Plastik Marienkäfer in der Plastikschüssel einer Rodel, in der er dampfend aufgetischt wird, dem Tal, der Dämmerung entgegen. Bald sind alle zu Hause und essen, den Tagesschrecken noch unterm Herzen, den sie schreiend auf die Bodenbretter gebären. Am Ende kleben dem Kind die Schalen noch naß hinter den Ohren! Der letzte Dreck. Daß die Kinder bestehen und wie von selbst ablaufen, wie die Zeit, dafür sind Frauen verantwortlich, die das Essen in ihre kleinen Ebenbilder oder die ihrer Väter stopfen und zeigen, wo's wieder hinausgeht. Und mit seinem Stachel treibt der Vater die Söhne hinaus auf die Piste, wo er der Steuerlosen Herr werden kann.

Die Faust schlägt die Frau sinnlos gegen das Geländer. Die letzte Keusche liegt schon lange hinter ihr. Kindergeplärr sprach deutlich davon, wie schön das Wohnen ist, wenn man sich von den Verhältnissen einwickeln läßt. Mit offenen Augen muß die Frau immer auf andren Wegen gehn. Immer schon hat es sie aus der Tube ihrer Wohnung hinaus ins Freie gedrückt. Schon öfter ist sie abgängig gewesen und einige Male verwirrt auf dem Gendarmerieposten gelandet. Dort wurden ihr die Arme der Beamten zum Rasten angeboten; mit den armen Leuten, die zu lang im Wirtshaus rasten, springt man anders um. Jetzt ist die Gerti still inmitten der Elemente, die bald unter den Sternen liegen werden. Das Kind, das ihr Hinterbliebener sein wird, drängt sich vorlaut in die Fahrspur der andren und in den Fahrtwind, den es selbst erzeugt. Ahnungsvolle kreuzen seine Bahn lieber nicht, aber die Mutter reist, von seinem Willen gezogen, von Tal zu Tal, um ihm etwas zu kaufen. Jetzt ist sie wie im Schlaf. Sie ist fort. Die Dörfler streicheln ihr Bild hinter den Scheiben und suchen ihr zu begegnen, damit sie ihnen ein gutes Wort in den Schlitz wirft. Ihre Orff-Schulungskurse für kleine Kinder, denen die Kleinen sich oft genug schweratmend zu entwinden versuchen, sie sichern den Vätern ihre Fabrikplätze. Das Kind wird als Pfand hinterlegt. Sie ratschen und rattern mit Schlagrasseln, Blockflöten, Tschingderassen und weshalb? Weil sie die Hand ihres gütigen Herbergsvaters und seiner Fabrik (dieses Obdach!) als Köder in der Mulde angepflockt hat. Manchmal kommt der Direktor vorbei und nimmt die kleinen Mädchen auf den Schoß, spielt mit ihren Rocksäumen und puppigen Teewärmerkleidchen, in deren Wasseruntiefen er noch nicht recht zu waten wagt. Aber es geschieht alles unter seiner Hand, die Kinder klappern mit den Luftwurzeln von Musikinstrumenten, und unter ihnen, wo sich ihre Körper öffnen, tritt leise, wie schlafend, ein schrecklicher Finger auf die Lichtung hinaus. Erst eine Stunde später werden die Kinder wieder im sicheren Atem ihrer Mütter gefangen sein. Lasset die Kleinen kommen, damit die Familie das Abendessen in freundlicher Stimmung auf einem sonnenhellen Weg und von gut bescheuerten Klassikplatten beschienen einnehmen kann. Und die Lehrerin bekommt einen Aufschub, sobald die Kinder das Zimmer füllen, sie sitzt ganz still

dort in ihrem Abteil, hinter dessen Fenster der Stations-
vorsteher die Lippen bewegt, bis ihr Zug abgefahren ist.

Der Direktor billigt alles, was seine Frau tut, und sie dul-
det sein williges Fleischpflanzerl in ihrer Gesundheit.
Fast scheint er erstaunt, wie sein Vollhumon-Dünger immer wieder in ihrem stillen Loch, dem er sich anvertraut,
verschwindet, wie wieder und wieder seine Ladung aufs
Deck ihres Schiffs klatscht. Erschrocken wächst manchmal Klavierspiel aus ihren Ärmeln und verblüht wieder.
Die Kinder verstehen nichts, nur daß ihnen der Bauch
und die inneren Seiten ihrer umherwehenden Schenkel
gestreichelt werden. Diese Unmusikalischen haben keine
Fremdsprachen gelernt. Sie schauen aus gelangweilten
Augenwinkeln ins Freie hinaus, wo sie sich ungestört auf
die Seite legen könnten. Der Direktor kommt von seinem
himml. Chor, in dem ihre Väter schmachten, und mit den
Fingerspitzen hält dieser donnernde Gott die Erdbeeren
fest, die ihnen bereits in den kalten, hartgepolsterten
Wiegen gewachsen sind.

Er reizt den Mann bis zur Weißglut, bis zum Fliegen Zer-
quetschen, dieser winzige Vorsprung, den schon Kinder
haben, und den er zum drauf Herumkraxeln mit zwei
Fingern aus dem Fleisch der Frau herausgeschunden hat.
Daß die Frau nur da ist, genügt ihm noch nicht. Er muß
sich einfach in ihr ausbreiten, die Füße hochlagern und in
ihr mit sich herumschmeißen. Ist es nicht so, daß er sich
auch ein wenig in ihr verbergen und ausruhen möcht?
Manchmal, noch zuckend von den Tönen seiner schweren Hautflügel, entschuldigt er sich, beinahe verlegen,
vor diesem milden Tier, dem er seinen Stempel nicht auf-

zudrücken vermag, obwohl er jeden Millimeter ihrer Haut schon verschlungen und wieder ausgespuckt hat. So weit kommt es, daß man sich seiner ehrlichen ehelichen Produkte schämt!

Es kommt vor, daß manche, da es fast Nacht schon ist, mit ihren kleinen Gefährten noch von Dorf zu Dorf ziehen, und das Eiergelege der Stereo Lautsprecher schmiegt sich ihnen mit Musik an die Köpfe. Ein Fahrer, Gast seines Wagens, hält neben der Frau an. Es spritzt unter seinen Reifen. Der grobe Schotter der Forststraße. Die meisten Männer kennen die Biographie ihres Autos besser als die Autobiographie ihrer Frauen. Was, bei Ihnen ist das umgekehrt? Sie kennen sich selbst so gut wie die einfache Person, die Sie täglich runderneuert? Als Lebensabdecker Ihre alten Gummis weggeräumt? Dann können Sie sich glücklich setzen!

Alle, die vorhaben, sich durch die Nacht zu trinken, bitte aufstehen und auf die andre Seite gehen! Der Rest für diejenigen, welche die Nacht selbst bis zur Neigung zu einem andren Menschen auszutrinken wünschen. Die Nacht, die nur gewachsen ist, diese Flaschen alle zu fassen: die Jugend, die aus den Windeln ihrer illustrierten Zeitschriften strampelt und brüllt. Jetzt kann sie endlich das gläserne Behältnis, aus dem der Schnaps tropft und in dem sie als Birne aufgewachsen ist, sprengen und sich die Handrücken in den Discos und die Gesichter von den stählernen Brückengeländern zeichnen lassen. So läuft die Welt. Direkt in uns hinein. Junge Arbeitslose drücken sich vor dem Weg ins Freie. Scheu quälen sie Kleintiere, deren sie sich bemächtigen konnten, in stillen Ställen.

Man nimmt sie nicht an in den Reparaturwerkstätten und glitzernden Friseursalons der Kreisstadt. Die Papierfabrik stellt sich auch schlafend, damit sie sich die soziale Schere (Scherereien) erspart, wenn die Dorfburschen mit ihren angelegten Flügelchen, die Köpfe eingezogen, gegen sie krachen, weil auch sie unter den vielen andren im Papierkessel rühren möchten. Statt dessen schauen sie bloß zu tief ins Glas. Ihre besten Kleider tragen sie schon am Werktag. Wer eine kleine Wirtschaft daheim hat, fliegt als erster aus der Fabrik und macht zu Haus der Frau die größte Wirtschaft. Der scheint sich autark ernähren zu können und göttliche Fülle zu ernten. Wer privat Tiere schlachtet, dessen Herz kann der Fabrik nicht ganz gehören, erklärt der Personalchef. Entweder oder. Die Kinder werden krank. Die Väter hängen sich auf. Kein Geld wird es ihnen vergelten.

Da fährt dieser Fahrgast, von seinem Wagen persönlich dazu eingeladen, über den gefrorenen Boden dicht an der Frau vorbei. So jung er ist, hat er doch schon ein Studium der Gerechtigkeit und eine Schule der Geläufigkeit absolviert. Sogar Eltern, um die er sich nicht zu kümmern braucht, hat er noch auf dem trockenen Weg, den der höhere Angestellte bis zu seinem strammen, angestammten Platz auf dem Wahlplakat der österr. Volkspartei zurückzulegen hat. Dieser Weg ist so weit wie wir's von der Tür zur Heizung und Zeitung haben, die es uns allen in diesem Staat der mittleren Einkommensklasse so gemütlich machen. Die Eltern haben hier ein Wochenendhaus ohne größere Sorgen mit Bausparverträgen erkauft. Das Haus dient der Ruhe, dem Sport und der Ruhe vor und nach dem Sport. Dieser junge Mann ist, im Gegenteil,

Mitglied einer exklusiven Burschenschaft, wo der Adel den Bürgern die Augen auftaut und gleich wieder zuklebt. Was dieser Bursch nicht schafft, ist der Erwähnung im Bundes-Vorturnblatt der Wiener Jugend nicht wert. Seine Verbindung ist nicht schlagend ein Beweis für sich selbst, aber was sich nicht schlägt, das neckt sich. Herzlos fallen die Kleinen übereinander her, aber die Großen lassen ihre Lichter leuchten und steigen inmitten der kräftigen Schatten, die ihr Kommen beweisen, den andren auf die Hände und auf die Köpfe. Dann öffnen sie ihre Därme, und ihre Flügel schwellen von dem Wind, den sie machen. Man sieht sie nicht kommen, aber plötzlich sind sie in der Regierung und im Parlament. Die landwirtschaftlichen Erzeugnisse stehen ja auch brav in den Regalen, bis sie, im Magen erst, ihr Gift entfalten.

Die Frau muß stehenbleiben. Es hat Tag und Nacht geschneit. Die Bergluft schmerzt. Die Strahlen, die durch die Bäume hinunterfielen, sind jetzt verschwunden. Der junge Mann bremst so heftig, daß ein paar Bücher, die sich längst gegen ihn gekehrt haben, auf ihn fallen. Sie schütten sich in den Fußraum des vorderen Sitzes. Die Frau schaut seitlich ins Fenster und gegen einen Kopf, der sich gestern abend noch, wie die hoffnungslosen Menschen hier, denen der Grund unter den Füßen dampft, hat volllaufen lassen. Sie kennen einander flüchtig vom Sehen, haben sich aber nicht ineinander aufbewahrt. Der Student nennt einige teure Namen, die sie kennen müßte. Die Höhen ringsherum glänzen unter der Schneehaube, die bis in die Tiefe reicht, wo die Wünsche nach einer neuen Schiausrüstung in der Werkstatt der Menschen geschmiedet werden.

Abgabenfest wartet derweil der Direktor in seinem Büro und hilft uns nicht weiter, wenn wir an seine Tür pumpern. Sie kommen von ihrem Vater daheim durchgehaut und vom Vieh durchgekaut bei ihm an, die Bauernbuben, und wagen schon den Schritt in die Leichtlohngruppen der Industrie. Und recht bald nehmen sie dann die Frauen wahr und begrüßen sie mit lautem Gebell, die sich an den roten Ampeln die Nägel im Auto lackieren. Sie sind unsre kleinen Gäste am gedeckten Tisch, damit sie rechtzeitig bemerken, wie unwillkommen sie in die soziale Gefügsamkeit treten. Die können von ihrem Platz aus nicht einmal den gedeckten Tisch voller Soziallasten sehen, setzen sich auf ihre Lederhosenboden und stoßen Schreie aus, weil da schon einer als ihr Abgeordneter hockt und ihr Lebenssaftkonzentrat frisch aus der Dose trinken möchte. Söhne der Erde scheinen sie, zu lieben gemacht und zu leiden. Aber ein Jahr später loben sie schon nichts als die rasende Fahrt, bei der ihnen die Haare an den Kopf geklatscht sind, vom Moped zum gebrauchten VW. Und der Fluß daneben, verwegen fließt er und nimmt sie endlich ohne Fragen auf.

So müde ist die Frau, als wollte sie in sich mitsamt ihrer noch passablen Figur, die von ihrem Mann meist verdeckt wird, nach vorn fallen. Die Augen der Welt ruhen auf ihr, wenn sie auch nur einen Schritt tut. Sie ist unter ihren Besitztümern, die hoch aufwogen und vor Weichspülern schäumen, von einem niedrigen Horizont zum nächsten, begraben. Dann kommen die eifrigen Dörfler und ihre mutigen Hunde herbei und scharren sie in Tausenden Gesprächen über ihr Tun und Haben wieder aus. Wie sie aussieht, könnte kaum einer sagen, aber was sie trägt, diesen Lobgesang sollte die Gemeinde am Sonntag in der Kirche einmal hören! Tausend kleine Stimmen und Flammen, die zum Himmel flattern aus der schattigen Werkstatt, in der die Tageszeitungen die Leute dafür vorbereitet und aus Lehm zu Gefäßen formiert haben. Der Direktor sorgt für den Warenkorb und ist Hahn im Korb. Die Frauen des Dorfes sind nur Beilage zum Fleisch der Männer, nein, ich beneide euch nicht. Und die Männer fallen, verdorrtes Heu, auf die Computerausdrucke herab, wo ihr Schicksal mitsamt den Überstunden, die es machen muß, um fröhlich die besseren Saiten des Lebens berühren zu dürfen, vermerkt ist. Keine Zeit, nach Arbeitsschluß mit den Kindern zu scherzen. Die Zeitungen drehen sich wie die Wetterfahnen im Wind, und mit Gesang dürfen die Angestellten der Papierfabrik sich selber Luft machen. In der Schule, ich weiß nicht, da waren sie alle noch gut. Das müssen sie vergessen, wenn sie später zu Leerstellen im Gewerbe, im Handel und in der Industrie werden, oder zu schwarzen Löchern im Gewebe der Sportbewerbe. Spiele für die Jugend der Welt werden ihnen ausgerichtet, aber bis sie's erfahren, ist's schon zu spät, und sie rutschen immer noch den seichten Hang vor ihrem Haus hinunter, der doch nur auf einen weiteren vereisten Weg in die Trafik führt, wo sie erfahren, wer gewonnen hat. Sie schauen sich das alles im Fernsehen an und wollen auch so fein eingekocht werden. Der Sport ist ihnen das Heiligste, das sie mit ihren gebundenen Händen erreichen können. Er ist ähnlich dem Speisewagen im Zug, nicht unbedingt nötig, aber er verbindet das Unnütze mit dem Unangenehmen. Und man kommt weiter.

Aus der Dunkelheit soll die Frau des Direktors in dieses Fahrzeug einsteigen, damit sie sich nicht erkältet. Sie soll keinen Aufstand machen, sich aber auch nicht absondern, wie es die Frauen gerne tun, wenn sie, schleimige Fäden, ihren Familien das Essen erst hinstellen und dann mit ihren Klagen vergällen. Der Mann lebt den ganzen Tag von ihrem schönen Bild, und am Abend klagen sie und jammern. Von den Logenplätzen ihrer Fensterbrüstungen, auf denen Blumen und Blätter eine stachelige Wehr nach außen bilden, betrachten sie die Bogen, die von andren überspannt werden, und lassen erschöpft ihr eigenes Sehnen locker. Sie ziehen das Feiertagsgewand an, kochen für drei Tage vor, gehen aus dem Haus und stürzen sich, wie man sich bettet so liegt man, in den Fluß oder in den Stausee.

Der Student bemerkt die Hausschuhe der Frau. Helfen ist sein Beruf. Diese Frau steht auf den Papiersohlen der Pantoffelheldinnen da, die stundenlang verzweifelt Nahrung in sich herumirren lassen, die von ihren Familien verschmäht wurde. Sie trinkt einen Schluck aus einer Taschenausgabe von Flasche, die ihr vor den Mund gehalten wird. Sie und die Dörflerinnen und wir alle: Stehen mit unsren Gesichtern, von denen es tropft und taut, dem Küchenherd zugewandt und zählen die Eßlöffel, mit denen wir uns verausgaben. Die Frau wispert dem jungen Mann etwas zu, sie ist an der richtigen Adresse, denn der ist auch schon oft betrunken vom Verbindungsstammtisch, vom Rechtsverbindertisch gefallen. Schon schlägt er in ihrem Augenblick ein. Kaum rauschen die Gefühle auf, sinkt ihr schläfriger Kopf schon an seine Schulter. Am Wagen knarren die Räder, die vorwärtskommen wollen. Ein Tier steht auf, es hat seinen Einsatz gehört, und auch der junge Mann ist bereit, in der abgelegten Hülle dieser Frau nach etwas Kleingeld zu wühlen. Einmal ist etwas andres, etwas Neues, etwas Unartiges, Unerwartetes geschehen, dem man nachher ein fade erscheinendes Mäntelchen aus Gesprächen umhängen kann. Die Verbindungs Kameraden haben längst ihre ersten Feinde erbeutet und sich deren Fell, das einst von einer liebenden Mutter gestriegelt wurde, über die Schulter gehängt. Jetzt kann man den ungeduldig an der Kette zerrenden eigenen Wünschen endlich auch was Nahrhaftes, das man aus einem andern herausgeschnitten hat, zum Fressen vorwerfen. Damit sie groß und stark werden und einmal von großen Fischen im Ozean der Chefetagen umtanzt werden. Ja, die Natur meint es ernst, und froh legen wir ihr Fesseln an, damit wir auch gegen ihren Willen etwas erreichen. Umsonst tobt das Element, wir sind schon eingestiegen!

7.

Im Umkreis fallen die bedrückten Menschen, Wasserfluten, über die Treppen und verzierten Vorbauten ins Ungewissen ihrer Beherrscher hinab. Übers Ziel schießen sie nicht hinaus in ihren zahmen Fellen. Vorlaut schreit das Radio am Morgen, daß man aufwachen soll. Und gleich wird ihnen der Liebe warmer Boden, ihr durchgeschwitztes Leintuch entzogen. Nun tappen sie um ihre Frauen herum und machen die sorgsam gewarteten Hab Seligkeiten dreckig. Sanft weht die Zeit. Die Menschen müssen sich rentieren, bis sie ihre Rente erreicht haben. Bis sie endlich ausbezahlt sind und abbezahlt ist, was sie ihr Leben lang, geschlossenen Auges, zu besitzen glaubten, nur weil sie sich, Gäste, drin aufhalten durften, während ihre Frauen durch ständigen Gebrauch den Dingen Leben abgelistet haben. Nur die Frauen sind wirklich zu Haus. Die Männer trotteln durchs Gebüsch in der Nacht und springen auf den Tanzboden hinauf. Die Papierfabrik. Sie wirft die Menschen wieder hinaus, nachdem sie jahrelang sinnvoll gewesen sind. Zuerst gehen sie aber ins oberste Stockwerk und holen sich ihre Papiere ab.

Die Frau Direktor ist mitten unter ihnen, eine stille Weiße. Nicht einmal ein guter Braten macht sie, wie unsereinen, wieder lustig fürs Weiterleben. Die Kleinen werden ihr zugeführt, damit sie klatschen und ratschen lernen. Bis diese nahrhafte Musik einmal verstummt und die Fabrik ihr Geheul sich über die Berge erheben läßt. Die Väter richten in der Früh schläfrig ihre plätschernden Brunnen ins Becken; gröber erwachen schon die

Lehrlinge, in die Musik geschaufelt wird, kaum daß der Wecker sie geläutert hat. Die halbnackten Körper wachsen vor den Spiegeln der neuverkachelten Badezimmer empor, es blinken die Fesseln, die kleinen Hähnchen schreien vorlaut aus den Hosenschlitzen, und ihr warmes Wasser wird treulich entführt. Diese Toilette ist vielleicht ein Spiegelbild Ihrer selbst. Behandeln Sie sie daher so wie auch Sie selbst behandelt werden möchten!

Ein Wagen ist vor der Frau des Direktors geparkt. Ein Tier schaut aus sich hervor und springt in den Wald, wo es jetzt Ruh hat. Im Sommer freilich schaukeln auch dort die schwer belasteten Lebensflöße, die die Menschen in der Natur entladen gehen, wo sie sich erleichtern. Der Wagen ist warm, der Himmel scheint gleich viel niedriger. Die Zeit neigt sich, und Neigung entsteht. Im Wald entfalten sich die Rehe, denen es im Winter noch schlechter geht als uns. Gegen das Armaturenbrett weint die Frau und sucht im Handschuhfach nach Taschentüchern, ihre Trauer zu stillen. Der Wagen startet, Fragen werden wie wilde Gaben verteilt. Gleich darauf reißt die Frau die Tür des langsam anfahrenden Gefährts auf und stürzt in den Wald. Ihre Gefühle füllen sie ganz aus, und sie muß aus sich herausschlagen wie die Triebe es tun, wenn man sie nicht fest eingesperrt hält im Fernsichtgerät des Leibes. So steht es in den Büchern, in denen man billig alles über sich selbst, da man sich teuer ist, erfahren kann. Als gäbe es hier Mücken und eine andre befremdete Brut, schlägt die Frau in die Luft und fällt über eine Wurzel, reißt sich das Gesicht in altem Firn auf und verschwindet an dunkleren Stellen des Waldes. Nein, dort vorn rennt sie ja! Stolpert über die schwarzen

Locken im Gezweig. Gleich darauf kommt sie freiwillig wieder an die Leine und Gurten zurück, steigt ein, läßt sich, müßig gehend, auf den Grund des Sitzes stopfen. In sich selbst wird sie groß und sich zu Diensten. Sie hört ihre Gefühle wie Donner heranrollen und wie einen Expreßzug durch ihre Körperstation rasen. Schon der Luftzug, den die dünne Kelle des Herrn Stationsvorstands macht, wirft sie fast um. Sie hört auf sich. Sie hört nur auf sich. Wie Gewalt vom Himmel ist diesen Gefühlswesen allen das Rauschen der Starkströme, das sie erfüllt. Wie wunderbar sind diese Leute, die genug Zeit haben, den Pilotenschein für ihre steuerlos umherirrenden Empfindungen zu machen, um in sich herumfliegen zu können!

In der Mitte ihres Lebens glaubt diese Frau oft und gern, sich aus der Fluchtlinie der andren Frauen, die mit ihren sackenden Brut- und Brustkörben an ihr angedockt haben, herausbewegen zu müssen, um in ein üppigeres Land, wo einem die Tränen sorgfältiger gelöscht werden, zu reisen. Sie hängt abgöttisch an sich und macht als Pauschaltouristin all ihre Reisen ins Umsichtige der Leidenschaften gern mit. Sie begegnet sich, wo sie will, und flieht sich gleichzeitig, weil's woanders eine herrlichere Begegnung mit ihrem Inneren geben könnte, wo man in den Wolken sitzen und aus seligen Gläsern noch mehr von seinen Gefühlsamkeiten in sich hineinschütten kann. Sie ist so flüchtig wie eine Verbindung, die sich jeden Augenblick lösen wird.

Ähnlich ist es mit der Kunst und was wir über sie empfinden, jeder etwas andres, die meisten nichts, und doch sind wir uns einig, das letzte aus uns herauszubohren und es dem andren, nur halbgar gekocht, zum Verschlingen vorzusetzen. Wie ein Zimmerbrand schlagen wir aus unsren kleinen Öfen. Wie einer Eisbahn folgen wir allzu rasch unsren Bedürfnissen, die Sonne scheint, und unsre Säle, wo wir vor Lebensgier sieden, sind zusätzlich noch gut geheizt. Alles ist heiß und voll Geist, der, von Flämmchen erwärmt, über uns aufsteigt, damit die andren ihn sehen. Einmal fallen wir dann um, weil wir den Boden unter den Füßen verlieren, uns verlieben und immer haltlosere Forderungen unsren Partnern zuzustellen haben. Wie macht es uns glücklich, in mannigfaltigen Gestaltungen durch die Berge zu toben, bis unsre Zipfelmützen verlorengehen.

Auf seinem hohen und teuren Roß hört der Student zu, wie die Frau sich ihm überantwortet. Es ist ein einmaliger Augenblick, der sie in die Halle ihrer Empfindungen geführt hat, wo die Stille wie ein Pflanzen Betriebshaus von fiebrigen Gesprächen dunstet. Zu Sprache gebündelt, schießen schaudernd die Tage ihrer Kindheit und die Lügen ihres Alters aus ihr hervor. Herabgeführt wird der Student den Abhang ihrer Gedanken. Die Frau redet weiter, damit sie wichtiger wird, und ihre Sprache trennt sich schon von der Wahrheit in dem Moment, da diese ihr aufgegangen ist und ein bißchen schön geschienen hat. Wer hört denn sonst zu, wenn die Hausfrau eine Bewegung landeinwärts macht, weil das Kind schreit oder das Essen anbrennt. Je mehr diese Frau redet und redet, umso mehr wünscht sie sich und dem Mann, daß sie ein Rätsel füreinander bleiben, also interessant genug, daß sie ein wenig ineinander ruhen und nicht gleich wieder aufspringen und davonstürzen mögen.

Doch wer fühlt nicht wie die Sinne den Schmerz? Wir produzieren in klappernden Töpfen, wo der Dampf singt, das Gefühl. Doch die von der drohenden Kündigung Gebeutelten? Die hauen mit den Stirnen gegen die Papierfabrik, die vom Konzern vielleicht aufgegeben werden muß, weil sie unwegrentabel geworden ist. Außerdem verunreinigt sie den Bach, und schon wachsen viele heran, die, ungeschickt die stumpfen Krallen wetzend, auf die Stimme der Natur horchen, die endlich ihrer Kinder Sprache zu sprechen gelernt hat. So verstehen diese an höheren Schulen Gezüchteten, was die Natur sagt und was in ihren Lüften und Gewässern vorgeht. Und ein Lächeln breitet sich über die Gesichter der Streitenden, denn sie haben recht. Die Natur ist, wie ihre Gefühle, mit ihnen einer Meinung. Proben von verzogenem, strampelndem Wasser werden vom Umweltschutz sorgsam aufgezogen, doch irgendwo wird schon eine neue Wunde in der Natur aufbrechen, zu der sie alle hineilen müssen. Vorn und hinten kommen dann, nach einiger Zeit, die der Brutofen eben braucht, die Menschenabfälle herausgeschossen. Sie sind schon als Mist hineingegangen. Ja, die Fabrik hat es mit Hilfe ihrer Bewohner und Beweger erzeugt, Papier, unser Düngemittel, auf das wir, blutige Falten in unsre Sofas liegend, unsre Gedanken auch noch aufschreiben können. Was immer wir einander zu sagen haben, um unsre Lieben in Nichts und Nacht aufzulösen und uns auf ihrem Dung zu unerhörter Größe zu erheben, es rührt unser Gegenüber nicht an, denn es ist mit seinen eigenen Bedächtnissen beschäftigt, die es täglich auswaschen und neu anfüllen muß.

Je tiefer das Glück, umso weniger wird in dieser Gegend davon gesprochen, damit man sich nicht drinnen verirrt und die Nachbarn nicht neidisch werden. Die von der Fabrik verstoßen werden, müssen fleißig herumschauen, damit sie anschreiben lassen können im Geschäft, in dessen Besitzer Herz sie sich stürzen. Im Finstern wohnen ihre Herren, die Adler, die das Geschick ihrer Beutetiere mit einem Kopfnicken ihrer Kugelschreiber von ihnen abzulenken vermögen. Aber nein, furchtlos gehen die Söhne der Alpen über den Abgrund weg auf leichtgebauten Brücken. Müssen sich bücken. Ihre Liebsten wohnen nicht nah, daher müssen sie sie besuchen, besudeln gehen, nur damit sie bei ihnen einen Kaffee mit einem furchtbaren Schlag kriegen. Aber sie merken nicht, was sie fühlen, und hören nicht zu, wenn man es ihnen erklärt.

Der junge Mann neigt sich der Frau zu, die mit ihren lieben Verwandten, den Sehnsüchten, ein wenig beiseite getreten ist, um zu plaudern. Aus den großen Augen drängen ihr die Tränen und fallen ihr in den Schoß, wo die Begierden wohnen, warten und sich die Nägel beschneiden lassen. Wir sind ja keine Tiere, daß alles immer sofort geschehen muß, wir überlegen, ob der Partner überhaupt zu uns paßt und was er sich leisten kann, ehe wir ihn zurückstoßen. Jetzt haben wir alle Tassen beisammen, es hat sich ja auch viel angesammelt im Laufe der Jahre. Es muß nur beachtet werden, immer oben auf dem Wasser zu schwimmen, damit man in der Ferne die andren Boote beobachten kann, wen die alles eingeladen haben. Und die können wiederum in Ruhe betrachten, wie Sie untergehen. Und das in einem Badekostüm, aus dem vorwitzig die Körperteile, die besser verborgen blieben, herausragen. Keiner kennt besser als der Besitzer seinen Körper, sein Haus, aber das heißt noch nicht, daß man sich gleich Leute einladen kann. Warum sollte ein andrer uns nicht lieben? Und warum tut er es dann nicht?

Der junge Mann streift Gerti den Schlafrock von der Schulter. Auf ihrem Sitz kann sich die Frau nicht verwinden, sie kriecht herum, als wollte sie noch mehr Plätze einnehmen. So zart ihre Innigkeiten auch aus ihrem Halsausschnitt rufen, sie wollen die ihnen zustehenden Sitze lieber dort einnehmen, wo sich jetzt noch Bäume, was sonst, breitmachen. Kaum ist die Gerti dem Sicherheitskurti ihres Hauses entronnen, will ihr schon ein junger Rechtsvertreter ins Handschuhfach langen. Wenn man bedenkt, wie viele Hohlräume ein gesunder Körper besitzt und ein kranker erst! Die Frau reißt sich die Brust mit dem Messer ihrer Worte auf, und der Student kann gleich die Sägespäne seiner Meinung und andre Liebesgaben hineinstopfen. Michael hat endlich vor einer Wildfütterung geparkt. Ja, die Mächtigen und ihre Forstbeamten verfertigen gern künstliche Paradiese, in die die Natur dann, ungeschickt und plump sich überall anstoßend, eintreten darf. Und den Frauen wird das Paradies versprochen, wenn sie es ihren Männern und Kindern auf Erden zuzubereiten und richtig zu würzen verstehen. Von keiner Rast werden sie gequält. Denn da glüht was im Busch!

Ein sehnsüchtiger Bach soll aus der Frau rinnen, hofft der junge Mann, und stochert, zufrieden auf dem Bauch liegend, die Ameisen mit seinem Steckerl aus ihrem Bau.

Die flinken kleinen Tiere werden ihr entlockt und sausen sofort in alle Himmelsrichtungen davon. Schwer zu fassen sind sie, aber manchmal kommen sie, wie Träume, auch von selber. Man kann dann eine Ladung nachlegen und seinen groben Klotz ganz hineinschmeißen. Die Körper sollen immer brennen. Dafür sorgen wir mit allem, was wir haben, nur damit das Geschlecht ein wenig erzittert, wir können's nicht in Ruh lassen, immer muß mit dem Feuerzeug herumgezündelt werden. Stämme, die vorher sicher schienen, müssen auch geschlägert werden, nur damit wir die Arme ausbreiten und das Leben, das wir ohnedies geschenkt bekommen haben, immer wieder neu aufkochen lassen und hinunterwürgen können. Und die spärlichen Lebensrinnsale der Frauen, die schon bald wieder enden, die suchen sich überhaupt immer ein zweites Gewässer, möglichst reißend, mit dem sie zusammenfließen können, eine prächtige Reihe von Liebeszeichen, niedergelegt wie Fahnen; und Tröge, in die Tiere ihre Zungen stecken oder elektrisch um ihre eigenen Flüssigkeiten betrogen werden.

Gerti wird der Stoff, aus dem ihre Träume waren, von den Schultern gerissen und im Bodenraum zusammengeknüllt. Sie schüttelt ihre Lebensruine über diesem Menschensohn aus, der nichts will, als möglichst schnell sie fühlen und füllen. Hartnäckig bleibt sie in diesem Nest aus Licht kleben, das die Innenbeleuchtung des Wagens über sie breitet. Versucht, doch noch aufzustehen, ins Leben zu hupfen, aus dem sie doch gerade gekommen ist. Auf dem Dach, das ihre beiden Körper beschützt, ist unverrückbar ein Paar Schier festgeschnallt. Beisammen sind die Geliebtesten, und stets sind sie bereit, von der

Leiter ihrer Gefühle zu fallen, weil sie an den seligen Augen des Partners etwas stört, das sie nicht auf der Speisekarte gewählt hatten. Gleich werden sie sich näher kennenlernen und geschickt mit den Tellern ihrer Geschicke hantieren.

Im Wagen ist es so schön warm, daß das Blut durch die Körper schimmert. In der Natur ist es inzwischen gähnend leer geworden. In der Ferne schreien keine Kinder sich aus. Geknebelt brüllen sie derzeit in den strengen Kammern der Bauernstuben, wo es von ihren Vätern ganz vollgehagelt ist, in der frühen Finsternis, da die Frauen das Große der Männer zum Halten bar auf die Hand bekommen. Draußen gefriert der Atem am Kinn. Diese Mutter jedoch wird von ihren Ungehörigen bereits heftig gesucht. Ihr Allmächtiger, der Direktor der Fabrik, dieses Pferd mit seinem riesigen Leib, der noch vor Braten dampft, möchte unmäßig Arme und Beine um sie legen, ungeduldig ihr Obst schälen und es energisch auslecken, bevor er mit seinem Ständigen hineinfährt. Diese Frau ist zum Anbeißen und Abbeißen da. Er möchte ihre untere Hälfte aus ihren Häuten reißen und sie, noch dampfend, mit seiner guten Soße gewürzt, verschlingen. Geschickt wartet zwischen seinen Schenkeln das Glied. Am schweren Sack drängt sich das Haar, gleich wird er sich in ihren gesenkten Kopf hinein entladen! Eine einzige Frau genügt, wenn der Mann, vom Hunger geschwellt, auf seinen rechten Wegen geht. Heftig möchte er mit seinem Gekröse gegen ihren Bauch klopfen, ob jemand daheim ist. Und verdrossen, aber doch, sollen sich die Lippen teilen, um sich, in ein rosa Spülhöschen gezwängt, mit andern, ähnlichen, früher gekannten vergleichen zu lassen. Außerdem zieht dieser Mann den Oral- und den Analverkehr allen andren Verkehrskindergärten vor. Was kann man andres tun, als sich abkühlen, die Schutzkappe abnehmen, die Locken schütteln und freudig hineinspringen? Niemand geht verloren, und kein Laut verhallt.

Die Direktorin wird von den meisten andren Frauen hier beneidet, die ihr breites Becken mit sich herumschleppen müssen, in das die Männer, mit den Füßen im heißen Wasser, ihre Schleusen und Adern öffnen. Diese gewichtigen Ackerstuten haben nur eine Möglichkeit, sich auserwählen zu lassen: Sie kochen der Familie aus Abfällen und Trümmern ein Heim. Bis in den Hof wachsen ihre Feigen, doch die Männer bewässern gern fremde Furchen. Und die Frauen bleiben daheim und warten, daß die Illustrierten ihnen zeigen, wie gut sie es haben. Da sie doch trocken gehüllt sind in die Wegwerfwindeln ihrer häßlichen häuslichen Arbeiten. Doch was für ein Glück – ihre freundlichen Reiter besteigen sie gern!

8.

Ich fordere Sie ernstlich auf: Luft und Lust für alle!

Die Frau kommt jetzt gleich zu Ihnen herüber, bitte warten. Vorher muß sie sich noch holen: Beim Küssen (aus der Vertäfelung des Spenders heraus, wo auch Sie sich immer ergießen wollen) wird es doch gut sein, wenn wir alle Sinne beisammen haben. Der Student hat sich so schön gestaltet, daß sie sich betatschen läßt. Er legt ihr den Arm zwischen die Schenkel. Den Blick auf die Richtung seiner Fahrt gerichtet, sorgt er für sich, indem er ihr in die Wäsche fährt, die hauptsächl. aus einem schlichten Schlafrock besteht, der nicht bleiben wird. So wie viele fürchterliche Busse zum Fahren nehmen müssen (und es fürchterlich büßen, wenn sie zu lang auf dem falschen Genital sitzenbleiben. Der Besitzer, besser: Beisitzer seiner dreieinigen Wünsche gewöhnt sich zu sehr an uns und läßt uns nicht mehr aus seiner ebenerdigen gastlichen Wohnung fort. Das mit der Dreieinigkeit muß ich noch erklären: die Frau ist dreigeteilt. Greifen Sie oben, unten oder in der Mitte zu!), bis sie sich in die Freundlichkeit der verschiedenen Sportstadien begeben können, wo sie einander besitzen, aber nicht begreifen können. Wo sie herumbrüllen und mit ihren Kernen und Schalen werfen. So, nun kann diese Frau es nicht länger erwarten, in sich selbst ein wenig herumechauffiert zu werden.

Das Gangklo allein kann es nicht sein, das uns, unvertraut, noch zu nächtlichster Stunde hinaustreibt vor die

Tür, wo wir uns schlau umschauen, ob uns wer sieht, die Hand ans Geschlecht gepreßt, als müßten wir es gleich an der nächsten Begabelung wieder verlieren, bevor wir es noch in sein eigens handgemaltes Preßspankasterl tun können.

Unter vielen Wohnmöglichkeiten wählt der junge Mann allein diese, doch das Kabinett hält nicht still, nein, es eilt ihm in Dunkelheit und Kälte sogar voraus! Diese Gerti ist noch vor ihm an der Wildfütterung. An diesem Ort haben schon viele vom Küssen geredet, die Taschenlampen gespreizt und ihre riesigen Schatten an die Wände geworfen, damit sie vor einem Menschen mehr sein konnten als eine einzige Person, die schief im Schilift hängt. Als könnten sie sich vor lauter Geilheit vergrößern und den Ball noch einmal in den Korb werfen und sogar treffen! Ein Spieler kann groß gewachsen sein. Sie haben all ihre Einrichtungen herausgeholt, um damit vor den Partner hinzutreten. So viele dringliche Verrichtungen – Schmutz und Hygiene vereinigend –, um einander zu besitzen, wie es unzutreffend heißt. In dieser staubigen Trafik enden wir, da sich zwei Haushaltsgegenstände von einfachstem geometrischem Zuschnitt aufeinander zubewegen, weil sie an sich herumschneidern wollen (ganz neu werden!). Jetzt! Es steht eine Frau plötzlich in ihrem Kombinagehemd auf dem Gang, einen Krug Wasser in der Hand: Hat sie ein Unwetter heraufbeschworen oder will sie sich bloß einen Tee kochen? Sofort macht eine Frau den schlichtesten kältesten Platz zu einem Gelege. D. h. die Frau kann es einem schon heimelig machen, bevor sie es einem durch Heimlichkeiten oder Anhänglichkeit heimzahlt. Mit dem jungen Mann ist endlich einer, der der größte Intellektuelle sein könnte, in ihr Leben getreten. Jetzt wird alles anders, als es geplant war, jetzt machen wir sofort einen neuen Plan, blähen uns erst richtig auf. Was, Ihr Kind spielt auch Geige? Aber gewiß nicht in diesem Augenblick, da niemand auf seinen Startknopf drückt.

Komm, schreit sie zu Michael, als sollte sie noch Geld von einem Kaufmann erhalten, der uns Kunden haßt. Und doch kann er nicht auf uns verzichten. Er muß uns alles herbeischaffen, damit wir uns auszahlen. Jetzt will sich diese Frau endlich unendlich machen. Zuerst stürzen wir uns, eins zwei (auch Sie können es nachmachen, wie Sie hier in Ihrem PKW sitzen, in Ihrer Geschwindigkeit so beschränkt wie in Ihrem Denken), auf unsere Münder, dann auf jede weitere Leerstelle in uns, damit wir was lernen. Und schon ist uns der Partner alles. Gleich, in ein paar Minuten, wird Michael in Gerti eindringen, die er kaum kennt oder auch nur angesehen hat, wie ein Schlafwagenschaffner zuvor immer mit einem harten Gegenstand an ihre Tür klopfend. Er kippt jetzt der Frau den Schlafrock über den Kopf und bringt mit seinem Mund in einer sich selbst empfohlenen Erregung diese bislang wüste Frau dazu, daß sie sich entsetzlich anstellt in der Schlange vor dem Schalter, in der auch wir stehn, das Geld hinterm Hosentürl geballt. Wir sind unsere eigenen heftigsten Gegner, wenn es um Geschmacksfragen geht, denn jedem gefällt etwas anderes, nicht wahr. Was aber, wenn umgekehrt wir jemandem gefallen wollen? Was machen wir jetzt, in unsrer grenzenlosen Faulheit das Geschlecht herbeirufen, damit es uns die Arbeit abnimmt?

Michael zieht der Frau die Beine wie zwei Oberleitungs-
bügel über sich drüber. In seinem Forscherdrang beobachtet er zwischendurch aufmerksam ihre ungespülte
Spalte, eine knorpelige Sonderausführung von dem, was
jede Frau in einem andren Lavendel- oder Fliederton bei
sich hat. Er zieht sich zurück und betrachtet genau, wo er
immer wieder verschwindet, um ungeschlacht wieder
zum Vorschein zu kommen und ein ganzer Genießer zu
werden. Mit all seinen Fehlern allerdings, von denen der
Sport nicht gerade zu den kleinsten zählt. Die Frau ruft
nach ihm. Was ist denn mit ihrem Vorführer, ihrem Ver-
führer los? Ohne daß der Gerti die Gelegenheit zum Waschen gegeben worden ist, erscheint ihr Loch trüb, wie
von einer Plastikhülle überzogen. Wer kann da widerste-
hen, ohne gleich das Fingerl hineinzustecken (man kann
auch Erbsen, Linsen, Sicherheitsnadeln oder Glaskugeln
nehmen), sofort wird man begeisterte Zustimmung von
ihrer kleinsten und immer an irgendwas leidenden Seite
her ernten. Das unbeugsame Geschlecht der Frau sieht
wie ungeplant aus, und wofür wird es verwendet? Damit
der Mann sich mit der Natur herumschlagen kann. Aber
auch für die Kinder und Enkerln, die ja von irgendwoher
zur Jause kommen wollen. Michael schaut in die kom-
plizierte Architektur Gertis und schreit wie am Spieß. Als
wollte er einen Kadaver ausnehmen, zieht er ihre nach
Unzufriedenheit und Sekreten stinkende Fotze an den
Haaren vor sein Gesicht. Das Pferd und sein Alter erkennt man an den Zähnen. So jung ist diese Frau nun
auch wieder nicht, aber trotzdem flattert noch dieser
zornige Raubvogel vor ihrer Tür.

Michael lacht, denn er ist einmalig. Werden wir aus dieser Tätigkeit je klug, damit einer zum andern springen, sprechen und verstehen gehen kann? Die infam in den Berg hineingebauten Genitalien der Frauen unterscheiden sich in den meisten Merkmalen, behauptet der Fachmann, ähnlich den Menschen überhaupt, die die verschiedensten Kopfbedeckungen tragen können. Vor allem bei unseren Damen gibt es die meisten Unterschiede. Keine ist wie die andre, doch dem Liebenden ist es gleich. Er sieht, was er von den andren her gewöhnt ist, erkennt im Spiegel sich als seinen eigenen Gott, der in der Wassertiefe wandelt und angeln geht, spannt und kann sich schon schnurstracks die nächste Klientin zum Eindringen und Ohrfeigengeben vor den tropfenden Geschlechtsbinkel hängen. Die Technik ist nicht das Gemächte des Menschen, d. h. sie ist nicht das, was ihn so mächtig macht.

Schauen Sie nur irgendwohin, und die nach Ekstase, dieser integrierten, halbgeleiteten Ware Süchtigen glotzen zurück. Wagen Sie doch einmal etwas, das einen Wert hat! Oder ist's das Gefühl, jener ortsunkundige Reiseleiter, keimt es auf über Ihre gespreizten und über den Schädel gezogenen Flexen hinweg? Beim Wachsen müssen wir ihm ja nicht unbedingt zuschauen, wir können uns einen andren Zögling suchen, den wir aufwecken und mit uns erfreuen können. Doch die Zutaten sind gerührt wie wir. Unser Teig steigt, von nichts als Luft in seinem Inneren getrieben, ein Atombombenpilz, über die Berge. Eine Tür fällt krachend ins Schloß, und wir sind wieder allein. Gertis fröhlicher Mann, der immer so unbesorgt mit seinem Penispinsel herumschlenkert, als fielen seine Tropfen von größerem Stamm, er ist jetzt nicht da, um seine Hand nach seiner Frau auszustrecken oder dem Kind das Instrument auszutreiben. Die Frau lacht laut auf bei dem Gedanken. Durch heftige Kolbenstöße versucht der junge Mann, der vor einer Wandvertäfelung angenehm auffiele, weil er nicht steif wie ein Brett ist, das Innere dieser Frau auszuweiten. Er ist im Augenblick freudig interessiert und kennt den Wandel, den sogar unscheinbare Frauen unter dem lodernden, frisch zubereiteten und angenehm duftenden Geschlechtshaufen des Mannes durchzumachen vermögen. Das Geschlecht ist zwar unbestritten unser Zentrum, aber wir wohnen dort nicht. Wir ziehen es vor, geräumiger und mit Zusatzgeräten, die wir nach Belieben einschalten und abschlachten können, zu logieren. Schon strebt diese Frau innerlich in ihren heimischen Schrebergarten zurück, wo sie selbst die Glühbirnen von ihrer Muschi pflücken und innerhalb der gelben Leidlinien mit eigener Hand herumfuhrwerken kann. Auch Alkohol wird einmal flüchtig. Doch immer noch, fast heulend vor Freude am eigenen Wandel, den er gewollt hat, durchsucht der junge Mann sein komfortables Taxi. Auch unter den Sitz schaut er. Er öffnet Gerti und wirft sie hinter sich gleich wieder zu. Nichts gefunden!

Wir können uns auch gern hygienische Mützerl aufsetzen, damit wir nicht krank werden. Sonst fehlt uns nichts. Und auch wenn die Herren ihr Bein heben und ihr Wasser in ihre Begleiterinnen abschlagen, so dürfen sie doch nicht bleiben, müssen weitereilen, ruhelos, zum nächsten Baum, an den sich ihre Genitalienwürmer zornig klammern, bis jemand sie aufnimmt. Der Schmerz schießt wie ein Blitz in die Frauen, schädigt sie aber nicht so nachhaltig, daß sie um verkohlte Möbel und verschmorte Geräte weinen müßten. Es rinnt wieder aus ihnen heraus. Auf alles, nur nicht auf Ihre Gefühle wird Ihre Partnerin verzichten wollen, sie produziert sie ja ebenfalls recht gern, diese Nahrung der Armen. Ich glaube sogar, sie ist Spezialistin im Kochen, um das Herz der Männer endlich einzuwecken. Die Armen drehen sich lieber zur Seite, von keinem Reisebegleiter gescheucht. Ihre Schwänze legen sich sogar noch vor ihnen nieder und ihre Tropfen kommen vom Herzen. Sie hinterlassen nur kleine Flecken auf dem Laken, und wir gehen gleich mit ihnen wieder heraus.

Jedenfalls sitzt in so manchem Glas als einziger Vernünftige der Wein. Der Fabrikdirektor schaut zu tief ins Glas, bis er den Boden sieht, und so will er niederrinnen aus seinem mächtigen Gefäß, direkt auf seine Gerti, die er vor sich eingepflanzt hat. Er entblößt sich sofort bei ihrem Anblick, und sein Wetter stürzt aus seinem Gewölk, noch ehe sie sich in Sicherheit bringen kann. Sein Geschlechtsteil ist groß und schwer, er füllte eine kleine Pfanne, wenn man die Eier daneben legt. Früher hat er sein Teil vielen Frauen angeboten, die es gern abgeweidet haben. Jetzt umspült kein Gras den Boden mehr. Von seiner üppigen Freizeit verformt, ruht des Menschen Geschlecht in Gartensesseln und schleppt sich über Kieswege, auf die es zufrieden herabblickt aus seinem Täschchen, in dem es getragen wird und müßig und mäßig wippt wie der Ball eines Kindes. Die Arbeit formt den Menschen mitsamt seinen Geräten dann rasch wieder zu dem rauhen Tier, als das er gedacht war. Eine Laune der

Natur bewirkt, daß den Männern ihr Geschlecht meist zu klein geworden ist, bevor sie's noch richtig zu tragen gelernt haben. Schon blättern sie im Exotik-Katalog, um sich von leistungsfähigeren Motoren antreiben zu lassen, die zudem noch weniger Kraftstoff verbrauchen. Sie hängen ihre Tauchsieder in das, was ihnen zunächst liegt, und das ist das Vertrauteste, das sind ihre Frauen, denen sie aber auch nicht über den Weg trauen. Sie bleiben gern daheim, um sie zu bewachen. Dann schwenken sie die Blicke zur Fabrik hinüber, die im Dunst liegt. Aber hätten sie etwas mehr Geduld, dann kämen sie im Urlaub bis zur Adria, in die sie dann ihre zappelnden Zapfen, sorgsam eingelegt ins elastische Gebändel der Badehosen, tauchen können. Ihre Frauen tragen dann knappe Badeanzüge. Ihre Brüste sind miteinander befreundet, schließen jedoch gern Bekanntschaft mit einer fremden Hand, die sie doch nur grob aus den Liegestühlen, in denen sie sich sanft und müßig schaukeln, herausreißt, zwischen den Fingern zerknüllt und in den nächsten Papierkorb schmeißt.

Weiser stehen an den Wegen, weisen auf die Städte zu. Nur diese Frau muß sich in das Leben von Kindern einmischen, die rhythmisch auf ihrem Lebenspfad zu wandeln lernen sollen. Beruhigen wir uns ein wenig, damit wir in uns fortfahren können! In diesem Raum ist es nach wie vor frostig und forstig. Es riecht nach dem Heu, nach der Streu fürs Tier in uns. Oft schon hat man es an diesem Ort Gassi geführt. Viele haben hier mit sich herumgespritzt, als hätten sie – wofür sie das ganze Geschlecht ihrer Frau hergäben, um an der Stelle, wo sie es im Boden versenkt haben, noch viel mehr Frauen ernten zu können – beim Autorennen gewonnen. Oder was zu verschenken gehabt. Einer hat ein Kondom weggeworfen, bevor er seine Fußstapfen wieder nach Haus gelenkt hat. Die meisten haben keine Ahnung, was man alles mit der singenden Nervensäge Klitoris anfangen kann. Sie haben aber alle schon einschlägige Zeitschriften gelesen, die beweisen, daß an der Frau doch mehr dran ist, als man ursprünglich gedacht hätte. Ja, ein paar Millimeter mehr werden's schon sein!

Der Student preßt die Frau an sich. Das Zischen, das aus seinem Ventil dringt, kann er selbst mit einem kleinen Griff an seinen Kochtopf, der übervoll ist, beheben. Er möchte noch nicht abspritzen, er möchte aber auch nicht umsonst drauf gewartet haben. Er zwickt mit geschickten Händen die Frau in den unschicklichsten Teil ihres weich in seiner gepolsterten Kiste sitzenden Fleisches, damit sie die Beine noch weiter spreizen muß. Er wühlt in ihrem schlummrigen Geschlecht, dreht es zu einer Tüte zusammen und läßt es jäh wieder zurückschnalzen. Sollte er sich nicht entschuldigen, daß er sie schlechter behandelt als seine Tonmöbel? Klatschend schlägt er ihr auf den Hintern, um sie gleich darauf wieder auf den Rücken zu wälzen. Gewiß wird er nachher gut schlafen können, nicht anders als die Wesen, die ehrlich gearbeitet, miteinander gekost und einiges gekostet haben.

Die Hände in ihr Haar gekrallt, fickt der Student die Frau rasch durch, ohne die Welt dabei anzuschauen, in der nur die Schönsten gepflegt und gewartet werden, alle zweitausend Kilometer ein Halt fürs Service. Er schaut sie an, um etwas aus ihrem von ihrem Mann verzogenen

Gesicht herauslesen zu können. Fähig sind die Männer, sich so lang sie wollen von der Welt loszulösen, nur um sich dann umso fester ihrer angestammten Reisegruppe wieder anzuschließen, ja, sie haben die Wahl, und wer sie kennt, weiß, wen wir meinen: die Männerwelt, die circa zweitausend Personen aus Sport, Politik, Wirtschaft, Kultur faßt, in denen die andren dann baden gehen dürfen, doch wer umfaßt liebend all diese kleinen aufgeblasenen Mäuler? Und was sieht der Student, über seine Leibes- und Unliebenswürdigkeit hinweg? Den Mund der Frau, aus dem Ströme quellen, und den Fußboden, von wo ihr Bildnis ihm entgegenlacht. Sie kommen ohne Saal- und Gummischutz miteinander aus, und nun dreht der Mann sich halb fort, um sein hartes Geschlecht beim Ein- und Abtritt beobachten zu können. Die Büchse der Frau klafft, die Sparschweinedose quiekt, sie ist zum Einnehmen bestimmt, nur um gleich wieder alles hergeben zu müssen. Beides ist bei diesem Akt gleich wichtig, sagen Sie das einmal dem modernen Unternehmer, der wird die Braunen hochziehn vor Schreck und seine Kinder in die Höh heben, damit sie nicht in den Zorn der Unterlegenen hineintreten.

Langsam beruhigt sich das Zucken der Frau, das der Mann in dieser Form bezweckt hat. Sie hat ihre Portion erhalten und bekommt vielleicht noch eine. Ruhig! Jetzt sprechen allein die Sinne, doch wir verstehen sie nicht, denn sie haben sich unter unsrer Sitzfläche in etwas Unbegreifliches verwandelt.

Es verschüttet sich der Student in dem Futterhäuschen fürs Tier. Jetzt sehen sie die Nacht endgültig, schwarz gewandet, einbrechen gehn. Andere drehen sich noch einmal um, bevor sie sich liebend aneinanderlegen und an Menschen von schönerem Wuchs denken, die sie in einer Zeitschrift abgebildet gesehen haben. Als Michael seine Schier abgeschnallt hat, hat er noch nicht damit gerechnet, daß der Sport, jene unendliche Konstante unsrer Welt, mit ständigem Wohnsitz im Fernsehgerät, nicht aufhört, nur weil man sich die Schuhe schon abgeputzt hat. Das ganze Leben ist Sport, und seine Kleidung belebt uns. Auch alle unsre Verwandten unter 80 tragen ja Jogginghosen und T-Shirts. Die Zeitung vom nächsten Tag wird bereits verkauft, damit man den Abend schon vor dem nächsten Tag loben kann. Manch andre sind schöner und klüger als wir, und das steht geschrieben. Aber was wird aus denen, die nicht erwähnt sind, und ihrem rührenden, aber nicht sehr rührigen Penis, wohin sollen diese Leute ihre kleinen Flüsse leiten? Wo ist das Bett, in das sie durstig einkehren und aus dem sie getröstet wiederkehren? Auf Erden sind sie beinander, die ganze Zeit, mit ihren Sorgen um ihre kümmerlichen Organe, aber wohin spritzen sie die Frostschutzmittel, die sie beschützen sollen im Winter, damit ihr Motor nicht stockt? Wo handeln sie mit sich und lassen die Gewerkschaft mit ihnen handeln? Welche duftenden Körper türmen sich, Gipfelketten, auf ihren Wegen zum selbstgezogenen Vieh, an dem sie ihre Messer, und zur selbstgezogenen Familie, an der sie ihre Rammböcke ansetzen? Denn: Die Rührenden, die meist auch beim Werken die Rührigsten sein müssen, sie sind nicht bloß Dekorstoff unsres Lebens, sie nehmen ihre Glieder und wollen sie halt auch irgendwohin stecken. Vergessen wir nicht, wie sich Menschen, um etwas zu erreichen, ineinander verstecken, damit das Atom nicht uns zu zertrümmern daherkommt.

Noch ehe der Minutenzeiger des Glücks die beiden streichelt, ist bereits eine Flüssigkeit aus Michael ausgetreten, die liebe Güte seines Hauses. Nichts weiter. Doch in der Frau, die das Höchste erleben und erledigen wollte, sind kernlose Werke in Kraft getreten worden. Ein Quellgebiet ist erschlossen, von dem sie jahrzehntelang heimlich träumte. Solche Gewalten werden vom immergleichen Gaul, der den Körper des Mannes zieht und von anziehenden Frauen vorangepeitscht wird, ausgesandt und erfassen rasch die zwergenhaftesten Zweige des weiblichen Wesens. Ein Flächenbrand. Die Frau preßt diesen Menschen ja schon an sich, als wäre er an ihr angewachsen. Sie schreit. Bald wird sie, ihrer Empfindungen wegen schon ganz eingebildet, fortgehen und diese Drachensaat im Kleinstaat ihres Haushalts ablegen, damit überall, wo der Samen die Erde berührt, kleine Alraunen und andre Zwerggewächse ihr zuliebe emporsprießen. Und die Frau gehört der Liebe. Jetzt erst recht muß sie immer wieder in diesen schönen Freizeitpark kommen. Erst dadurch, daß dieser junge Mann seinen Schwengel, der inzwischen fast nutzlos geworden ist, herausgezogen hat und bis zum nächstenmal damit winkt, gelangt bei Gerti seine Stirn mit dem Wimmerl rechts oben zu einer erneuten, stets erneuerungsbedürftigen Bedeutung. In Hinkunft ist sie angewiesen auf das reichhaltige Waffengeschäft, das dieser geübte Aufreißer hinter seinem Hosenlatz versteckt hält. Seine Freude soll es von nun an sein, in Gerti zu wohnen. Doch die Wetter rasen heran, und bald, zur rechten Zeit, denn der Urlaub fern über den Bergen zaust den Frauen und Mädchen die Unterleiber so stürmisch, daß sie dauernd gebürstet werden wollen, muß er sein Quartier im Tanzcafé der Kreisstadt beziehen, wohin die Urlauberinnen in tauben bleiernen Schwärmen ziehn, bereit zu fallen, wenn es Abend wird. Damit er sich verfeuern kann, muß Michael sich in Gummi fassen und eine Auswahl unter den Frauen in Post-Schibekleidung treffen, in die er dann hineinströmen wird. Gepflegte Naturschönheiten, Natursekt und gepflegter Natursex, das ist ihm am liebsten, überschminkte Wimmerln wie er selbst ein einziges hat, die könnten ihn von einem fremden Gesicht glatt kilometerweit fortwehen!

Lang vor den Öffnungszeiten wird die arme Gerti gewiß morgen vor dem Telefon stehen und es belästigen. Dieser Michael, wenn die Zeichen, die er uns gibt und die er von diversen Illustrierten erhalten hat, nicht trügen, ist er ein blondes Bild auf einer Kinoleinwand, auf dem er aussieht, als hätte er lang mit Gel im Haar in der Sonne gelegen, nur um unsre Finger sacht an unser eignes Geschlecht zu führen, da wir kein besseres haben. Er ist und bleibt uns gleich fern, auch aus der Nähe. Eine Freude ist es ihm, in der Nacht zu leben und sie lebendig zu erhalten. Dieser Mann hält sich nicht gern im Zaum. Den Blitz kann man ja auch nur schwer erklären: In mittleren Jahren werden wir Frauen hinter dem Zaun zu Wochenend-Arrangements zusammengepfercht, eine von uns wird es schon noch treffen, bevor wir abreisen müssen!

Fahren Sie vorsichtig. Sie haben vielleicht noch etwas an sich, das solche Männer brauchen könnten!

Die Tiere beginnen einzuschlafen, und die Lust hat Gerti aus sich herausgerissen, hat diesen kleinen Funken aus einem Taschenfeuerzeug hell entfacht, doch woher kam der Luftzug? Aus diesem herzförmigen Guckloch? Aus einem andren liebenden Herzen? Im Winter fahren sie Schi, im Sommer reichen sie viel weiter ins freundliche Licht, wo sie Tennisspielen, schwimmen, sich aus andren Gründen ausziehen oder andre Glutnester austreten können. Wenn die Sinne der Frauen sich einmal versprechen, dann kann man sicher sein, sie gehn auch bei andren Fragen in die Irre, sie sind zu jedem Unflat fähig. Diese Frau haßt ihr Geschlecht, aus dem sie früher hervorgeragt ist.

Die Einfacheren hinter ihren Hausgärtchen schweigen nun bald still. Doch jetzt schon schreit diese Frau nach dem Götterbild Michael, das ihr auf Fotos, die ihm ähnlich sehen, verheißen worden ist. Vorhin ist er noch schnell in den Alpen herumgefahren. Jetzt brüllt sie und reißt das Fahrwerk ihres Körpers in alle Richtungen herum. Es geht steil bergab, doch die kluge Hausfrau plant schon im Liegen, Heulen und Schwinden den nächsten Termin mit diesem Heros, der heiße Tage beschatten und kalte erwärmen soll. Wann werden sie einander treffen können, ohne daß der träge Schatten von Gertis Mann auf sie fällt? Wie ist das mit den Damen? Das unvergängliche Abbild ihrer Vergnügungen gilt ihnen mehr als das vergängliche Original, das sie früher oder später der Konkurrenz des Lebens aussetzen müssen, wenn sie, fieberhaft angekettet an ihre Körper, in der Konditorei in einem neuen Kleid und mit einem neuen Menschen sich der Öffentlichkeit zeigen sollen. Sie wollen sich das Bildnis des Geliebten, dieses schöne Gesicht, in der Ruhe der ehelichen Schlammzimmer betrachten, Seite an Seite gepreßt mit einem, der sich ab und zu träg in ihnen verbirgt, um sich nicht dauernd selber anschauen zu müssen. Jedes Bild ruht besser im Gedächtnis als das Leben selbst und, allein gelassen, blättern wir müßig in unsren tönenden Saiten und kratzen uns die Erinnerungen zwischen den Zehen hervor: Wie schön war's doch, sich einmal so richtig aufgesperrt zu haben! Die Gerti kann sich sogar am Klavier herausbacken und dann dem Mann ihre frische Semmel ausliefern gehen. Und die Kinder machen tralala dazu.

Wir verdienen alle das meiste, das wir tragen können.

Auf den Wiesen friert es ganz zu. Die Bewußtlosen denken langsam ans Schlafengehen, um sich ganz zu verlieren. Gerti krallt sich an Michael fest, da mag sie schauen bis ins Dreiländereck, und sie findet keinen wie ihn. Dieser junge Mann hat in der Schule des Lebens schon öfter Licht machen dürfen, und andre orientieren sich bereits an seinem Aussehen und seinen Geschmacksnerven, die stets die Ware unter lauter Unwahrheiten herausspüren. Die Häuser hängen hier meist schief in ihren Schützpfeilern. Mit letzter Kraft krallen sich Kleintierställe an die Wände. Die von der Liebe zwar etwas gehört, aber das dazugehörige Erwerben von Gütern unterlassen haben, sie müssen sich jetzt vor ihrem eigenen Bildschirm schämen, wo ein Mensch gerade das Spiel um die Erinnerung, die er seinen Betreuern und Betrachtern in ihren TV-Liebessesseln zurückzulassen wünscht, verliert. Immerhin: Sie haben die Macht, das Bild im Gedächtnis zu behalten oder es zu verstoßen, über die Felsen hinab. Ich weiß nicht, habe ich jetzt den falschen Abzug an der Waffe des Auges oder die falsche Abzweigung im Reich der Sinne erwischt?

Michael und Gerti können sich nicht genug anfassen, ob sie noch da sind. Krallen sich die Hände gegenseitig in die gut eingerichteten Geschlechtsteile, die sie festlich wie zur Premiere eingekleidet haben. Gerti spricht von ihren Gefühlen und bis wohin sie ihnen folgen möchte. Michael staunt, langsam erwachend, was für eine Hand ihm da ins Geschoß gefallen ist. Sofort möchte er wieder herumknallen, schiebt die Hand weg und zeigt seinen fesselnden Riemen. Er zerrt die Frau an den Haaren herüber, bis sie wie ein Vogerl darüber flattert. Gleich will die Frau, aus der Geschlechtsnarkose erwacht, wieder zügellos den Mund zum Sprechen benutzen. Sie muß sich statt dessen aufsperren und den Schwanz Michaels in das Kabinett ihres Mundes einlassen. Er stößt in sie hinein, damit mild sein Strahl erscheinen kann. An den Haaren wird die Frau gegen den festen frechen Bauch Michaels geklatscht, dann wird ihr Kopf wieder weggeschleudert, nur um erneut, das Gesicht voran, auf Michaels Hirtenspieß geschoben zu werden. Das geht so eine ganze Weile, wir fassen es nicht, daß viele Tausende andre Gefühllose sich zur gleichen Zeit in ihren Sorgen wälzen, vom furchtbaren Gott in seiner illuminierten Fabrik die ganze Woche über zur stetigen Trennung von ihren Lieben gezwungen. Ich hoffe, Ihr Schicksal hat eine verstellbare Bundweite, damit mehr hineingeht!

Diese beiden wollen sich verschwenden, denn sie haben genug von sich vorrätig. Sie steigern sich zu einer Flutwelle, diese Wunder- und Wandelbaren, die die neuesten Erotik Kataloge zu Hause haben. Aber diejenigen erst, die das alles nicht mehr benötigen, weil sie sich selbst teuer genug sind! Die können sich selbst anbieten. Sie strömen über sich hinaus, über ihre Dämme und Deiche, denn sie behaupten von sich, haltlos zu sein, jedem Erlebnis ausgeliefert, das sich dauernd mit ihnen verfährt, weil ihm jedes Ziel gleich recht ist. Gerti muß plötzlich unwiderstehlich, zuerst noch zaghaft, dann kräftiger pissen. Der Raum ist zu klein für ihren Geruch. Sie schlägt den Schlagrock über den Schenkeln zusammen, aber der Gürtel wird ein wenig naß. Michael hält zum Spiel die Hände drunter und fängt etwas von dem deutlich hörbaren Strahl in seinen hohlen Händen auf. Er wäscht sich lachend damit über das Gesicht und das Gesamte, stürzt die Frau mit der Faust um und beißt in ihre noch nassen Schamlappen, die er fest ausquetscht. Dann schleift er die Gerti in ihre eigene Lache, wo er sie herumwälzt. Sie hat die Augen nach oben verdreht. Doch dort ist keine Glühbirne, dort ist's finster, das Innere ihres grinsenden Schädels. Es ist ein Fest, wir sind mit uns allein und unterhalten uns mit unsrem Geschlecht, unsrem liebsten Gast, der aber dauernd mit ausgesuchten Delikatessen gefüttert werden möchte. Der Frau wird der ganze frisch angezogene Schlafrock wieder vom Leib gerissen, und sie strampelt sich ins Heu tief hinein. Auf den Bodenbrettern ein stumpfer nasser Fleck wie von einem höheren Wesen, das keiner vorbeikommen gesehen hat. Als Beleuchtung nur der Mondenschein, wohl mag er freundlich sein zu bleiben, zu ruhn in einer lieben Gegenwart. Und zu erhalten einen lieben Gegenwert.

Die blassen Tragtüten der Brüste, sie lagern auf ihrem Brustkorb, nur ein Kind und ein Mann haben sie einst und jetzt in Anspruch genommen. Ja, der Mann zu Hause bäckt stets aufs neue sein ungestümes tägl. Brot. Man kann sie auch operieren lassen, wenn sie beim Essen bis auf den Tisch hängen. Sie sind fürs Kind, für den Mann und fürs Kind im Mann hergestellt worden. Ihre Besitzerin wirft sich immer noch in ihrem versickernden Exkrement herum. Sie klappert vor Kälte mit Knochen und Scharnieren. Michael verbeißt sich heftig, in der Tiefe brausend, in ihr Schamhaar und zerrt und dreht an ihren Brustwarzen. Gleich werden seine von Gott gegebenen Geschenke in ihm hochsteigen und ausgespuckt werden wollen. Rasch zum Bündnis den Schwanz gepackt und hineingestoßen, oder wollen wir noch warten? Man sieht das Weiße ihrer Augen, gleichzeitig hört man lauter laute Schreie.

Der junge Mann bekommt plötzlich Angst vor der Restlosigkeit, mit der er sich verschwenden könnte, ohne ganz zu verschwinden. Er taucht ja immer wieder aus der Frau auf, nur um sein loses Vogerl erneut in ihrer Schachtel zu bestatten. Jetzt hat er die Gerti einmal ganz abgeschleckt, bald darauf könnte er ihr mit seiner Zunge, an der immer noch der Geschmack ihrer Pisse hängt, das Gesicht abschlachten. Die Frau schnappt nach ihm, sie beißt zu. Es tut weh und ist doch auch Sprache wie das Tier sie kennt. Er nimmt ihren Schädel, immer noch an den Haaren, vom Boden fort und schlägt ihn mit dem

Hinterkopf dorthin, von wo er ihn hergenommen hat. Gleich spreizt sie das Maul auf und wird gründlich mit Michaels Penis durchgeforstet. Ihre Augen sind dabei geschlossen. Durch kräftige Kniestöße schräg nach oben wird die Frau dazu gebracht, die Schenkel wieder zu öffnen. Leider ist es diesmal nicht ganz neu, denn er hat es vorhin genauso gemacht. Da seid ihr endlich in eurer Haut, und eure Lust bleibt immer dieselbe! Sie ist eine endlose Kette von Wiederholungen, die uns mit jedem Mal weniger gefallen, weil wir durch die elektronischen Medien und Melodien daran gewöhnt wurden, jeden Tag etwas Neues ins Haus geliefert zu kriegen. Michael reißt Gerti links und rechts weit auseinander, als wollte er sie ans Kreuz schlagen und nicht, wie er eigentlich vorhatte, bald in den Kasten zu den andren selten getragenen Kleidungsstücken zurückhängen. Er starrt in ihre Spalte, jetzt kennt er ihren Inhalt schon. Wenn sie sich wegdreht, weil sie seine prüfenden und von zwickenden, grabenden Händen unterstützten Blicke nicht aushält, bekommt sie ein paar Ohrfeigen. Er will und darf alles sehen und tun. Viele Einzelheiten sieht man nicht, und, falls es vielleicht ein nächstes Mal geben wird, muß man mit der Taschenlampe mehr Licht machen, bevor man verklärt aus der Nacht in die Reparaturwerkstatt tritt. Die Frau soll die Blicke des Herrn in ihr Geschlecht ertragen lernen, bevor sie zu sehr an seinem Schwanz hängt, denn dort hängt noch viel mehr.

Heu fällt über sie und wärmt sie ein wenig. Fertig ist der Meister, aufgequollen die Wunde der Frau, und durch ruckartiges Ziehen an seinem Gerät zeigt Michael an, daß er sich wieder in seinen eigenen aufgeräumten Körper zurückzuziehen wünscht. Schon ist er dieser Frau zum Podium geworden, von dem herab sie von ihrem Sehnen und seinem sehnigen Oberkörper sprechen wird. So wird man, ohne in Unterwäsche fotografiert und eingerahmt worden zu sein, zu einem Mittelpunkt in einem gut eingerichteten Zimmer. Dieser junge Mann hat all die Pracht geschaffen und geschafft, dieses weiße schaudernde Fleischgebirge, das sich vor ihm erstreckt, und dem er, wie die brave Abendsonne, Röte ins Gesicht gemalt hat. Er hat die Frau in Pacht genommen und darf von ihr aus immer, wenn er möchte, ihr unter ihrem Kleid an die Falten fahren.

Gerti bedeckt Michael mit flaumigen flauschigen Küssen. Bald wird sie in ihr Haus und zu ihrem Herrchen, das auch seine Qualitäten hat, zurückkehren. Auf entzündeten Boden wünschen wir immer wiederzukehren und unser Geschenkpapier aufzureißen, unter dem wir Altbekanntes als Neues getarnt und versteckt haben. Und unser sinkendes Gestirn lehrt uns nichts.

9.

Die Frau, die davonlief, kommt jetzt wieder, geleitet von einem fremden PKW, in ihre häusl. Heiterkeit zurück. Sie soll ins Heimkino zurückgelegt werden. Heimchen am Herd, das auch anderen in die Augen sticht. Es rinnt ihr ein Speichelfaden vom Kinn, fällt ihrem Mann als erstes auf. Der junge Mann ist jetzt besorgt um sie, denn er hat kurz in ihre fernste Ferne geblickt und seine feuchten Hände an ihr Antlitz gedrückt. Jetzt ist zwar nicht die Zeit, da man in der Sonne liegt und seinen Körper lautstark zur Show stellt. Plötzlich schneit es wieder. Hat der Direktor schon seine Versicherung angerufen, damit die Frau ihn durch einen jüngeren Bürger nicht einfach ersetzen kann? Früher kam er oft direkt aus dem Bordell, wo er angestrengt faul herumgehangen war und sich waschen, schneiden und legen ließ. Ja, in dem Puff der Kreisstadt hatte er den schweren Kahn seines Gliedes in Sicherheit gewiegt. Das ist vorbei. Heute muß er seine eigene Frau allein unterhalten, und zwar mit seinen Klauen, seinen zwei Stück Testikeln, seinem After, denn mit solchen Gegenständen wird das Heimspiel ausgetragen, wenn das Kind außer Bewußtsein ist. Dieser Mensch ist schwerfällig, sogar wenn er das Bild seiner neuen Krawatte in den Spiegel wirft. Er fährt wie ein Schrei unter seine Angestellten, die sich dumm anstellen, so daß sie immer als letzte drankommen.

Das Haus ist bereits in seine engere Nachtruhe gehüllt, wenn wir kommen. Nur in einem Zimmer brennt ein besorgtes Licht, dem kostbaren Kind zur Abwechslung, es kotzt vor Unterricht in sein Bett. In dem Zimmer des Kindes wagt der Direktor alles zornig auszusprechen. Er ist hier nicht heimisch, liebt es nicht, das Wasser der Spülung zu hören. Fast ist er explodiert in seinen Säften, als er schon wieder leere Weißweinflaschen von der billigsten Veltlinersorte entdeckt hat. Kann sie nicht Mineral trinken und dem Kind dann willentlich zur Liebe sein? Er hat ihr den Sturmflug des Trinkens verboten, doch sie schüttet weiter heiter Wein in sich hinein. Hat sich sein Haustier anderswo vergeudet als bei seinem Haus Stier? Er stülpt seinen Mund über das Kind, so leise, daß er es nicht zur Sprache bringen kann. Das Kind schläft jetzt. Ohne etwas zu tun, erklärt das Kind, warum der Direktor lebt. Es ruht mit offenem Maul in seiner eigenen Zimmertruhe, das ist mehr, als die Kinder der Häusler hier auch nur vom Anschauen kennen, wenn sie krank sind. Wer in diesem Land ist ein Kind und hat einen Raum, wo es sich ausgeht, daß der Körper hineinpaßt? Wer kann Bärlis und Sportbilder dabei anschauen und die Popstars? Dieses Kind ist aus dem Anlaß des Sexgebrülls seiner Eltern an einen ruhigen Ort hingelegt. Es ist jedoch geschickt genug, sich ans Schlüsselloch zu begeben und selber zu brüllen, wenn es mit dem Stock um der oberflächlichsten Trübung seines Hosentürchens willen schon gehaut wird. Dann wird geheult.

Hellsichtig geworden, taucht der Sohn oft aus dunkelsten Ecken auf, denn seine Eltern kennen keine Zurückhaltung in bezug auf die Entfaltung ihrer Leiber, sie glauben noch an körperliche Arbeit! So wurde ihnen von der christl. Gesellschaft, welche sie einst verheiratete, dieses Vergnügen zugebilligt. Der Vater darf die Mutter endlos verkosten, unter die Löcher ihrer Oberbeleidigung greifen, bis sie längst keine Angst um ihre Geheimnisse mehr kennt.

Die fern von uns sind, sie liegen in ihren Betten, unberufen, damit sie morgen ausgeschlafen sind. Zu müd, um vom fürchterlichen Gott auf die Gipfel der Zeit zu ihren Liebsten, die zu früh sterben, gerufen zu werden. Morgen werden sie hastig ihr Frühstück schlingen und zu ihren kleinen Werken in den Bus steigen; und ihre kleinsten Werke, die Kinder, sitzen daneben, weil sie in die Schule gehen müssen. Der Direktor der Papierfabrik schreitet ans extra extrem große Chorgestühl. Und die in seinem Werk auf die Firmenpension warten, bleiben brav hinter ihm stehen. Nur mit Gewalt sind sie nicht Tiere geworden, leben aber so, wie ihr Vorgesetzter zu seiner Frau sagt. Sie werden von ihren blassen bladen Frauen nicht angefeuert, und so brennt sie auch nicht in ihnen, die Glut der Sinne, wie wir Herren sie nennen. Wer würde annehmen, daß der Direktor nach der hl. Messe seiner Frau das Hoserl hinunterzieht und zuerst einen, dann zwei Finger hineintaucht, ob ihr das Wasser schon bis zum Hals steht. Ich frage mich, was bei andren in der Tiefe entsteht und sich an die Oberleitung schmiegen möchte.

Jetzt wird noch ein bißchen zu Gott gefleht in diesem röm. kath. Land, damit alle sehen, daß wir uns das Blut der Unschuld von den Fingern waschen, das Gott in einem Akt der Anstrengung in sich selbst verwandelt hat: Mann und Frau, genau, das ist Sein Werk. In den Leserbriefen an die Zeitung sind sie sich treu, weil sie der christl. Architektur, die stets nach oben strebt, eingegliedert sind. Nichts gegen den Papst ist zu sagen, welcher der Jungfrau Maria gehört. Woher wüßte er sonst, wie bescheiden und doch nach Seelen gierig diese Frau ist? Die Frau z. B. kann oft mit dem Mund ein Rohr bilden, in das sie das Glied des Direktors kniend aufnimmt. Tun Sie nicht so, als hätten Sie das noch nie in ihrem heimlichen Kino gesehen! So wie Sie ging angeblich auch Jesus, dieser ewig durch Österreich und dessen Vertreter Fernreisende, durch seine Umgebung und blickte nach, ob etwas zu verbessern oder bestrafen oder betreffen war. Und dabei traf er auf Sie, und er liebt Sie wie sich selbst. Und Sie? Nur das Geld lieben, das die andren haben? Ja, Sie schauen dem ähnlich, schreiben Sie daher einen Brief an die «Presse» und schimpfen Sie auf diejenigen, die keinen Gott haben bzw., wenn sie ihn hätten, kein Verhältnis mit ihm anfangen könnten!

Das gehört alles uns!

Die Frau paßt gar nicht auf ihre Stimmritze auf, als der Wagen knirschend hält. Sie grölt, als ob sie geölt worden wäre, denn der Veltliner wirkt immer noch und streichelt sie von innen. Sie schreit und streitet herum, bis die Nacht hoch und weit geworden ist und manche Lichter angehen. Gleich erhellt sich auch ihr Haus, und der schwere Mensch, der eine Firma leitet, entlädt sich in seinen vorlauten Leib hinein, wahrscheinlich vor Aufregung über das Verlorengeglaubte. Er steht vor dieser warmen Bärenhöhle, in der die Geräte alle Stückeln spielen, sogar unter Kinderfingern noch. Gerti bist du es, fragt er, wobei er über seinen eigenen engen Horizont geht. Wer, der existiert, möchte, daß er was verliert? Gleich wird er ihr, gottseidank, wieder ins Zentrum zwischen ihren Beinen greifen können, ob der Brotkorb noch hoch genug hängt, unerreichbar für andre. Nur sind jetzt mehr Brösel drin. Dann wird sein vertrautes Werkzeug sich dort, in seiner Heimat nach seiner Heirat, vom ehrlichen Meister geführt, betätigen, wo noch kein andrer war. Wie man ihm glauben darf. Der Mann ist langsam, wenn es um die Wahl zwischen mehreren Göttern (Sport und Politik) geht, aber sehr schnell, wenn er, mit den Vorderhufen zuerst, die Bühne betritt, wo alles ihn und sein Werk betrifft. Der junge Mann zögert mit seinem Blickwechsel nicht und grüßt. Mitsamt ihrem Schlafrock wird die Frau seitlich aus der Tür gekippt und zeigt keine Sehnsucht, erneut gepaart zu werden. Sie hat sich um und um gewendet und einen Lausbuben, einen jungen Körper, der müßiggängerisch derzeit ans Essen denkt, unter sich begraben. Als ihr Mann sie willkommen heißt, weiß sie, gleich wird er mindestens an ihren Ohren saugen. Bald wird er sich wohl befinden, denn wie über die Frau verfügt er über die Kunst, diese zornige Jägerin, die in uns und unsren Stereo Türmen herumjagt. Der Direktor flüstert der Frau schon ins Ohr, eine ordentliche zottelige Zote, was gleich mit ihrer Zustimmung geschehen wird. Ist das schön, die Frau wieder im Haus, und auch das Kind braucht seine Mutter. Sie zeigt ihm wichtige Dinge, die es im Fernsehen ohnedies viel besser sehen kann.

Mit Stimmen erscheint Gott als Natur von außen. Dort wohnen die Angestellten und reißen die Arme auf, doch es fällt ihnen nichts hinein. An dem, was sie essen, tun sich die Wunden auf, die das Tier zu Lebzeiten erhielt. Sie essen auch, was sie zu Klumpen gebacken haben, Haufen, ihren Körpern, ihrem unangenehmen Lachen ähnlich. Unförmig auch wie ihre Brut, die zornige Hinterlassenschaft, die ihnen hinterherläuft wie Rotz aus dem Gesicht. Ihre Kinder! Die in einer langen Karawane (auf dem Kalvarienberg des Lebens) den Leuten mit dem, was sie und das TV Sport nennen, auf die Nerven fallen. Manchmal bricht ein kleiner Teil der Menschheit auseinander, haben Sie das noch nie bemerkt, wenn Sie neben jemand, ganz aus Natur gemacht, in einem Verkehrsmittel gesessen sind, weil Sie, wie er, nicht die Mittel für ein Auto haben? Wenn ja, hat es außer Ihnen keiner bemerkt. Manche ihrer Nachkommen, die sie in der Nacht gemacht haben, taugen nicht einmal für die Fabrik. Sie sind der Hauch, den sie als Alkohol ausatmen. Nicht einmal ihre schweren Krankheiten scheinen sie zu betreffen. Das liebe Beieinandersein, wie Sie es hier beim Herrn Direktor beobachten können, wenn man mit der Frau und dem Kind warm zusammenwohnt und sich die Schatten der Leiber übereinander schiebt, den Mittag verdunkelnd, während andre rackern müssen: dies und noch mehr sehen Sie auf dem Bildschirm vor Ihrer armen Neugierde abgebildet (und wollen doch sich selber sehen, nur endlich in einer andren Rolle – wenn möglich nicht aus Pappe!). Unter der Käseglocke seines Verlangens sehen die Leute im Dorf ihren Direktor herumgehen und beobachten, daß unter ihm noch Platz für: mindestens 1 Person geblieben ist, die er sich selbst ausgewählt hat. Sie gehen alle in seine Fabrik arbeiten. Diese Viecher in den Pendlerzügen, in schlecht passenden Abteilen, in denen sie Wurst essen und warten, daß der Staat ihnen schadet (sie überschattet). Die Nacht hat sich nun langsam herabgesenkt und hat in uns Platz genommen. Jetzt schlafen wir.

Der Direktor geht seine Frau aus dem Wagen halb herausheben, halb hebt sie sich bereits selbst aus den feuchten Händen des Studenten empor und an die Oberfläche dieses Landes. Den jungen Mann, für den es ein Weiterkommen geben wird und der keine Papierfabrik braucht, diesen schnellen jungen Kolben sehen wir höflich helfen, damit die Frau als Auslegware in ihren Koben verbracht werden kann. Jetzt ist es vollbracht. Er hört sich erzählen, diese Frau sei von ihm auf der Landstraße betrunken aufgegriffen worden. Noch immer scheint sie verwirrt, orientierungslos, zitternd vor Kälte. Dicht vor dem Eingang wird ihr die Anstrengung befohlen, über die Schwelle zu treten. Das ist ihr Hundehäuschen, auftauchend dort, wo ihre Lieben, die sie mittels ihrer Arbeit dazu gemacht hat, sich ausruhen. Sie legen sich, kaum aus den Augen Gottes entlassen, schon die Hände zwischen die Schenkel. Ja, sie können ihr Geschlecht nicht in Frieden ruhen lassen, ihre kleinen Pistolen müssen dauernd Feuer schrein. Ihnen gehört das, was sie (in ihren ewigen Erzählungen) zu einem lautlos einhergleitenden Raubtier Glied aufgeblasen haben. Sogar das Kind hat schon den Wunsch nach zweifacher Anwesenheit und brüllt herum (es schreit zweimal hier! Als Person und deren Stellvertreter in klein, aber genau!). Der Direktor lädt unmäßig diese Waffe an seinem Pansen. Das Kind horcht, außer auf die Kunst und die Sport, auch noch auf die Popmusik im Radio, da geht es rund. Eigentlich tut das Kind mir nicht leid, denn seine Mutter ist zu heimischen Küsten und Kasten zurückgekehrt. Schwer klebt sie an der Schulter ihres Mannes fest, halb flüssiger Teer. Von innen heraus tastet schon seine Apparatur nach der Hosenwand und der Heimat in ihrem Loch. Die Frau lehnt schlaff im Geschirr, das sie heute nicht abgewaschen hat, denn dafür ist Personal vorhanden. Dienstboten sind billig, die Frauen finden in den Fabriken keinen Platz mehr, wo sie, ohne gleich Ursache von Lebendigem werden zu müssen, an die Weltoberfläche treten könnten. Diese Frauen werden ständig im Tagbau abgebaut oder in die Nacht hinausgeschmissen. Sie gebären Kinderlinge. Ist uns schon einmal aufgefallen, daß in der Nacht nur die Reichen das Reich des Vergnügens betreten, ja, dann arbeiten nämlich sie, endlich! Irgendwann müssen sie es ja auch tun, da sie nun einmal entstanden sind und in ihrem Mercedes sitzen: sie nur haben der Eroberung Recht.

Der Schlaraffenrock (im Reich der Mode der Reichen gekauft. In Wien!) schlenkert an der todmüden Frau herum. Der Alkohol in ihr ist kalt geworden. Wozu ist der Lärm noch gut, den der Direktor jetzt macht? Warum hat sich die Frau, unanständig kostümiert, in die Spielhöhle der Natur begeben? Hunde laufen nicht frei herum! Sie hustet, als ihr der Mann in den Nacken und aufs Gewissen schlägt. Er läßt die Sorge siegen und drückt seine Frau ans Herz, er schlingt sich um sie, den Schlafrock brauchen wir jetzt nicht mehr. Wenn der junge Mensch nur endlich fortginge, der einen Vergleich ermöglichte zwischen einem Körper und dem, wie dieser ursprünglich geplant und bei der Bau Behörde eingereicht war. Zu gegebener Zeit, Geduld, können wir alle uns damit unterhalten, aus unsrer schlechten Form auszubrechen.

In seiner Urfassung hat auch dieser Chef einer Papierfabrik besser ausgesehen, als wir in unserer unmenschlichen Grausamkeit es uns jetzt vorstellen können. Diese Frau liebt und wird nicht geliebt, das unterscheidet sie von nichts. So wie ich jetzt mit dem Finger auf Sie zeige, so kann auch dem Schicksal nicht vorgegriffen werden. Die Frau ist weniger als überhaupt nichts mehr. Der junge Mann lacht über den dankbaren Direktor, dem er sein Hunderl wieder zurückgebracht hat. Er liest frech in den Mienen eines Menschen, der sich für seinen Rivalen hält. Aber eine Papierfabrik hätte auch er gern, anstatt daß ihm mühsam Recht und Gesetz beigebracht werden. Er kann sich nicht gleich und einig fühlen mit den Menschen, die in die Fabrik wanken auf unzugänglichen Treppen mit seligen Augen, denn sie sollen den schauen, der sie und ihre Glieder und Lieben beschäftigt hält. Und was denkt der Student? Gegen wen er morgen Tennis spielen wird.

Der Herr Direktor redet sich in ein warmes Feuerl hinein. Dort sitzen und sieden diejenigen, die Reizwäsche tragen und ihre Partner damit bis aufs Blut reizen, das ihnen in die Motoren schießt, so daß sie ununterbrochen mit sich arbeiten gehen wollen. Das Zürnen der Welt gilt doch eher den Armen, die es nicht gern hören, hingehend mit ihren Kindern am scharfen Ufer, wo die Chemie den Bach frißt. Hauptsache, wir haben alle Arbeit und tragen eine schöne Krankheit davon nach Haus.

Wie eine schwere ausgehängte Tür sinkt Gerti in die Angel ihres Mannes. Die Frage ist: hält das, wenn's stürmt und schneit in reißender Zeit? Der junge Mann soll noch einmal einen Schluck von ihr nehmen, möglichst morgen schon. Doch jetzt wird gleich ein andrer, Angestammter, an ihren Sicherungen herumdrehen, bis es finster wird. Es ist ihm vom Direktor in dessen Sprache gesagt worden, daß diese Frau nur an der Stätte ruhen soll, die ER als ihr Grab bestimmt hat. Damit er ihre besten Seiten (links und rechts) zupfen kann, ja, dieses Wesen gehört ihm nun einmal zur Gewohnheit wie sein Glaserl, in das er sich abschlägt. Sie ist immer da, immerdar, daher auch die Aufregung, wenn sie einmal verkommen ist und sich nicht finden läßt. Alles was die Fantasie ersinnt, kann mit einem lebend Glied, das schwillt und bald schwindet, gemacht werden, es fragt sich nur mit welchem. Vor Liebe werden der Frau die Augen klar, als klopfte man gegen die Landschaft: Man hält den Stab an ihre Wand und schaut nach, ob endlich Wasser aus dem Fels fließt. Den Dienern fliegt die Arbeit von den Händen. Und sind sie glücklich? Nein.

Und das Kind macht hu hu dazu, denn es kann nicht einschlafen, wenn die Mutter nicht ihre eigenen Ideen hat, wie sich das Kind die Füße nach dem Leben abtreten soll. Mutti Mutti dringt es aus den Fenstern, ein kleiner, böser Kopf, die Leibesfrucht mitsamt dem Wurm in ihr, weht hervor. Es wäre besser, dieses Kind schliefe jetzt, damit es nichts mitansehen muß. Lang genug ist sein Teig durchgeknetet worden, daß er über Nacht gehen und wandern kann. Und in der Früh wandern dann die Müden, denen keine Schönheit um den Hals hängt, schweifen herum wie die Hirsche. Das Kind ist jetzt da. Morgen früh wird es mit Marmelade vollgeschmiert sein wie seine Mutter mit dem Schlamm seines Vaters und hl. Geistes. Auf die

Schnelle (über die Schwelle) kommt der Sohn einhergerast, der seine Mamma vermißt hat. Der Vater muß etwas erklären und schließt die Tür dicht vor dem Studenten ab, um sich göttlich zu scheinen und gütlich zu einigen. Damit er die Schenkel seiner Frau in aller Ruhe öffnen gehen kann und schauen, ob wer da war, auf der heiligen Kuh Weide. Die Mutter durchmißt den Raum zu ihrem Kind, dieses Niemandsland (in dem die Tellermienen anzeigen: wir sind daheim, ganz allein, wir müssen aber allesamt noch abgewaschen werden), herzlich willkommen. Der Direktor will sich um seine Frau winden wie das Jahr um den Sommer. Es fehlt nur noch, daß auch der Tag noch erwacht. Ja, und das Kind hat ein Recht, daß es ordentlich umgeben ist. Der Einschleichdieb Liebe, wer erhoffte ihn sich nicht stündlich?, ein Lamm aus Stoff werden doch auch Sie haben, der soll sich zu erkennen geben! Wer hat hier wen vermißt? Diesen Berg gibt es nur aus einem einzigen Grund: das Tal soll ein Ende haben, und es soll endlich wieder aufwärts gehn. Der Schnee ist bleich. Dem Mann ist sehr an seinem Werk gelegen, in dem Papier erzeugt wird, damit es uns gutgeht. Und damit wir wissen warum. Ich schreibe es jetzt deutlich auf: Ich bin wie Wachs in der Hand des Papiers. So einen Menschen möchte ich auch einmal kennenlernen, der die Macht hat, mich in dem, was ich sage, neu herzustellen.

Aber was wollen wir mehr: Unsren Lohn empfangen in die Tüte unsres Scheiterns, d. h. bestimmt wollen wir etwas werden und bestimmt wollen wir auch ein bißchen mehr, zumindest auf dem Papier, sein dürfen. Und das Gefühl darf nicht fehlen, wo wir durch unsre eigene

Schuld in unsrer Wohnung sitzen und nur das Telefon zu Gast haben.

Er hat kein Herz, dieser Mann, wie Feuer verzehrt er sein Haus und zerrt seine Frau herum. Das Kind fängt an zu brüllen. Draußen ringt ein einsamer Auspuff um die Beachtung der Schläfer, die, dem Tier gleich, Witterung aufnehmen, sich aber nichts zu sagen trauen. Die sind nicht einmal tagsüber unter schönen menschl. Leiberln verborgen, wo ihre Muskeln spielen gehen können. Sie tragen Lasten über ihrer Freude, d. h. die Armen (die Arme) sind notwendig. Der junge Mann fährt jetzt weg. Und die Frau schlägt, kaum daß er den dummen Klumpen ihres Nistkästchens, wo sie gevögelt haben, verlassen hat, an das Türl, das sie seit Jahren schon mit der Axt ihres Bedürfens in die Wand gebrochen hat. Augenlos starrt sie in die Irre, wo mag sie ihn treffen? So gewaltig aber sind die Männer, daß sie achtlos ihre Häuser anzünden, wo ihre Familien noch schlafen und die Zahlen auf den Kontoauszügen nicht verstehen. Statt dessen ziehen wir uns selbst aus, um einen Menschen mit unsren Genitalien zu täuschen. Ja, die Männer bedecken alle Pfade mit sich. Aber Ihnen ist das egal, daß hier ein Mensch empfindet und sich an den Falschen bindet!

Die Sehnsucht ist ein Stückel Holz, das diese Frau sich selbst apportiert hat. Sie braucht den Aufruhr, denn ihr Haus ist wohl bestellt und geliefert, also sucht sie sich ihre Ziele draußen, um beständig an sie zu denken und sie, wie Tütensuppen, in ihr ungebärdig kochendes Wasser einzurühren und ein fremdes Herz anzurühren. Der Katholikentag braucht ja auch den fernen Papst, der zu uns herreisen soll. Doch ist der in unsrem Vaterland, so ist's plötzlich einer wie wir, ein Mensch, den kenn ich! Für den kommt ein jeder zuletzt und soll sich verlieren vor seinem Ziel. Nicht so die Liebe. Ein Mann kann sich wenigstens an sich anhalten. Die Frau aber kann in Gefühlsdingen nie an sich halten. So wehen diesem gärenden Geschlecht die Wünsche hin und her, was es sich kaufen möchte.

Wo warst du, so wird auf Gerti eingeschlagen. Der Vater erwischt das Kind gleich mit, das sich, ihm anverwandt, an den Leib der Mutter krallt. Jetzt verzichten wir einmal auf die Ausführung dieser laokoonischen Gruppe, wo einer am andern hängt und wunderbar groß dastehen will.

Die Wut des Mannes ist jetzt ausgewachsen, Aufruhr kommt aus seinem Rohr und wird mit schaumigem Strahl gelöscht. Die Frau soll sich sofort ganz ausziehen, damit sie für seine Ausmaße groß genug wird. Er will seinen Blitz in sie ableiten, doch sein Feuer ließe sich nie von ihr gefangennehmen! Er hat genug Zündhölzer, um sich immer neu erschaffen zu können und seine Wurzel von der Frau, gebacken, gekocht, eingelegt, verzehren zu lassen. Das Kind wird im Bett mit einem Glas Saft behandelt. Es soll Ruhe geben! Dem Vater die Frau alleine überlassen. Nicht mit gellender Stimme an ihr hochspringen und sie am Körper zerren. Die Mutter ist ja wieder hier, das genügt. Und der Vogel des Vaters singt schon über ihrer Furche. Der Mann zerrt sie ins Bad, um sich gewaltsam Eintritt zu verschaffen und auf sie zu schiffen. Wie schön, daß sie wieder da ist, sie hätte tot sein gekonnt!

Wie ein schwankender Glimmstengel steht der Direktor vor dem Heu seines Bettes und wirft sich weg. Es lodert die Furcht auf, wo das Heilige geschieht in dieser nächtlichen österr. Streu, wo die Waggerln herumfahren und vom heiligen Tier erzählt wird, das sich um die Futterkrippe und die Sozialleistungen drängt. Weihnachten ist noch nicht lang vorbei, daß das Kind sich über die Bretteln gefreut hat, die sein Sarg sein können. Jetzt kommen schon die Frühjahrswünsche dran. In der Fülle seines Berufs und Bedarfs steht der Vater da und geht von einem zum andern. Die Frau möchte längst jede Minute fort sein, sie kennt die Jugend und weiß, was sie verloren hat und wo sie nichts mehr verloren hat. So geht's, wenn Menschen untergehen, die mit dem Leben scherzen! Der Frau wird eine fremde Zunge in den Rachen gesteckt, und dann läßt man sich ordentlich vollaufen, um den Geschmack wegzuspülen. Der Mann schlägt von seiner Körperschanze herab auf die Frau ein. Sie bedeckt ihr Gesicht mit Schatten, und doch, von Knechten nimmt man mit Gewalt das Ihre. Keine Kraft könnte es mit dem heftigen Geschlecht des Direktors aufnehmen, er muß nur dran glauben. Unsere gesamte Schinationalmannschaft lebt ja auch davon! Doch für die Frau ist es schon, als wäre er ausgeräumt aus ihrem Leben wie ein paar von unsren heutigen Prominenten, deren Namen in zehn Jahren nur noch komisch klingen werden. Diese Frau möchte nichts als Jugend, von deren schönen Körpern sie Schnellschußaufnahmen machen würde, damit sie selbst von ihr aufgenommen wird. Wie vom Himmel entstehen ihr solche Gebilde, während ihr schon die Arme vom Gesicht weggezerrt werden und der Gesang des Vaters auf ihre Wangen niederfährt und hellrote Flecken hinterläßt, vom Wein und vom Weinen. Wie die Leute sich sonst noch ernähren (außer von ihren Hoffnungen), möchte ich wissen. Sie scheinen alles in Fotoapparate und Hi Fi Geräte zu investieren. Schon findet sich in ihren Häusern kein Platz mehr zum Leben. Alles ist vergangen, wenn der Akt des Kaufens vorüber ist, aber nichts ist beendet, sonst wäre es ja nicht mehr da. Die Einbrecher wollen auch noch was zum Feiern haben.

Der Mann wartet, bis sein Wasser kocht. Dann wirft er seine Frau, von der er den Schlafrock abgezogen hat, hinein. Sein Signal hat sich gehoben, die Strecke ist frei. Und alles spricht nach seinem Signalton. Er tritt seine Frau in den Schoß. Ermunterung von ihrer Seite braucht er nicht, er ist jetzt ganz munter. Es ist, als könnte sein Schwanz keine Ruhe mehr finden, da vielleicht ein andrer in ihrer Fotze sich eingegraben und ihren Boden mit seinem Trumm Wurst verunreinigt hat. Vor Wut nützt dieser Mann sich und sein Werk schon vorzeitig ab, zuviel Energie wird mit Gebrüll verschwendet, sein Gewölbe dröhnt. Alles draußen ist mit Eis und Schnee überwältigt worden. Die Natur macht es für gewöhnlich schon richtig, nur manchmal muß man ihr nachhelfen, daß sie ihr Eigentum in Ruh und Schweigen an unserem Tisch verzehren kann. Es regnet der Mann feucht von vorn und von hinten in die Frau hinein, die er herumschleift. Die kleinen Matten ihrer Brüste werden kräftig ausgeklopft. Wie Stein hängen seine paar Kilo Sack und Pack von ihm herab. Und ohne Furcht bestreut er die Frau mit seinem groben Schotter und wandert in ihr herum, mit festem Halt unter den Füßen.

Das schläfrige wiederauferstandene Kind soll nicht so mit der Badezimmertür schütteln, sonst wird es mit dem Bad ausgegossen werden. Der Mann biegt der Frau den Kopf an geradem Halm weit zurück, da sie schreien will. Sein Vogel ist wach und wird in den Käfig ihres Mundes gesperrt, so ergeht es ihm wohl, und er flattert unflätig herum, bis ein Würgen im Hals der Frau aufsteigt, das Wachstum rauscht, und ihre Kotze seinen Schaft entlang und über das baumelnde Gewölbe seiner Hoden rinnt. Da kann man nichts machen. Die Eichel wird ihr aus dem Schlund gerissen und die Frau halb über die Badewanne gekippt. Der Schwanz steht wie Schilf um ihr Bett, in das er endlich endgültig gelegt wird, die Glocken ihrer Brüste werden geschlagen, Alkohol rinnt wie Wasser aus ihr, und in ihre Fotze springen kräftige Tropfen. Nein, der Direktor wird es dieser Frau nicht ermöglichen, daß sie einfach so aus seinem Nest fällt. Nicht auf ihre Sinne soll sie hören, sondern auf ihn, den ihr Gleichgesinnten.

Nur für Minuten ist die Frau in der Arena aufgetreten, in der die Verbraucher schwimmen lernen. Jetzt sitzt sie im Badewasser und wird eingeseift. Ihr Schlafrock ist längst zerknüllt, er wird gesäubert, geschnitten und gebügelt werden müssen. Der Mann reißt seiner Frau beim Waschen und Polieren ganze Büschel Haare aus der Fut. Er krallt sich in die Kiemen ihrer Scham und fährt mit seifigen Fingern tief in ihr Grundwasser, wo er vorhin noch sein gewaltiges Paket abgelegt hat. Sie strampelt und wimmert, denn das brennt! Vorn an der Brust, wo die Begehrnisse an ihrem Gezweig herumturnen, wird forschend nach den Wurstzipfeln, die jemand andrer übriggelassen hat, gegrapscht, die mit drei Fingern einmal um sich selbst gedreht und dann langsam wieder losgelassen werden. Hart wie Knöpfe schauen die kalten Augen der Warzenhöfe uns an. Und nimmer gefällt es den Herren, und wenn man Königin wäre. Schon klappern die furchtbaren Gefäße, die den Inhalt der Männer aufnehmen müssen. Und sausend schwingen die Türen der Wartesäle vor den Knochenhaufen der Arbeitslosen. Auch diese Fluten werden wir noch zu bändigen verstehen.

10.

Sie könnten ruhn in Sicherheit und Frieden. Doch vorher noch müßte der Sonnenschein, der durch ihre Körpergabelungen lugt, sein gellendes Licht auf sie werfen: Sie können was, wofür sich ein Körper lohnt! Sie können sich die Hüte herunterreißen und mit mehreren Stößen gegenseitig durchqueren. Ihre Wohnung ist wie im Himmel, und bevor sie, gleich dem Geparden, mit ein paar Sätzen an der Tränke der Mächtigen angelangt sind, haben sie sich schon mehrere Male, flüchtiger Staub im Sonnenstrahl, gepaart. Ja. Wofür hätten sie sich denn und pflegten sich mit Wasser und Duschemotionen, als ob sie heiliggesprochen werden sollten? Für jedes Stückel von ihrem Leib haben sie Liebe und Beachtung beim Partner gefunden. So wie die Nebenerwerbsbauern, die den Vorarbeitern auf die Nerven fallen, weil sie bei der Arbeit immer einschlafen, auf ihre Viecher eindreschen, dann ihnen die Gurgel durchschneiden und die Felle über die Ohren ziehen, wie sie es dutzendmal an sich selbst haben ausführen sehn. Mit Gummistiefeln, die schönen Schuhe bleiben zu Haus bei der schönen Frau, die ihre Achseln über ein Lavoir hält, kommt der Kleinhäusige aus dem Stall. Das Blut vom Hasen, den Kinder liebgehabt haben, tropft ihm vom Jackenärmel. Doch auch dieser Mann, der sich in der Welt zum Leben befindet, ist manchmal eine freundliche Gestalt hinter einem Gebüsch, wohin er vom Tanzboden ein Mädl zerrt, das fast gar nicht merkt, wogegen es sich wehrt.

Aber die im Licht wohnen, das durch ihre Jalousien fällt, das ist doch ganz etwas andres: Sie geraten einander zum besten, sogar wenn sie still die Zeit auf ihre Körper verstreichen lassen; man sieht sie kaum, die Zeit – diese Sonnencreme der Schöpfung, in der sich manche, vor lauter Strahlen sicher, bequem und ruhig aufbewahren können. An Frauen wie dieser, die hier auf dem Foto abgebildet ist, scheint die Zeit spurlos vorübergegangen zu sein in dem Schließfach, wo ihr Mann sie für seinen Genuß gut abgelagert hat.

Die Großen, die schon in die Schule des Profits gehen, haben nichts als Sorgen über die Verstaatlichte, die schwer an unsren Geldsäcken hängt wie dieser Direktor hier an den Milchbeuteln seiner Frau. Man hat ihm von seiten seiner Eigner zu verstehen gegeben, daß Konzerne, wunderbar in ihrer Gier wie in ihrem Zorn, mit den Einheimischen gern eine Partie um ihr Leben spielen würden. Die Kinder der Zurückgesetzten wissen ja früh, auf welcher Seite ihr Brot bestrichen worden ist: Immer die dünnen Beilagenscheiben brav zusammenhalten! Damit es sich für die Bausparkasse auszahlt, daß sie die Superprämie auszahlen kann. Und der Direktor darf vielleicht mitspielen und dazu singen.

So hat er denn andere Sorgen, denn keiner trägt das Leben allein. Er trägt oben den Scheitel und unten sein Genitaltascherl, das er seiner Frau mitgebracht hat, bis ihre Augen glänzen werden, wirst schon sehn! Sein hohes Monatseinkommen bringt unauslöschliche Freude über seinen vom Geldsegen abgewetzten Kopf. Doch wir Knechtgestalten, wir sind erkannt! Wir sind anerkannt, denn in der Tiefe ist es lebendig, da strömen die Leute ins Wirtshaus. Bald haben wir unser Tier ins Trockene gebracht, wo giftiger Tau von der Notenbank auf seine Notdurft fällt. Es leiden unter unsrem allzu scharfen Wachstum die Nichtigen, die ihre Füße nicht weiter vor sich hinsetzen können als sie sehen, die Fahrstunden zu durchmessen haben, bevor sie mit den nackerten Häupteln vor ihren Vorsätzen und Vorgesetzten stehn. Ihre Wünsche können nicht erfüllt werden und versinken unter der Sense der Einsparungen (oh, die Ersparnisse des Menschen!). Ja, dieser Direktor ist ganz in seinem Element. Ungemessene Schritte begrenzt er, denn er ist unermeßlich reich für die Leute, die neben ihm leise wie Blätter lernen zu fallen. Damit sie ihn beim Geigespielen nicht stören. Er sieht keinen Grund, warum er sich zurückhalten lassen sollte hinter den Schranken seines Gürtels, der ihn gut kleidet, denn: vielleicht hat ein andrer gewohnt in seiner Frau, wie nur er es gewohnt sein darf. Vielen Dank, daß Sie meinen Beleidigungen zugehört haben.

Zartfühlend, ganz der gebändigte Donner, der er sein kann, wenn er gut auf seine Frau aufgelegt worden ist, beugt er sich über ihre tierartig dunstende Haut. Sie will jetzt schlafen. Da war sie aber nicht freundlich geleitet, als sie dieser Wunsch beseligt hat. Sie ist voll von ihrer jüngsten Vergangenheit; und wenn wir ganz eng zusammenrücken, merken es auch wir: der Jugend gehört die Zukunft, falls sie studiert hat und ihre Eltern gelernt haben, sie auf der Freibank gegeneinander auszuspielen. Die Kinder des Nachbarn sollen fallen wie faules Obst. Und diese Frau steht bereits einer hoffnungslosen Liebe offen, sanft wie der Kaninchenkäfig am Tag nach der Schlacht, sie hat ja schon all ihre Möbel hereingeschleppt, und eine geblümte Tapete ist ihr geklebt worden! Von ihrer Muschi führt nur noch ein schmales Wegerl weg, wo er, der Student, mit all meinen Lesern steht und wartet, daß er, gebildet, mild in seiner Witterung, wieder herein darf. Wenn wir alle zusammenhalten und alles zusammenhalten, was wir haben, dann könnten unsre Ahnungen eintreffen. Wir sind nicht notwendig! Wenn wir überhaupt gut leben dürfen, dann höchstens im Gedächtnis von einem lieben Tier, dem wir das Futter gebracht haben, oder von einem lieben Menschen, an den wir uns selbst verfüttert haben.

Der Direktor könnte seine Frau jederzeit mit dem Schädel voran in den Garten schmettern, sie soll nur aufpassen, wenn sie sich die Wimpern wieder einmal tuscht. Dann läßt er's aber tuschen, dann regt sich sein Bedürfnis wie eine Quelle im Wald, und unnütze Tränen werden ihr Gesicht bis zur Unkenntnis verschmieren, und purpurne Flecken (Gerti!) werden auf der Heide ihres Leibes blühn. Außer durch Armut kann jeder auch auf andre Weise weichgeklopft werden, wenn der Tag sich in der Früh entzündet und der Kaffee einem in den Schlund fährt. Es geht uns nicht gut, wenn wir Frauen außer dem Reinigen unserer Zimmer nichts lieben und von niemandem jeden Tag neu geöffnet werden zur Kontrolle, ob etwas zu unsren stattlichen Organen hinzugekommen ist. Doch keine Angst, wir bleiben die gleichen. Bald wird der Abgrund mit uns gedeckt werden, wie wir unsre Einfamilienhäuser mit frischem Eternit zuzudecken versuchen, und die Zinsen der Kredite fallen wie Schatten dar-

auf. Der Chef geht dann bald in den Stall zu uns Vie-
chern, die wir an der Kette unsrer Wünsche liegen und
getreten werden. Wer einen kleinen Hof und ein kleines
Häusel dazu hat, der wird als erster die Arbeitslosigkeit
schmecken: so sprechen die Menschen, die in einer
himmlischen Boutique eingekauft haben und sich dann
hinter ihre Schreibtische klemmen, wo niemand sie mehr
zu besänftigen vermag. Nicht einmal das leise Reiben,
mit dem das Wasser auf ihre Geschlechtspinsel rinnt, mit
denen sie einander ihre Wünsche ausmalen, macht sie so
milde, daß sie gut wären zu ihren lebendigen Gütern, diesen ängstlichen Angestellten in ihren Todeszellen. Die
müssen oft stundenlang fahren, bis sie zu ihrem lieben
Menschenpartner nach Haus kommen und den Strom,
der die Stühle durchzuckt, einschalten können.

Man speist nicht in fremden Gaststätten, wenn man ein
wunderbares Haus gebaut hat, wo man an der Genick-
schußfalte gebeutelt wird. Auf die Straße fällt Schatten.
Die von der Arbeit heimkehren, wollen einkehren, in diesem armen Haus ein Bier trinken. Die Stirn des Direktors
ist von keiner Mühe gezeichnet. Als Geigenkünstler ist er
bloß ein kleines Gesäß, aber seine Frau durchquert er
trotzdem in fünf Minuten. Er ist gut gefedert, wie er da
behende mit seinem warmen Henkelmann gegen ihr Euter schlägt, haben Sie gesehn, wie er ihn ihr jetzt in den
Mund gestopft hat? Seine Schwingen haben noch ein paar
Schwierigkeiten, sich einzuparken. Aber die Herren stürzen ja immer gern wie Wasserfälle ins kleine Geschäft
und haben es eilig. Es brennt auch bei Ihnen ein zorniges
Feuer, wenn jeden Tag in Ihre Fut gebrunzt wird! Und
draußen geht geschäftig der Polizist vorbei und macht

146

Eintragungen. So mancher von ihnen hat einen Starken schmächtig gesehn vor einem Verbotsschild, aber ihre Frauen am warmen Ort, die können sie jagen! (Dieses Wild ist immer in Stellung. Die Vorhänge streifen ihm über die kalten Hände, die nichts als viel Wäsche unter sich gehabt haben.) Als ein Himmelszeichen erscheint dieser Herr, in dem ein Bedürfnis nach Aufregung sich geregt hat, über der Frau. Seine Zunge erzeugt einen Pulsschlag in ihrer Saftdose, die sie sich zwischen die Schenkel geklemmt hat. Man muß auch die Faust zeigen können, mit der man auf den Tisch haut. Woanders lassen sich knatternde Leute besser den Auspuff regeln und brüten über ihren Motoren, damit sie nicht zu spät zu ihrem Werk kommen. Die regen sich aber am Abend wie Flammen jenseits ihrer Umzäumungen, wenn die Frau schlecht gekocht hat! Da geht es hallo, und die Frau schaut hoch hinaus, als wäre sie geradewegs über die Alpen geklettert mit ihren Wunden und Schrunden. Viel Zeit haben diese Menschen nicht mehr, sich zu verzehren nach einem schönen Ziel, das vorn eine Brust hat (wo es einen Sinn hat, daß es brennt). Sogar unsre Autos verzehren ja noch unseren letzten Kraftstoff.

Der Direktor klammert sich an seine Bettnachbarin. Will er sie abschaffen, die so lang neben ihm erledigt worden ist? Sie wohnt nebenan, schauen Sie nur, sie wird künstlerisch ernährt und soll nicht in fremden Gebäuden suchen gehn, ob jemand den Mann für sie spielt und seine Zunge in ihre Muschi steckt. Der Direktor verwendet keine Verhütungsmittel, denn er würde sich am liebsten noch mehrere Male wiedersehen, aber immer in klein, damit nichts und niemand über ihn hinauswächst. Er tritt auf die breite Lichtschneise hinaus und spreizt mit seinem Bohrer der Frau das Maul auf. Sie hustet von dem Kniff, den er anwendet und der sich an ihr deutlich abzeichnet. (Er geht durch ihre ganze gute Figur.) Es scheint diesen Mann zu faszinieren, daß er die ganze Länge seines Dinges allein gebären kann, also er verändert sich so, daß er mit der Frau in Streit gerät wegen seines Dauerbrandofens. Was für ein Wirkstoff, halb Gott, helf Gott, daß der seine eigene Vergrößerung, ohne als Heiliger gemartert an der Wand zu hängen, bewerkstättigen kann! So ein Mann! Und dann auf die Seinen herunterregnen! Gelt, woanders sind wiederum Treppen an die Häuseln angebaut, obwohl kein Mensch freiwillig in ihnen wohnen möchte. Ja, die Ärmsten machen kleine Schritte, um endlich zu sich zu kommen.

Schreiend bohrt der Herr Direktor sich in Gertis Mund. Vorher mußte er noch außer sich geraten, d. h. er mußte an den Tag gebracht werden, allerdings, schon in seiner Jugend wurde er von allen Seiten (auch auf den Saiten) gefördert. Seine Klänge stehen unter seinem Kommando, die Dienenden auch. Schwer ist das nicht, auch sein Sohn spielt schon ein Instrument, und die Hänge schütten ja wie Hände saure Bäume von sich herunter. Die Frau tritt und wird getreten, bis sie schreit. Nein, jetzt wird nicht im Haus herumgeschritten, Zigarette geraucht, gesoffen und dem Personal mit Zorn gedroht. Ihr wird das Nachthemd wieder ausgezogen, damit sie in verschiedene Richtungen befühlt werden kann. Wir benützen oft das Bett, wo wir den Krieg der Geschlechter verschlafen. Dabei könnten wir in ihm glatt unsren Rang endlos ablaufen, um uns zu Gemeinen hochzuverdienen. Auf keinem andren Gebiet steigt man so schnell auf, wenn einem (als einer von uns Frauen) das eigene Gesicht halbwegs gut zu stehen kommt. Der Fels geht ja auch nicht auf die Weide, die Tiere kommen zu ihm gelaufen und reiben ihre Köpfe an ihm. Die Frau schlägt jetzt um sich, als wollte sie sich inmitten ihrer Elektrogeräte unsterblich machen. Sie verhallt wie ein Schrei, den man ausstößt, wenn der Blitz sich am hellichten Tag nicht beherrschen kann und in den Fernseher fährt. Man muß das Gerät, die Wegzehrung der Abende, richten lassen. Seine Flinte will der Direktor heute noch einmal abschießen, um sich seiner Frau wieder sicher zu sein, wenn sie blutend daliegt, da sie ihm zur Unzeit in den Weg gelaufen ist. Sie atmet und würgt. Der Schlaf weht ihr aus den Augen. Fast würde sie erbrechen vor dem, der da in ihr sausendes, brausendes Haus einbricht.

Klar, mit seinen Pranken kann er ihr den Arsch sofort bequem auseinanderklaffen lassen! Der ist sein Eigentum, wie Gott das unsre ist. Ihr Muskel quietscht wie ein alter Schuh, in weniger als fünf Minuten wird sein Roll Balken wieder geschlossen sein. Die Zufahrt ist immer freizuhalten, denn schließlich erträgt dieser Mann das Leben nicht allein, auch andre müssen täglich ihn ertragen. Mit ihrem Körper dient die Frau dem Mann die meiste Zeit, aber bald scheint wieder die Sonne zu scheinen. Diese Leute sollen verschwinden, wo der Bauer die Furche einen Spaltbreit offengelassen hat! Ich habe sie satt verlassen und finde sie satt wieder vor, und kein Licht leuchtet ihnen auf den Grund. So vergehen sie sich an ihren Frauen und vergehen vor den Räten der Mächtigen, den Betriebsräten, die heute auch schon sehr üppig, aber völlig machtlos geworden sind. Manchmal ist, kaum daß man schaut, ein neuer Facharbeiter fertiggemacht worden und kann in der Werkstatt eingesalzen werden. Sein Feld ist begrenzt bis zu seinem Ende. Wenige Frauen sitzen beim Frühstück, das ihnen eine Haushälterin serviert, dem Mann gegenüber, die Sonnenbrille über den gezeichneten Augen. Exakt einen Platz haben sie belegt. In der Nacht wurden sie bewegt wie die himml. Pferde, auf denen die Kinder reiten lernen. Und die sitzen noch fester im Sattel! Fast soviel wie unser Präsident nimmt dieser Mann sich heraus und fast so schwer wiegt er auf den Schultern von uns Wanderern, die wir hoch hinaufzugreifen wagen und unsren Mantel grade noch beim Haken erwischen. Er sagt, Mozart habe wunderbar komponiert. Und er spielt ebenfalls recht gern, nur kleiner, vergleicht man ihn mit seinem Rahmen. Da bleibt noch ein bißchen Platz für Hobbies übrig. Bei den Salzburger Festspielen kann er sich im Dauertest überprüfen lassen. Der Vater stimmt mit sich überein. Heiter winkend durchstößt er den Schließmuskel seiner Frau, die sich, schließlich ist sie nicht mehr ungebunden, den an seiner Leine reißenden Schrei verkneift. Niemand lernt schließlich lesen ohne zu leiden.

Der Direktor hängt sich in ihr kühles Wasser, und dann heraus aus dem Dämmerzustand in die Sonne! Das heißt, er wohnt in jeder Hinsicht gut in sich. Laßt ihn schweigen! Man kann in einem Haus leben wie Schnee auf der Wiese, selbstverständlich, aber man kann die Glieder an seinem Ketterl auch beschäftigt halten, daß es klirrt. Es gibt viele Frauen, der Mann aber ist allein. Er hängt über den Hinterbeinen der Frau und flüstert von der Erotik, die ihm das Bordell jederzeit bescheren könnte, doch er investiert in SIE. Erotik – dieses Wort ist nach einer Erika, nicht nach einer Gerti benannt. Das gibt dieser Feierstunde einen Sinn. Der Mann muß mit dem Tier in sich rechnen, und was kommt auf dem Strich heraus? Ein Gespräch mit der Welt und deren frisch geölten Maschinenvertretern, in einem Vorraum, wo sie warten, bis die Frauen ihnen mit ihren dumpfen Löchern, die der Hagel geschlagen hat, zu Hilfe kommen. Das Lebtagwerk von so manchem wird von der Erde vollständig vergessen werden. Doch zuverlässig findet der Mann unter sich sein Ejakulat und wälzt sich in dieser Gewißheit: sein Kind wird nach ihm weiterleben und andere Menschen in seiner Stadt weiter sekkieren. Machen wir die Augen davor zu. Wer verwüstet alles und will dennoch immer wieder von neuem beginnen? Richtig. Er kauft dem Kind neues Gewand, und die Mutter, begrenzt wie Natur halt ist, muß es waschen. Das zeigen sie im Fernsehn. Diese Mutter spielt Klavier, soweit ihre Pedale sie tragen.

Der Direktor hat seine Frau jetzt genug in die Röhre gefickt, jetzt schaut er vor sich hin, sieht sich an und dreht, ganz liebenswürdiger Fremder, der sich über einen Motor beugt, den's nicht mehr umhertreibt, an seinem Haustier herum. Wie man einen Hund streichelt. Er wirft mit Speichel auf sie, Entschuldigung. Heimat ist nicht, wo vorher schon ein andrer war. Die Frau ist für den Mann eine beständige (bestangezogene) Konstante, denn sie bleibt mit den Füßen auf der Erde, während er direkt ins Herz zielt und Computerprogramme als Hobby schreibt, vor denen andre einfach stumm sein müssen. Das Licht scheint aufs Feld, und morgen ist die Gerti gewiß auch noch da. Es soll kein andrer Mann bei ihr weilen und sie geilen, wenn sie sich einmal langweilt. Jetzt schießt der Direktor aus seiner toten Ecke heraus. Er arbeitet sich an seinem Platz vorwärts, wie ins Tal rinnt der Bach. So hätte er's gern, diese Formel 1. Stehn und sich doch unruhig am Start bewegen! Und ringsherum reinigt dieselbe Nacht die Ärmlichen nie von sich selbst, im Gegenteil, es ist ihnen kalt, und sie müssen sich von den Mösen ihrer Frauen einheizen lassen. Morgen wollen sie nicht zu spät kommen, wo sie nicht erwünscht, aber von unserem gewaltigsten Gut, der Fabrik, erwartet sind. Aus ihrem Flug werden sie heruntergeholt. Viele müssen vom Frost gebrochene Zweige von ihren Obstbäumen absägen. Der Direktor spuckt seiner Frau schreckliche Kotklumpen ins Ohr. Sie könne glatt vergessen werden wie ein Rucksack voller ranziger Brote, sie soll es sich aussuchen. Jederzeit! Sie lebt, ja, und gut, solange sie es nicht in ihrer Unterhose zu knapp werden läßt. Solange mindestens ein Weg in sie hinein freigeschaufelt und gestreut ist, den der Mann wieder zurücklegen kann, wenn es ihm dort nicht mehr gefällt. Der Ball muß ins Tor. Und sie? Er zieht an ihrem Haar, als hätte er das Steuer noch in der Hand. Zu Ende gehend, zuckend kracht sein Schwanz in ihre Büsche. Er rutscht im letzten Moment ab, weil sie sich verkneift. Der Mann schlägt ihr mit der Faust in den Nacken, richtet seine Stimme gewaltig in ihre Richtung. Könnte diese Frau an die sanfte Luft über einem geliebteren Glied denken? Wäre es möglich? So kommt es, daß der schwergefüllte Kelch des Direktors an ihr vorübergeht und sich an die Deponie ihrer Haut anlagert, ein Häuferl ungeratener Unrat. Diese Frau verdient nicht, daß der Mann um etwa 45 Grad zu ihr geneigt ist. Trinken wir uns jetzt zu zwei Vierteln, nein, zu drei Vierteln voll! Früher sind die fröhlichen Eroberer noch nicht so oft gestört worden. Heute weht ein schärferer Atem.

Die Bewohner des Landes werden bald erwachen müssen, gescheucht von einem Ort zum nächsten, noch bevor sie wissen, wo sie überhaupt steckengeblieben sind. Doch halt, einen Vorteil haben auch sie: der Frühling wird sie wie uns erreichen mit einem Seufzen und viel frischer Luft. Doch werden wir inzwischen viel mehr erreicht haben, denn WIR gehen weiter, wir trauen uns: in ein Theater, ein Konzert oder in eine Ausstellung, wo wir uns erkennen, getragen von nichts als vom Schein, der aus IHREN armen Augen gefallen ist. Ja, wir stehn auf der Liste! Bitte hinunterschauen, da ist der wilde Hügel aus arbeitslosen Gläubigen, die auf die Güte der Banken angewiesen sind. Das Licht in diesen Augen, ach, am Ende der Bundesstraße hat es nichts vergoldet als einer Fabrik die Dividende. Doch sie vergaßen aufs Blinken und sind, sich verfehlend, erschrocken von dem Glanz der endlich errungenen Arbeit, in den Fluß gerutscht. Man darf am Steuer eben nicht einschlafen in der Früh. Und was geschieht derweil mit unsren Steuergeldern? Sie werden verschleudert wie Menschen, und zwar mit einem teuren Sportwagen in einem schlanken, begabten Land, dort vorn, wo es mit der Industrie scharf in die Kurve geht. Auch woanders wohnen Leute und werden überfahren. Jetzt setzen wir unsren unsteten Weg fort, hinterlassen nur schwache Spuren auf dem Asphalt der Bundesstraßen und unsren Kindern je einen Farbfernseher und einen Videorecorder pro Person.

11.

Beim Frühstück hört es dann nicht auf, ihnen zu schmekken. Das Kind kommt heruntergerannt und hupft als Spitzbub vor dem Vater herum. Solch ein Sonnenschein bringt Taschengeld ein. Der Vater will den Sohn mutig und daß er nie ins Stocken gerät. Doch dieses Kind gerät höchstens ins gemütliche Schlendern vor den Scherzgeschäften der Kreisstadt. Der Bub wird immer nur für sich was erwerben. Die Kameraden aus der Ferne werden kaum von ihm erkannt werden, sie müssen zuschauen, wie dem Sohn des Direktors das Geld knapp wird (wie ihnen die Zeit, in der sie noch an die halb geöffneten Türen der Wirtschaft klopfen können). Der Sohn sitzt mit Kindern aus Armenhäusern am Volksschultisch, das ist pädagogisch logisch, doch wir haben Krieg in den Hütten! Manche Söhne und Töchter stinken nach Stall von ihren langen Morgen beim Vieh, das in seiner bleiernen Scheiße steht bis zu den Knöcheln. Von verschlossenen Häusern sind sie heruntergestiegen, nachdem sie um fünf aufgestanden sind. Dort hocken die Körper beisammen, bis sie vom Geldmangel hinweggefegt sind in die Fabriken. Haben Sie dort noch nie solche Blumen blühn und verblühn gesehn? Dieses Kind geht frech über ein Feld, um das Verhältnis zwischen Natur und Naturrecht zu stören (das Kind hat ja recht, wenn's mit einem Stock auf einen Maulwurf losdrischt oder mit den Schiern über den Hang zischt. Freilich haben auch Sie recht, wenn Sie, wegen Ihrer Gesundheit in naturrechte Wolken aus Wolle gekleidet, spazierengehen!) Manchmal schießt eine Flinte in die Eingeweide des Waldes. Die Senkgruben sol-

len die Natur vor dem Menschen und seinen Verlassen-
schaften schützen, doch wer schützt ihn vor seinen Gläu-
bigern, den Bankangestellten, die früh aufstehn, nur um
zu den Alpen aufzusehn? Über Nacht hat es gottseidank
etwas getaut, was den Schifahrer über seine Liftgebühr
in Atem hält. Das Eis ist um die Füße der Bäume herum
verstreut wie Styroporwürmer aus der Verpackung eines
schönen Geräts, vor dem es uns wie Schuppen von den
Augen fällt. Manch einer würde das ganz anders sehn.
Die Haushälterin kommt mit dem Einkaufswagerl an.
Der an manchen Stellen immer noch fest gefrorene Boden unter den Rädern dröhnt, als wäre er hohl. Es muß
wohl unter uns auch etwas sein, nicht nur über uns. Haben Sie vielleicht ein gutes Verhältnis, mit dem man ins
Kino gehen kann? Nein? Dann warten Sie, bis es auch an
Ihrer Haustür klingelt, vielleicht aus der Not der Er-
werbslosigkeit in dieser schlanken gutgebauten Welt, in
der man Ihnen ein Abonnement verkaufen will. Damit
Sie die Bedürfnisse Ihrer Vertreter in Kunst, Wirtschaft
und Politik besser verstehen lernen.

Als Mann kann der Direktor sich zu seiner Frau neigen,
denn sie sitzt an ihrem stark angewohnten Platz, wo kein
Licht aus dem Fenster auf sie fallen kann. Es ist noch
dunkel. Gerti trägt eine Sonnenbrille. Das Kind kommt,
heiter vor lauter Ferne und Fernsehen, wo es hineinge-
blickt hat, einhergetobt, es kreischt vor Gier, daß diesmal bestimmt etwas Bestimmtes gekauft werden soll, mit
dem es dieser schönen Welt entfliehn kann: Schnelle
Apparate und dazu passende Anzüge, damit seine Tage
voll Glück sind. Denn es will mit der Flut wieder auslaufen, das Kind. Sein Vater spricht aus dem mächtigen

dunklen Stern, der sein Kopf ist, ein Machtwort. Er hat sich den Morgen ausgesucht, um die Mutter dieses Kindes noch einmal unversehentlich aufzusuchen. Seine nächtliche Leistung verbessernd, hat er sich ihr kurz und klein aufgedrängt. Wie man in einem Fauteuil Platz nimmt, nur einen Augenblick in der gespielten Ehrlichkeit der Abendnachrichten, so hat er sich schwer in die Frau hineinfallen lassen, von hinten andockend an die Pumpstelle seiner Lebensstation, wo er sich die Tröstungen des sakra Sakraments holen geht. Sie soll ihn einmal in aller Ruhe vollzapfen lassen! Super! Er hat sich mit Worten in ihr Ohr gedrängt, sie soll ihm von dem Vergehen des vorigen Tages noch einmal Rechnung legen. Er ist der oberste Buchprüfer, der Wellen zu Wogen umgestalten kann. Das echte Gras wird hoffentlich irgendwann einmal zum Vorschein kommen, da wir es fälschlich pflanzten unter Autofriedhöfen und Raststätten, wo sogar dem Gummi noch eingeheizt wird, bevor man ihn wieder herunterzieht. Ja, dort, wo wir so ordentlich sind, uns zu verschwenden, unser Geschlecht zu versenken und es unserem Menschenpartner dann nachträglich zu verschweigen, um allein genießen zu können. Die Schenkel der Frau sollen nur für ihn, den Direktor, den schrecklichen Passanten, zubereitet werden, herausgebacken im siedenden Öl seiner Gier, und so wird er auch für sie geschäftig bleiben, sich zuckend an ihrer Rampe entladen lassen und ihr dafür eine milde Brosche oder ein stählernes Armband mitbringen. Gleich ist es vorbei, und wir sind wieder frei, bei uns daheim, wohin wir gehören, doch reicher noch als zuvor, als wir über den Nachbarn lachten. Sie sind eingeladen, sich das anzuschauen! Es wird Ihnen schon nichts geschehen, wenn dieser Herr von der Sekte der Genießer mit Sekt gegen Ihre Tür klopft! Im Gegenteil, die Frau soll froh sein! Fehlte nur noch, daß er sich selbst in eine Schachtel verpackt hätte! Das Blau des Himmels meint es ernst mit der Landschaft, es blüht das Geschäft.

Bestimmt ist diese Frau bei erster Gelegenheit fort, um sich für Michael neu beim Friseur verkleinern zu lassen. Ja, die Verantwortung trägt sie, damit sie sich als Appetithappen präsentieren kann, ganz unter uns, schöne Sonne! Voll Liebe schlagen die Eltern krachend über dem Sohn zusammen, der sich an seinem Spielzeug erschöpft wie der Vater am Schoß der Mutter, wo er allein spielt. Das Kind soll gleich abgeholt werden. Früher sind hier Halme gewachsen, jetzt umschließen Bande das Herz, niemand kann ruhig auf seinem Pfad bleiben und sich das anschauen. Sie müssen alle mit ihrem Leiden herumschmeißen oder einen schöpferischen Strahl vor sich hinbrunzen, damit man sie gleich sieht und gern haben muß. Man fragt den Sohn von allen Seiten nach seinem Mehrwert vor den Häuslerkindern. Fast würde der Mutter die müde, die Muttermilch aus den Brüsten stürzen vor Schreck, daß dieses Kind keine unsterbl. Seele zu haben scheint, denn es macht seine Mutter nicht selig. Es will sofort wieder Schi fahren gehn, wo die andern von den Liften wohl und weh geleitet sind. Wenn sie sich bei der Abfahrt ins Tal nur nicht überschätzen! Die Mutter küßt jetzt gierig das Kind, das sich ihr entwindet. Gutmütig scharrt der Vater den Teppich zusammen. Wenn er nur bald wieder mit seiner Frau allein ist, um mit seinem Zaunpfahl (seinem Zumpferl) winken zu können! Manchmal, wenn das Kind abgelenkt ist, schiebt er ihr

ein Paar mit Haut beflügelte Finger in den spannendsten
Teil an ihr, in diese Ritze, die ihn so anzieht, daß er dieser
Frau teure Sachen zum Anziehen kauft, um sie zu über-
decken. Heimlich riecht er an der Hand, die gewinnend
ist wie er. So scharf wie das Licht ist. Die Mutter liebt
derweil das Kind weiter und immer weiter und immer
den Bach runter, dieses Kind, dem sie mit Spielzeug und
Gerümpel anhänglich ist wie eine Geliebte. Der Vater
haut in guter Laune auf den Tisch. Er hat die Mutter
heute schon gebraucht, warum sollte ein Kind seine
Mutter denn nicht brauchen? Nur nicht übertreiben!
Der Sohn soll sich bescheiden lernen, wenn er den aus
Not Bescheidenen seine schönen neuen Schier für mage-
res Geld verleiht, um sich in der Konditorei noch mehr
Überraschungen in den Mund zu stopfen. Der Sohn, eine
kleine träge Lokalbahn, hat bereits einen schwunghaften
Handel mit seinen Gerätschaften aufgezogen, damit das
Glück auch zu den Unverständigsten kommt (die glau-
ben, Rollschuhlaufen nützt bei der Suche nach einer
Leerstelle im System, vor dem die Alpen stehn). Diese
Kinder verstehen aber nur, daß es etwas kostet, einen
Rennschi auf dem Buckel zu haben. Dieser Mann und
diese himmlische Frau, sie fühlen sich einfach wach an-
einander. Ihre Augen sind mit großen Stichen aufeinander geheftet.

Das Kind würde für seine Geschäftstüchtigkeit von seinem geigenden eigenen Vater gelobigt werden. Nehmen
Sie sich ein Beispiel an ihm, Sie Schneebetreiber der Gemeinde, der Sie für die Benützung der Schnee Flocken,
dieses käsigen Sportweißchens, noch Geld verlangen!
Bleibt alles liegen auf den heimischen Äckern, wo Sie,

einer der zahllosen Sklaven des Sports, noch vor einer Stunde das Leben auf Ihrem bunten Overall ertrugen, mit dem Sie überall hinkommen, vom Abfahrtsrennen in die Disco. Es ist alles eins, und Sie sind der erste. Nur müssen Sie vorher sich hinaufziehen lassen in die Nähe Gottes, wo die Zeiten höher im Kurs stehen als Ihre Abfahrszeit, gestoppt von der Frau Gemahlin, die zu Fuß mitgegangen ist. Das Leben wird Ihnen plötzlich bekannter, wenn Sie vor dem Abgrund aus Schnee stehn und ein Gerät an Ihren Körper pressen, der ebenfalls abwaschbar ist. Die Armen, die können das Wasser nicht halten, das unter ihnen gefriert, und es bleibt ihnen nichts, als vorsichtig drüberzusteigen vor den erhabensten der Berge, von denen keine Hilfe herkommt hochachtungsvoll. Die bunt aus ihren Büros Herausgewürfelten, schön angezogen, die lassen Freude in ihre kleinen Wirtshäuser einkehren und rutschen, vollkommen über ihre Bretter geneigt wie über einen lieben Menschen, na ja, die rutschen halt einfach hinunter. Und dort vereinigen sie sich dann mit andren in schlechterer Zeit Verkommenen, Geschlagenen zu einer Sendung, zu einem Paket Leben, in dem Humor herrscht, z. B. im Musikantenstadl. Die Ärmsten schauen auch zu, doch kennen sie es nicht. Denn sie wissen nicht, wieso diese Gestirne aus dem Bildschirm vor ihnen in die Höh ragen. Das Wetter weht sie umher.

Die Mutter läßt sich von der Haushälterin mit Kaffee behandeln. Derweil hat sie schon längst eine ungebrochene Flasche im Kleiderkasten versteckt. Besser wär's, die Kindergruppe käme heute nicht, um auf die Pauke zu hauen. Nein, die kommt erst morgen, damit ihr Gesang und ihr Geschere und Gerassle für das Feuerwehrfest geprobt werden können. An Ruhetagen vereint sich manches so schön auf dem Plattenteller zu der Matthäuspassion oder einem andren Lied, das bestehen kann vor unsren Ohren. Entsetzt schaut die Frau auf ihre Hände, die ihr ganz fremd sind. Die Sprache richtet sich ihr auf wie der Penis ihres Mannes dort vorn, wo man an der Kette zerrt und es rauschend bergab geht. An ihrem Ruhetag hat sie ein Gefühl ereilt, wo weiß die Natur geglänzet hat, war's nur Natur? Wir wollen uns alle schön machen, um dort einen Menschen kennenzulernen und ungestört in ihm sichtbar zu bleiben, nur für ihn. Ob der junge Mann, der sie in einer halben Stunde durchquert hat, überhaupt noch an sie denkt? Er ist auf das Häufchen getreten, das sie abgesondert hat, denn es lohnt sich, was Besondres zu sein. Die Frau wird überprüfen gehen, wie es sich als Göttin für einen andren lebt. Vielleicht gehen auch wir zum Friseur und schauen uns nachher die armen Arbeitskrüppel in den weihnachtlichen Arbeitskripperln an?

Der Direktor greift der Frau im Vorübergehen tief in den Ausschnitt, in dem das Wichtigste erscheint, das für ihre Erscheinung gebraucht wird. So gehört es sich für ein Bild. Diese Frau springt ihm nicht aus dem Gleis, die soll seinen Schweif betrachten, ablecken und sich einführen lassen. Sie soll sich nicht entführen lassen von einem Dahergelaufenen. Trüb glänzt das Land, doch die, die es sehen könnten, sie sehen nichts, weil ihre armen Schatten mit denen der heitren Sportler zusammenstoßen, die sich selbst an ihre Körper pressen, damit sie im Wind schlüpfriger sind. Woanders ist es nicht so gastlich, fürchte ich, wo nicht mit der Unaufhaltsamkeit des Fremdenverkehrs gelebt und gelacht wird. In schmutzigen Küchen prasselt ein kaltes Feuer in den Augen der Männer, die um fünf Uhr früh arbeiten gehn müssen. Die garstige Holzknechtwurst im Magen begreifen sie schon gar nicht mehr. Ihre Frauen fallen schallend in die Wirklichkeit ein und verlangen, ebenfalls von der Arbeit angenommen zu werden an Kindes statt (andre wieder gehn die Stadt des Kindes in Wien Hadersdorf besuchen, die Hauserln dort sind ganz klein zum Spielen. So lernt das Kind, als Untergebener unterzugehn.) Die wollen sich alle was dazuverdienen, damit auch sie auf ihren Brettln wie die Furien herunterrutschen können in den Ferien. Danach ist es mit der Frische, die sie sich mühselig hineingewaschen haben, wieder zu Ende. Aber es ist nichts zu holen in den Bleikammern dieser Papierfabrik, das Papier muß vielmehr noch mit Zahlen beschriftet werden. Der Direktor ist im Verein der Machtvollen übereingekommen, zuerst die Frauen zu entlassen, damit die Männer wenigstens bei der Arbeit entlastet sind. Und damit die Männer was haben, wohin sie sich entladen können, wenn der Vorarbeiter unversehens sichtbar wird, ein prächtiges Bild.

Ungestört betrachten die Arbeiter einander in der Kantine. Vor dem Licht singen sie wie Vögel, um ihr Leben vollkommen und dem Direktor eine Freude zu machen. Wo ist hier der Sinn verborgen? In ihren sinnlichen Frauen, in denen sich das Leben vollkommen ausgedrückt hat?

Der Direktor bedarf seiner eigenen Frau, denn: jedem die Seine, nicht wahr. Das Licht des Tages hat sich bereits gezeigt, und die Geschäfte öffnen, während andre undurchschaubar werden. Der Mann betrachtet seine Frau, die nervös einen Krieg um einen Friseurtermin führt, von der Seite, wo er soeben bemerkt hat, daß ihre Brüste schon etwas stillgelegt sind. In seinem Gedächtnis leben sie, als hätte er sie wie sein Kind geschaffen und geformt. Auf jeden Fall, Himmel, wo ist jetzt mein Stachel hingekommen, wird man an der Frau wieder mal herumkneten können. Und sie gehört ihm, sie gehört ihm, soviel Früchte schenkt uns die Erde allemal. Das Kind wird nach der Schule über einen himmlischen Berg hinunterrutschen, schneller als Sie Atem holen können, so werden Sie heute von diesem Kind, das sich vom Vater geerbt hat, überrollt werden, zumindest überholt es Sie jederzeit. So wird dieses kleine Geschöpf verwöhnt, das an der Mutter wohnt und glaubt, das geht immer so weiter. Doch diese Frau wünscht Jugend aus einem neuen Geschäft zu beziehen, darum auch die neue Frisur. Um gesehen zu werden und vorübergehen zu können. Vor dieses Menschen Haus, der gestern das Wilde in ihr gefüttert hat, wo sonst das Wild gegen den Winter fressen geht. Hat sie nicht schon andre junge Männer gesehn, die in den Lokalen stehn? Ob sie bleiben oder gehn, sie sind so schön, bevor auch sie vergangen sind. Sie haben mit sich zu tun, denn sie müssen viel erledigen, bevor sie in ein Schiwochenende einbrechen und mit ihren Freundinnen herumposaunen, vor denen man mit leeren Händen steht und staunt, wie dieser vierfarbige Tiefdruck auf den glatteren Seiten des Lebens entstanden ist und einen so tiefen Eindruck machen konnte. Ansichtskarten gehn milder mit der Gegend um als die Zeit mit der Frau, glaube ich. Besänftigt schweigt die Landschaft an ihrem Ruhetag auf dem kleinen Bilderl, das Sie in der Trafik kaufen und vollschmieren, doch die Zeit geht einfach zu weit! Sie gräbt sich wie ein Sturm in die längst abgefahrenen Züge der Frau ein. Oh nein, die schiebt erschreckt die Hand vor ihr glänzendes Spiegelbild: In weitem Umkreis müßte gearbeitet werden, nicht nur an ihrer Frisur, die zu verschiedenen Zeiten verschieden ausfällt. Mühsam eine kleine Abwechslung herzustellen für nichts als eine kleine Nachtmusik. Ihre Gestalt bricht aus dem Rahmen des Spiegels, wird weitreichend wie ihre Gedanken. Sie kennt sein Haus, dort wartet ein mit Preisschildern ausgezeichneter Schifahrer. Wir alle warten, daß es im Sack einmal mehr wird, in der Lohntüte der Sinne, wo die Wolken herumschwirren. Ja, meist ist das Klima dort wolkig. Denken wir nach, wie wir uns schön machen können, um mehr zu werden und uns wenigstens bis an den Scheitel zu reichen.

Die Frau wartet, daß der Mann in Ordnung zu seinem Büro aufbricht. Der Mann wartet, daß er seiner Frau noch einmal an die Spalte gehen kann, bevor sie erst einmal eine Weile auf das Eis des Tages gelegt wird. Die armen Arbeiter, die sind schon längst neben den Lawinen abgegangen, den Binkel auf der Schulter. Nun ruht ein bißchen! Der Bus ist abgefahren. Das Kind ist abtransportiert, erhaben wird es sich von seinen Mitschülern abheben. Seine Lebenslinien sind geschickt aussortiert worden (vom Geschick wahrscheinlich, mit dem das Kind über die Hänge rutscht und schon etliche ausländische Städte gesehen hat). So geht es ihm gut, seit seine Wiege gestanden hat, wo ein Gönner zu Haus ist. Die Mitschüler vergönnen sich ein Eis, auf dem sie dann endlos stehenbleiben. Das Licht scheint auf dieses große Haus, als ob es dort gewachsen wäre, auf einem gewachsten Parkettboden. Heute haben wir einmal Sonne, bestimme ich jetzt. Die Frau möchte sich, sobald es geht, damit sie angenehm aussieht, in die Kreisstadt in eine Boutique begeben. Warum genügt sie dem jungen Mann den Tag lang nicht, warum muß er über die Schienen der Berge gleiten, wo sie am unberührtesten sind, dieser Tiefschneespezialist! Sein wo noch keiner vor ihm war! Außer im vorigen Jahr, als dort ein andrer junger Mensch mit seinen Freundinnen und Freunden getobt hat. Die Frau denkt an nichts, als an das, was sie anziehen soll, damit sie schneller, höher, weiter wird. So weit halt, wie ihr Gefühl fliegt, bitte packen wir es wieder ein! Ihr Mann kann ihre Ruh nicht stillen, er geht jetzt in seine Fabrik. Zu 80 Prozent, um gerecht zu sein (und zu den Besitzenden gerechnet zu werden), ist er für ihr Glück verantwortlich. Er tränkt sie damit. Schauen auch Sie einmal bei uns vorbei, wenn Sie, nachdenklich und viel gereist, Sturm in die Augen eines andren Menschen zu säen wünschen. Ja, dann kommen Sie und bitten, daß man Sie genießt!

Um eine gut gefederte Aussicht auf die Zeit zu haben, aus einem Logenplatz (nur an den ärmsten Orten liegt kein Teppichbalg unter den Füßen), tritt die Frau aus dem Haus, und sie hat sich und ihre Fingernägel mit Farbe vollgeschmiert. Wie wunderbar groß die Natur doch ist, in der die Armen nur die Zeichen für das Tempolimit sehen und nicht beachten, bevor sie und ihre unartigen

Autos unter unser Futter gemischt werden. Die Vagina dieser Frau ist vollgesogen mit dem gärenden Produkt ihres Mannes. An ihren Schenkeln klebt unter der Strumpfhose Schleim von den tagtäglichen Gewohnheiten des Direktors. Der setzt gern ein Zeichen, daß er sich vervielfältigen könnte, auch wenn die Tinte schon knapp wird. Der könnte sich den Lebkuchen einer viel jüngeren Frau noch ruhig und gern zum Verzehr unter seine Zündflamme halten. In den Bergen kühlt es rasch aus. Das können Sie ruhig als Verhältnisse bezeichnen, wenn im Stausee der Wald sich spiegelt und das Gras vorm Fenster in die Höh wächst, die Gedächtnisse an häusliches Schlachten zu besänftigen. Wie zornig die Armen doch werden können, wenn man einen Kniff in sie macht oder auf sie anwendet, wie es uns die Steuergesetze lehren. Der Direktor der Papierfabrik staunt ja immer noch, daß die bei ihm eingesetzten Menschenhorden alle dasselbe im selben Supermarkt einkaufen, auch wenn sie verschiedene Maße und Gewichte haben und heben. Die kleinen Geschäfte in den Ortschaften sind längst schon aufgelassen worden, damit die Bewohner mittels Wurstsemmeln und Bier nicht zu ausgelassen werden. Durch Werksgesang (der gute Klang unserer Industrie im Ausland!) und chorgestriges Geschrei wünscht dieser Mensch uns aufzurütteln, daß wir ihm bis zur Brust dringen, dieser tönenden Wehr gegen uns. Mit einem Tritt kann man leicht beheben, daß die Lust, der weiße Abgeordnete des Menschen, unbedingt seine gellende Stimme abzugeben wünscht. Dann ist die Frau still. Aus den Zimmern, in denen sie nur ihres Geschlechts, dieser einmaligen Delikatesse wegen, gejagt wird, schreit es zum Himmel, bis zum Zaun hört man Gebrüll zum Gedächtnis der Schlacht. Lang schon wirken Mann und Frau aufeinander ein, bald müssen sie wieder aufstehen und sich voneinander abwaschen gehn.

Manche sind wieder einmal nicht erschienen in den Kirchen, wo es von den Statuen tropft, andre wiederum sind nicht einmal auserkoren. Der Holzarbeiter unter seinem Wetterbericht und seiner Wetterhaut entfaltet sich zu kurzem Leben in der Frau, die im Kaufhaus arbeitet. Ihr Werdegang führte von der Schule ins Heu, und schon waren sie drei und erfreuten sich in der Küche, ihrer Lebenswerkstatt, wo sie gefeilt und ungehobelt sein dürfen, denn einen andren Raum haben sie nicht. Sie müssen beisammen bleiben. Die Natur klopft den Menschen auf sein natürliches Maß zusammen und führt ihn dann ins Wirtshaus, damit er wieder aus seinen Ufern treten kann. Zu Haus steht er starr vor den Produkten seiner Sinne, den Kindern, und sinnt darüber nach, wie er sie jagen könnt im Flug und gegen die Wände schmeißen. Manchmal enden hier die Kinder schneller als man, um sie zu gestalten, einander an den Schleimhäuten herumgefuhrwerkt hat. Dabei sollen Dauer und Fortbestand garantiert werden, während die Herren des Landes ihnen die Bäume unterm Hintern vergiften, und das Papier, das die Arbeiter erschaffen, in fünfzig Jahren wie Zeichen am Himmel verpufft sein wird. Umsonst wie ihr Zorn. Vergebens wie die Wahl, ob die Frau Hosen oder Röcke tragen soll, sie darf die Hosen nur nicht zu Hause anhaben. Wie ihre Verletzungen, die die Arbeit ihnen zufügt, bis sie zum Gebrauch nicht mehr tauglich sind, so verfliegt auch ihr Genuß allzu rasch. Am Brunnen tauchen sie eine Hand in den Strahl. Und die fühlende Brust der Frauen geht in formlose Unterleiber über, wo es Gewächse gibt, die der Arzt sich zornig greift. Für nichts legt man sich nicht ins Spital. Bis die Wütenden einmal Hunger kriegen und sich mit den Jagdgewehren, die in geheimen Ecken ihrer Häuser sprossen wie Schimmelpilze, ins Hirn schießen. Wenigstens haben sie einmal einen ehrlichen Meister an Ihnen gefunden, damit Sie das Kind, bis es selbst Hand an sich legen kann, in Automechanik unterrichten.

Die Frau Direktor macht sich, diese Anzeige steht ihr ins Gesicht geschrieben, schön. Sie takelt sich auf. Und die Natur bietet eine Decke dafür. Die Frau durchquert unter ihrem Make up, wo sie Mensch ist, größere Räume, als durch das Gebirge je zusammengefaßt werden könnten. Daher verläßt sie sich ja nicht auf Natur, was ihr Gesicht betrifft; diese gewaltige Macht wird ihr zu knapp zum Atmen, und sie muß in ihren Wagen steigen. Schon sieht sie ihren neuen Knappen im Vaterland ihres Kopfes, wo sie auch sich selbst mit ganz anderen Augen sieht. Ihre Ahnungen mögen ihr Ziel treffen! Ringsum wird sie von den Vogelköpfen der Verlorenen betrachtet, die an die Pfähle ihres Zaunes gespießt sind. Diese Frauen im Dorf, die schauen, als ob sie noch keine andren Länder gesehen hätten als ihre kleinen Königreiche, wo ihnen ihre Herrscher am Abend Atem einhauchen. Von ihren Müttern schon haben sie gelernt, immer aufs Geld zu schauen und vor dem Antlitz zu staunen, das sich darauf offenbart. Welch ein Unterschied zwischen dem Hunderter und dem Tausender! Eine ganze Welt liegt dazwischen, den Abgrund zu decken. Die Frau erfaßt mit ihrem Fahrzeug die Serpentinen der Bundesstraße. Sie will den jungen Mann, dessen Vortrag sie am

Vortag genossen hat, möglichst bald wieder in sich ein Machtwort sprechen lassen. Sie wird unter uns erscheinen, an den Füßen der unzugänglichen Treppen. Es durchziehen Gräben die Berge, wir aber bleiben unten, wir sind zu unbeholfen für das Wilde in uns. Der junge Mann wird seine Augen aufsperren gehen, wenn er die neue Frisur sieht. So ähnlich ergeht es den Menschen, die hier genau die Mitte halten zwischen ihren Tieren, um die sie sich sorgen – Hunderte tote Forellen im Bach, weil sie die Staumauer zu jäh geflutet haben – und ihrer Arbeit, die sie sich besorgt haben. Sie ist ein flüchtiges Geschenk von einem Fabrikherrn. So beschreiben wir eines Geistes Kind.

An den Hängen tummeln sie sich. Die Lifte zerren ihre wasserdicht befrachtete Ladung, an der die Einladung der Natur baumelt, eingeschweißt in eine Plastikhülle, über die hart gebretterte Landschaft nach oben. Ja, furchtbar scheint das Land unter den Brettern gediehen zu sein, wo es ursprünglich mannigfaltig oder einfach nur faltig war. Die Schneekanonen spucken vor den tobsüchtigen Tagestouristen aus Wien aus. Jeder von ihnen hält sich für eine Schikanone. Hier bleiben wir vielleicht länger, Äonen schon sind wir ja auf der Welt, um diese zu ändern, und jetzt endet sie unter uns. Die Schifahrer tändeln nur mit der Landschaft, keine Angst, allzu scheu sind sie nicht. Sie wandeln auf der Erde mit ihren gewaltigen Gemächten und treten jedes Feuer aus. Es reißt die Städter zur Lust an der Geschwindigkeit hinauf, und die Geschwindigkeit selbst schmeißt sie wieder hinunter. Oh, könnten sie gleich noch einmal so richtig aus sich herausgehen! Unter der Sonne flögen sie herum, ehrliche

Meister, die zeigen, was sie aus sich und andren gemacht haben. Sie haben sich mit andren vermischt und neue Sportler erzeugt. Einen Schikurs werden ihre Kinder absolvieren, die Schweinsnähte ihrer Eltern noch im Gesicht. Der Sport, diese schmerzhafte Nichtigkeit, weshalb sollten gerade Sie auf ihn verzichten, wenn Sie auch sonst nicht viel zu verlieren haben? Möbel stehen hier keine herum, aber dem Wertlauf der Overalls, der Waren und Gepränge mitsamt dazu unpassenden absurden Kopfbedeckungen sind keine Grenzen gesetzt, und wenn doch, dann einfach überspringen, das Bergerl! Dahinter kommt bestimmt ein neues, das alles fassen muß, was in uns hineingeht. An die Alpen ist längst der Zahn der Moden, Morde und Gebräuche angesetzt worden, und am Abend wälzen wir uns alle vor Lachen vor einem Kasperl mit einer Ziehharmonika, der vor uns herumirrt. Ringsumher schlafen die Dorfbewohner. Vor ihnen teilt sich das Gebirge nicht, wenn sie morgens zur Arbeit fahren, sie müssen auf ihren Fahrrädern oder angeschnallt in ihren Kleinwagen über jede Unebenheit hupfen, bis sie endlich das Tor zum Wildpark der Angestellten aufschließen dürfen. Ja, manche schaffen den Aufstieg, wenn sie gute Eisen an den Füßen und Gefühlen haben. Wir bitten um Ruhe. Es arbeiten schließlich auch Menschen hier vor ihren Tieren, ein jeder in seinem eigenen Käfig.

Und keiner streckt die Hand aus und holt sich eine von diesen Schi Kreaturen, die Krater in den Boden bohren, und hindert ihn daran. Keiner ist von den Gesetzen der Erde befreit, die da lauten, das Schwere muß immer hinunter, oder man muß es am eigenen Leibe erleben. Manche setzen sich Sonnenbrillen auf, einander schauend und zur Speise gedenkend. Am Abend wird ein Beischlaf nach den Regeln der neuen Küche geplant, wenig aber fein. Rot dampft das Wetter in seiner Schüssel, es klirren unsre Gabeln, es sinken die goldenen Köpfe, es stehen die Berge doch still. Tausende Unflätige werfen mit sich von den Hängen herab. Und ein paar hundert Überschüssige produzieren Papier, eine Ware, die noch schneller entwertet, als der Mensch durch den Sport abgenützt wird. Haben Sie noch immer Lust zu lesen und zu leben? Nein? Na also.

Die Frau wagt sich in die Kreisstadt, wo ihr Mann früher seinen Wagen parkte und heißes Wasser in der Sauna einatmete. Macht ja nichts. Es hängt an seinen Hoden und Klippen, schief angebracht an der Treppe seines Genitals, die eigene Frau, neben der der Schlaf ihn findet, wenn er ihn suchen geht. Diese Frau ist sein Überfluß geworden, er ergießt sich in sie, bis sie übergeht. Der Mann ist da, um eine Kleinigkeit an seinem Leiberl bewerkstelligen zu lassen, und, um ihn zu renovieren, dafür haben sich Frauen gewagt gekleidet! Das Etablissement hat rote Lichter aus den Fenstern hängen, aber es ist nicht mehr so frequentiert wie früher. Um Atem zu holen, nehmen die Männer immer öfter geschickt die Feigen ihrer Frauen in die hohlen Fäuste und pressen sie aus. Vorher binden sie ihren Haustieren die Füße zusammen, damit sie sie wiederfinden, wo sie unter einem neuen Kleid abgelegt wurden. Jetzt müssen sie mit ihren Frauen auf Du und Du stehen, ohne sie für ihresgleichen zu halten. Die Sonne scheint auf den Weg. Die Bäume stehen da. Jetzt sind auch sie erledigt.

Die Krankheit ebnet Ihnen den Weg ins vertraute Geschlecht, meine Herren, von dem Sie früher immer nur fort wollten. Jetzt ist es die Lebenssache geworden, daß Sie Ihrer Partnerin vertrauen können, sonst bleibt nur der Weg zum Facharzt, und vorher schienen's doch noch alle Wege zu sein, wo Sie, beliebte Reisende, eingekehrt sind, im Glück Ihrer Unsterblichkeit alle Stückeln auf Ihren Taschenharmonikas spielend. Wie verstimmt waren Sie oft über Ihre tauben Instrumente! Jetzt drehen wir alle, einander schauend, an den Wirbeln und servieren uns, dampfend vor Gier, in unsrem eigenen Saft. Der schreckliche Stammgast des Geschlechts, ja, der ißt jetzt zu Hause, wo's am besten schmeckt. Endlich stimmt der Mann mit seiner Sache, die an ihm baumelt und bockt, überein. Früher hat er seine Frau bei jeder Gelegenheit wie eine Hecke zusammengestutzt, jetzt wächst er selbst ins Wilde vor ihr. Kleinigkeit! Einmal muß jeder die Handhabung erlernen, damit er seinem weibl. Partner in ewiger Ruh und in ewigem Frieden das Arschloch durchstoßen kann, denn es gibt keinen weiteren Partner mehr, diese Frau ist weit genug! Jetzt sind die Männer beleibter und beleben die Sinne, zu denen sie nicht mehr weit zu gehen haben. Früher ist dem Mann jede Frau nach Wunsch zubereitet worden. Jetzt leert er sich in die eigene aus, sie wird sein Geschirr schon wieder abwaschen. Dieser schreckliche Gast schwelgt an ihren bettheißen Backen. Er ist ja selber ganz darauf konzentriert, die Erektion an der bewachsenen Weide seines Beckens, wo's rauscht und sprudelt, zu halten. Er muß dauernd fürchten, daß er seine Form verliert und durch einen liebenswürdigen Fremden ersetzt wird. Ja, die Lust, richtig bauen

möchte man sich aus ihr können! Aber auf sie bauen, das
würde ich, wenn ich Sie wäre, lieber nicht.

Wie Raubtiere schleichen sie durch ihre blühenden Straßen, Wandersmänner, Felsen werfen sie hinab. Mit ihren
mächtigen Geschlechtspaketen sind sie auf der Suche
nach einem lieben Schoß, in dem sie auf Dauer wohnen
möchten, diese Männer. Noch sind sie zahm in der Herde,
noch sind ihre Fleischpackeln mit dem Schweiß der Pla-
stikfolien überzogen, überdeutlich sichtbar, aber bald,
wenn die Sonne sie sticht, werden sie aufgehen, Saft quillt
aus dem winzigen Riß, der rasch größer wird. Und dann
schlägt die Sonne brüllend ein, es platzt die feuchte Deponie, scharf weht der Geruch dieses Geschlechts über die
Parkplätze, und scharf werden die Augen zum Vergleichen zwei und zwei zusammengespannt, bis der Karren
im Graben landet und die Wünsche herrenlos herumirren, auf der Suche nach einem neuen Tier, das sie ziehen
könnte. Nicht vergebens werden die Männer gelebt haben. Es wird ihnen auf Wunsch ins Gesicht gepißt, und
still liegen sie unter dem Geschlechtsbäumchen, dessen
Pflanzung sie noch selbst überwacht haben. Jetzt werden
dafür sie von ihm, dem Bäumchen, gegossen. Für eine
neue Brosche macht das auch die kühle Gerti daheim,
wenn man ihr mit der geballten Faust in ihr gedüngtes
Beet schlägt, bis ihre Erde sich auftut, sie selbst auftaut
und sich den Schließmuskel einmal ordentlich lockern
läßt. Solche Vergnügungen kann sich jeder von uns gewähren, ohne daß wir uns verbergen müßten in unsrem
Kummer, in unsrem Kammerl, von nichts als Möbeln umzingelt. Als Menschen, die stets über sich schauen, damit
sie ihre Lebensstandarte nicht senken müssen.

Die Zeit verzehrt die Lust, mit der wir einander durch-dringen und durchdringend anschreien, da es gilt, an einem Morgen einen noch geräumigeren Körper neben unserer Müllhalde abzulagern. Aber die Müden, die ver-zehren sich mit Haut und Haar. Die haben's wiederum besser, die müssen nicht schlank sein oder ihr Haar er-bleichen lassen, die sind selber bleich vor der Maschine, an die sie wiederkehren und deren Umgebung sie wieder und wieder kehren müssen. Und wenn sie neben sich schauen, dort verschmutzen Abwässer von der Wasser-leitungsbaustelle den Bach. Und ihr ganzes Werk, ihr ganzes Werk, das sie gemacht haben, muß an ihrer Brust trocken und stillgelegt werden. Und der Direktor dieser vom Staat ausgepolsterten und vom Ausland her ausge-schöpften Anlage, der will nichts als sich vor der Seuche, seiner Frau, immer nur ausspritzen. Vom Abend bis zum Morgen wird sie ihm gefährlich. Wie kann er ihr dort, wo der Zimmermann sein Recht verloren hat, in den Hintern fahren? Wann darf Hubertus, sein Jägermeister, direkt in dem scharf riechenden Fuchsloch, wo er er-wischt worden ist, einschlafen? Wer, wenn nicht er, würde vor seiner Frau niederknien, die Sinne zustechen lassen, und ihre Falten, eine nach der anderen, zurück-schlagen? Sie leiht von oben ihr Antlitz, während er von unten aus seinem Handelskammerl heraus mit der Dop-pelzunge seines Geschlechts Versprechungen macht. Das Feld ist von Luft umgeben, und die Frauen sind überall um uns herum gegenwärtig. Wir essen von und mit ih-nen. Und der Verkehr stört den Anrainer nicht, er geht dorthin, wo er seinen eigenen Verkehr regeln kann.

Der Direktor hält sich an seinem Auto fest und pißt. Die Nobelscheinwerfer strahlen auf seine Gestalt. Seinen Fleischextrakt kann er in die Frau pumpen, so oft sie sich von ihrem Spitzberg zu ihm herabbeugt. Dieses Paar kann überall parken in seinem großen Haus, um rechtliche Schritte ineinander zu tun. Die Frau geht sich frisieren lassen. Hinter dem Gebirge wird es hell, die Wiesen umgeben sich mit Tag, der alles besser zur Geltung bringt. Nur diese Frau lügt sich in ihre Mauerritzen hinein, die die Zeit ihr geschlagen hat. Wir sind doch alle eitel, meine Damen. Lassen Sie die Zähne im Mund und die Kleider im Wind wehn und stürzen Sie auf Ihren Partner los, als hätte der Ihnen seit Stunden keinen Schaden mehr zugefügt! Bändigen Sie Ihre Sprache!

Den Paaren soll der Traum nicht enden. Sie gehen zur Arbeit und heben die Gesichter vom Weg, den sie kennen, um einen andern Menschen anzusehen, den sie auch kennen. Und da stehen sie nun, einer neben dem andern, einer muß diese verbilligten Jogginganzüge ja kaufen, um sie vollends zu entwerten. Der Weg verblüht unter ihren Füßen. Ihre Frauen klaffen auf, wo sie berührt worden sind, doch heute geht keine mehr unbedacht in den Krankenstand. Die Firma, wo wir einen Platz fürs Leben und eine Partnerin fürs Lieben gefunden haben, runzelt sonst gleich die Brauen. Wie entsteht das Bild, wenn wir auf den Knopf gedrückt haben? Keine Ahnung, aber bei Gewitter sollten Sie abschalten und Ihr eigen Abbild aus dem furchtbaren Schlitz hervorholen, in den keiner, um's zu betrachten, auch nur einen Schilling werfen würde. Und doch leben Sie und wohnen öfter, als Sie es verdienen würden, von der Zuneigung einer Frau, die Sie kleben und kitten muß. Nur weil sie hofft, ums Eck Liebes zu gewahren.

Versammelt unter den Wolken, gehen sie ins Tor und sind verschwunden. Dafür reichen sie gerade noch hin, und in der Fabrik werden sie hingerichtet. Gehen Sie jetzt nach Hause zu Ihrer Frau und ruhen Sie sich aus, während auf den Autofriedhöfen der Gummi raucht und die Autogenschweißanlagen ihren eigenen Schweiß absondern. Das Blech stöhnt, und die stählernen Eingeweide aus den Wunden der Autos, die einst mehr geliebt wurden als die Frauen, die sie mit Zweitarbeit verdient haben, quellen hervor. Aber eins noch: Lassen Sie sich ja nicht von Ihrem Geschmack leiten, denn, eher als Sie sich's versehen, ist ein neues Modell auf dem Markt, das nur auf Sie, auf Sie und sonst keinen gewartet hat! Und dann hätten Sie schon eins, das Sie einst, vor langer Zeit, mit Worten und Sparkonten beschwatzt haben. Und vorbei, nach Hause, gelt?!

12.

Die Frau steigt, unter ihrer Frisur für ihren Freier völlig
neu gestaltet, ans Ufer der Kleinstadt. Nur ihre Handta-
sche preßt sie an sich. Ihren Schicksalssohn hat sie in der
Schule gelassen. Fast geleiteten Polizisten, die augen-
blicklich bei ihrem Anblick erröten, sie über die Straße.
Sie schwankt. Aber sie sinkt nicht hin, eine leichte
Schwimmerin, unter der die Quelle allen Übels rauscht.
In ihren Klauen, dem Nerzmantel, paddelt die Frau in
der Arbeit der andern Papiertiger herum, über denen
zweitausend Meter hohe Gipfel drohen. Das sind Menschen, die dieser zähen, zahnlosen Landschaft die Zellulose und das Papier entrissen haben. Die Kleidung dieser
Frau: In einfacherer Version sollte eine Schneiderin sie
jederzeit kopieren können. Oh je, was die alles anhat!
Kleingeschnitten stapelt sich das Holz um die Fabriken
und Sägemühlen herum. Warum hat die Frau Direktor
Stöckelschuhe angezogen, wo überall gefrorenes Wasser
mühsam den Boden und uns bändigt? Wir wagen nicht
zu gehen, wenn die Ampel es nicht will. Die Frau hat
einen Unsinn als Kleidung angezogen! Sie setzt sich ans
Steuer und trinkt einen Schluck. Sie sprüht ein Mittel gegen sich auf die Zähne. Ihr geliehener Geliebter wird im
Schnee nicht hinfallen, er ist ein eigenes Kunststück. Die
Jugend ist Lohn genug, auch wenn man sich ein Bein
bricht. Lacht über die eigene Kraft, mit der man frech um
sich schlägt, im modischen Manterl, das die Jahre noch
nicht zu übersteigen vermögen. Gönnen wir einen fröhlichen Tag auf den Wellen des Sports den Armen wie den
Reichen, beide mußten oft reichlich weit fahren dafür.

Um unberührten Schnee und ein bißchen eine Aufregung zu erleben. Die Reichen wollen allerdings näher zum Ursprung der Elemente fahren (wo sie das reine Element mit ihren Hintern berühren). Es staubt blendend über sie hinweg, sie sind der Erde wie angeboren. Die andren jedoch hängen an ihren Leinen in der Fabrik und an ihren Lieben zu Hause und haben am Schnee auch ihre Freud.

Die Frau Direktor setzt sich ans Steuer, nachdem sie ihren Rang brav abgelaufen hat. Die Mäuler der Stadt pressen sich vor ihr zu einem Lächeln an die Scheiben der Konditoreien. Sie ist ja betrunken von sich, hat eine Flasche aus ihrem Pelz gezogen! Ihr Mund lächelt in der Kälte. Die Ränge und Rangen hinter den Fenstern verbiegen sich, als wollten sie ihr gleich hinunter ans Herz stürzen. Junge Frauen, an denen fremdlings ihre Kinder und Kleider hängen, müssen ausgerechnet jetzt einkaufen gehen. Sie wollen was sehen. Sie wollen was sein, so wie diese Frau, was wüßten sie nicht alles damit anzufangen! Am hellen Tag ein Debakel beim Friseur erleben wie unsere Abfahrer bei Olympia, sich selbst die Apparate aus den Haaren reißen, mit denen wir Frauen eingewickelt werden sollen. Sie wagten es nie! Angstlos auf das eigene Bild zu schauen, denn zumindest das Haar läßt sich doch wirklich leicht verändern, wenn wir uns nicht mehr gefallen, meine Damen.

Und wir sind ein neuer Mensch, mild und gerührt von unsrer Schönheit. Dann finden wir eben in anderer Aufmachung statt! Jede alternde Frau zahlt ihren Preis für Waschen Schneiden Hinlegen und Ausleben. Damit unsre Haare nach mehr aussehen, als wir noch auf dem

Konto haben. All die Taten, all die Torten, mit denen wir uns so Mühe gaben, ach ja, wenn die Arbeit vorbei war, gingen wir mit unsren unnütz gewordenen Gabeln ziellos in den Abend hinein, aßen, wuschen ab und senkten uns auf eine liebe Brust, die uns auf vier kleinen Rädern in die Abstellkammer zum Abkratzen der Pfannen mit den Lebensresteln geschoben hat. Und wenn's noch nicht passiert ist, dann wird man uns bald eintauschen, nachdem jemand bedauernd den Kopf geschüttelt und die Wut sich über das Gesicht der Streitenden gebreitet haben wird. Dann müssen wir in dem ausgeräumten Zimmer schön ruhig sein, als wären wir selber schon leer. Wir vergeben nie, wir vergeben uns aber auch nichts, wenn wir mit Gewalt uns in die klappernden Sinne eines Menschen stürzen wollen, es ist einfach nur sinnlos. Ein jüngerer Mensch wird uns bald vollwertig ersetzen, er ist ja schon mit der neuen Vollwertkost gezüchtet worden! Und warum ich? Warum ich mit über 40 schwer zu haben und schwerer zu wiegen bin als ein Kind, in den Fesseln der Waagebalken, die sich von mir wegneigen? Da ich für jede unerwartete Freude mich zu wandeln versucht und ein neues Gewand mir gekauft habe.

Gegen ihren Wagen tritt die Frau Direktor und fährt umständlich los, um Michael einzuholen, von dem es inzwischen auf der Piste tönt. Lachend und schreiend wie ein Polizist überholt er seine Freunde, ja, schüttet sich aus Jux über ihnen aus. Sein Gedächtnis enthält auch bei Nacht all die Orte, zu denen er fortgeht. Das und nichts andres ist gemeint, wenn man vorgibt, sich mit Menschen von gleicher Wellenlänge zu treffen, die der schreckliche Mode Friseur einem verpaßt hat. Aber aufgepaßt: darüber nicht die nächste Mode verpassen, die uns zuerst zweifelnd den Kopf wiegen läßt und dann, oft uns um- und umkehrend, ein Stück weit begleiten darf. Schauen Sie hinauf auf meinen Kopf und scheuen Sie das Kosten nicht! Es kostet nichts. Ja, wir tragen uns in einem bedruckten Sackerl von einem Sportgeschäft herum, in dem belegte Semmeln, ungebunden wie wir, lagern. Das nützt uns nichts. Wir müssen nicht auf den Weg achten, der Weg sollte auf uns achten, bevor wir seine Vegetation für die nächsten fünfhundert Jahre ruinieren. Dieser Michael, bei einem Sturz wird er nicht die Erde spalten, wie wir Ungeschickteren es täten. Wir sind keine Blumen, wollen aber trotzdem mit dem Kopf durch die Wand der Natur! Michael jedoch, der wird nur seine Anhängerschaft spalten! Er erzählt ihnen schon die ganze Zeit lachend von dem Erlebnis mit dieser Frau, die er gestern an sein Ufer gezogen und wieder ins Wasser zurück geschmissen hat. Auf vielen andren Schultern ruht die Last von Scheitern, damit wir es warm haben. Wir müssen sie nur noch anzünden, und in Liebe findet ein Mund sich mit einem Atem, in dem etwas frisch gekocht worden ist. Die Frau hat kein schönes klares Bewußtsein mehr. Sie fährt sich ins Haar und zerstört die Arbeit von Menschen, unter deren heißer Haube sie gezittert hat. Es warten derzeit vielleicht Kinder vor ihrem Haus, die einer Rhythmus-Schmusegruppe angehören und von ihren Angehörigen mit harter Faust dorthin gezwungen wurden. Egal. Es ist ja nur ein Hobby. Diese Söhne und Töchter derer, die unter der Armut stöhnen. Die sich noch selber in die Hände spucken müssen, nur um vom Schicksal der Entlassung gepackt zu werden. Schon hat die Frau sich und sie vergessen. Fährt dorthin, wo die Piste endigt, nachdem das Recht des Schnelleren ausgeübt worden ist. Wo, gefangen und geduldet, die Touristen abschnallen oder, zu einem Paar geduldiger Tiere verbunden, ihre schweren vom Leben und seinen panierten, niemals reparierten Schnitzern gezeichneten Hinterteile geduldig wieder auf die Liftbügel hängen.

Vorwärts, immer nur vorwärts, rückwärts wollen wir nicht sehen, denn hinten haben wir keine Augen. Die Frau hakt sich auf ihren noblen hohen Absätzen im Boden fest. Erstaunt schwanken die Winterurlauber wie Boote vor dieser Plakat-Landschaft, in der alles stimmt, eine aber nicht in ihren Frohsinn einstimmen mag. Der Menschenstrom stürzt ununterbrochen den Hang hinab. Umso bekömmlicher und genießbarer wollen wir werden! Diese Touristen. Unterm Eternit, im Zenit ihrer Kostüme, im Sommer forttreibend vom Berg an den Strand und, kaum gestrandet, wieder Winter haben und ganz oben sein wollen, wo sie ihr süßes Teilchen zu finden hoffen: dabei sein ist alles! Und höher, sichtbarer, angenehmer sich in den Kessel des Tals ergießen. Doch vor ihrem Vorgesetzten wärn sie am liebsten unsichtbar, wenn der vor ihnen aufflammt und brüllt wie ein Propangaskocher. Herzig, so ein hellblauer Overall mit der pelzgefütterten Kapuze und oben schaut ein ohrfeigenroter Pulli heraus! Wir könnten versucht werden zu vergessen, daß nichts an uns zusammenpaßt, nicht unsere Oberteile zu unsren Unterteilen, nicht unsre Köpfe zu unsren Füßen, als gehörten wir, jeder für sich, zu unterschiedlichen Menschen (so sind wir Frauen reiferer Jahrgänge halt gebaut. Irgendwie verlieren wir unterwegs die Form, ja, zum Verlieben sind wir dann nicht mehr!), die wiederum ihre schrecklichen Unterschiede haben, wie nur die gemarterte Unterschicht sie kennt. So hängen wir alle am Marterl, aber in unserer besten Ausstattung. Einmalig schaut das aus!

In Gruppen stehen sie, rauschen, rauchen und trinken sich leer, diese Untertanen des Sports. Denn wenig haben sie voneinander anzugeben, wie sie da lächelnd in der Talstation vor Anker gehen. Das meiste, das sie erleben, ist: Essen um zu leben! Sie sprechen darüber. Mit ihren Zündfunken erleuchten sie sich und das Land heller als die, die es bebauen müssen. Ja, der Fremdenverkehr, der bringt uns mehr! Jetzt suchen sie gleich ihre Sachen und Stückln wieder zusammen, während schwer die Zweige unter dem Schnee hängen und ein kühnes Licht, kaum gefühlt auf der Nylonbekleidung, sich Bahn bricht in den schönen Schnee hinein, der ruhig auf dem, was einmal Wiese war und Wasser getrunken hat, liegt. Jetzt kann das Wasser bald nimmer in den Boden hinein, wir haben ihn flach gebrettelt und lackiert mit unsren Laufflächen. Sie argwöhnen jeder von sich, der beste Fahrer im Feld zu sein, so hat auch ihr Dasein sein gutes Ende gefunden. Im Winter, wo das Land schlafen sollte, da wird es erst richtig aufgeweckt. Es lärmt aus den Gesichtern. In Sekunden durchqueren die Leute Strecken, die ihnen angemessen worden sind, strecken sich nach Landstrichen aus, wo sie keine Decke über sich und keinen Grund mehr unter sich spüren. Schuldlose Kinder fallen hin. Lassen wir uns nicht noch einmal in unsere Originalschachtel stecken und die Beine unnötig breit machen, wir haben inzwischen einen einwandfreien Parallelschwung erlernt! Wir können Weltmeister in den Sack stecken, und das gilt auch für unsre Fahrzeuge in ihrer Klasse, wo unser Aushub mit unserer Größe wetteifert. So ein Tag. Die jungen Leute entblößen ihre Köpfe. Schnee fällt auf sie, doch sie müssen sich nicht fürchten, der bleibt an ihnen nicht hängen. Vor unsren Seelen zittert der österr. Verband nicht, er umschlingt fest unsre in ihrem Stolz verletzten Glieder und zieht uns kopfüber hinunter. Er legt um unsre Schenkel noch mehr Verbände, und nächstes Jahr kommen wir wieder und weiter! Hoffentlich werden wir dann nicht wegen Schneemangels wie die Insekten herumgescheucht!

Sand in der Welt Uhr, so rieseln wir zu Tal. Scharf schneiden unsre Kanten, die man oft versucht hat uns abzuschleifen, in den Firn, in den Schnee, wo sich die Zeichen vereinigen: jeder gegen jeden, auf diesem weißen Feiergewand, auf das wir uns selbst als Dreck schütten. Das meiste davon gehört den österr. Bundesforsten, der Rest, ein Nektar von Abertausenden Hektarn, gehört den Adeligen und sonstigen Hausbesetzern, die als Sägemühlenbesitzer mit der Papierfabrik in ständigem, dauerhaftem, mit Blut unterfertigtem Kontrakt stehen. Sessel, auf denen Gesagtes seinen Sinn erhält! Wunderbar. Wir wollen alle den Wandel, er bringt nur Gutes, und vor allem die Schimode wandelt sich jedes Jahr zum Besseren. Eilig empfängt die Erde die Sportlerinnen und Sportler, kein Vater nimmt sie in seinen Armen auf, wenn sie müd sind, aber da ist noch diese Frau Direktor von der Papierfabrik: Kommen Sie etwas näher, wenn Sie sich auf Ihren Untersetzern schnell genug bewegen können, da wird gleich ein wenig Licht aus ihrem Mund kommen!

Michael lacht, und die Sonne hält sich an ihm fest. Die Landschaft hat sich in Jahrzehnten so gewandelt, daß sie nur noch solche aufnehmen möchte, die ihr bekömmlich sind. Die Bauern sind keine mehr und sitzen zu Hause vor dem Fernsehgerät. Lange waren sie unfreundliche Retter fürs Land und haben den Agrargenossenschaften freche Antworten gegeben, das ist jetzt vorbei, ja, der Wandel, der ist unser neues Gewand, das die Nachbarn und Nachtbars bis an ihre Fassungsgrenzen erschüttert. In unserer bunten Kleidung sind wir genießbar geworden, wenn wir in den Wäldern mit gebrochenen Gliedern herumliegen auf den Brettern, die ursprünglich dem nagenden Wild gehörten und heute in nagendem Schmerz die Welt bedeuten. Doch nun: wild wollen wir selber sein! Laut schreien, daß man uns von fern lauscht und erschrickt: Lawinen, in denen wir uns aufbewahren, wenn wir einmal ausgelassen sein wollen. Aus uns heraustreten und auf dem Schoß von Felsklippen sitzen! Und der Berg schmeißt mit Steinschlägen auf Leute, die unvorsichtig gewesen sind. Von solchen ernährt das Land sich jetzt und freut sich daran, und auch die Lokale werden fleißig mit dem von uns verwendeten Geschmack frequentiert.

Die Frau glaubt – und darin irrt sie wie wir durch unsre dürren Wälder –, daß sie am Vortag ein schrecklich glosendes Netz auf diesen jungen Mann geworfen hat. Ihr furchtbares Bild hat sie über ihn gestülpt, und jetzt hat er es in einer Brustfalte (einem recht kurzen Abnäher) stecken und schaut sich's dauernd an. Er soll sich nicht länger vor ihr verborgen halten können. Seiner still zu gedenken, genügt ihr nicht, unaufhörlich tönt es dumpf vor

Gier in ihr. Und der Hang wirft den Jodler sofort wieder zurück, weil er ihn nicht gebrauchen kann. Er hat seine eigene Raumton-Anlage, denn von allen Seiten schreien die Leute wie am Spieß, als schnitten sie direkt in den Sturm hinein mit ihren scharfen schmalen Flanken. Nicht mehr von der Nacht alleine gehalten, in der man nichts sieht, will die Frau vor Michaels Blicken aufleuchten. Hier in seiner echten, ursprünglichen Gestalt aufzutreten, da hält einen nur der äußerste Mut noch im Zaumzeug fest, in das man geschnallt wurde von den Kufen und abfälligen Blicken der Abfahrer. Die Stöckel ihrer unpraktischen Schuhe bohren sich der Frau in den Schnee vom Zielhang. Ja, merkt sie nicht, wie sie, vom Gefühl angehoben, beinahe schon bergauf kraxelt? Wohin und wie weit ihr Geschick, ich meine ihre Geschicklichkeit, auf diesen ungeeigneten Gehhilfen sie noch führen wird? Schon ist sie ganz naß, die Stöckel der Schuhe reißen Lücken auf, die schwer zu schließen sein werden. Wir Damen müssen uns mit harter Hand auf die Weide säen, auf das Parkett der Lokale, wo wir uns unter Geiern und Geisterfahrern, die die Richtung unsres Geschmacks gar nicht schätzen, zu bewähren haben. Doch auch beim Sport wollen wir mehr als Gelächter ernten! Für jeden Ort müssen wir uns erst gültig machen (entwerten den Fahrschein, ja, so ist's gut!), für jede Gelegenheit müssen wir passend aufgemacht sein, damit man uns knallend wieder zuschmeißen kann. Das Schöpferische erschöpft sich rasch, und wir erfahren, was wir erfahren müssen, nämlich ob wir hineinpassen in die Furche im Acker, in die es uns gestreut hat.

Keine Hand holt diese von sich eingenommene und betrunkene Frau an ihren neuen Locken aus den Schneegruben heraus, die sie sich selbst gegraben hat. Gnädige Frau, wir trauern um unsre Freunde, die bereits nach Haus fahren mußten! Aber wir sind ja noch da, die Abonnements, mit denen wir über die Berge kommen wollen, hängen an unsrer warmen Brust. Wir wollen Sie nicht beleidigen, aber Ihre sichere Hütte haben Sie an unsicherstem Ort aufgestellt, das ist so, als hätten Sie überhaupt kein Heim. Von der Sonne werden diese jungen Leute beschissen, weil sie zu früh untergehen wird. Aber auch in der Dunkelheit werden sich sofort wieder Paare bilden. Unser Recht ist, daß wir über die Berge kommen dürfen. Wie wir uns dort aufführen, regelt kein Gesetz außer dem der Schwerkraft. Staunend weichen wir einander aus, doch manchmal in die falsche Richtung, in die man nicht speiben oder brunzen sollte, sonst kriegt man nur sich selbst wieder zurück.

Und die andren, nehmen Sie nur den beliebigen Angestellten einmal aus seinem Schließfach heraus! Es erhebt sich am Schihang der Knecht, jene Kreatur des Gehorsams, ein Wesen ohne Sinn, aber immerhin zu einer eigenen Wählerstimme ausgestaltet, und der glaubt, über diese Frau lachend hinwegsehen zu dürfen. Mit nichts als seiner Stimme der Jugend, die gegen ihre Verschalung tritt, darf er jederzeit über sie spotten. Im Büro müssen die jungen Herren achtsam mit sich und ihrem Chef umgehen, doch hier verschwinden sie mitsamt ihrem Sehnen und ihren Knochen in der Natur, als wären sie großzügig genug, sich zu verschenken. Durch Goldmedaillen unsterblich werden! Und wer beim Slalom zwischen die

Stangen fällt, wie er im Leben zwischen allen stürmischen Stühlen hindurchfällt, der kann aber erleben, daß man nicht um ihn trauert!

Unter dem Eis des Baches hängen ganze Forellenbuschen, im Winter sind sie schlecht zu sehen. Die Freunde Michaels sitzen beisammen, heißen sich willkommen und schauen unter ihren Sonnenbrillen hervor. Spritzend schwingt Michael im Zielhang ab. Alles wird gut, denn auch sehr gut aussehende Mädchen sind eingetroffen, um einzukehren und wiederzukehren. Interesselos stehen sie uns gegenüber, die wir nicht aufblühen wie der unzugängliche Schnee dort drüben in der Wand. Sie wohnen noch zu nah am Ursprung, von wo sie hergekommen sind. Mit neuen Sachen haben wir alle unsre Freude, doch nur sie sehen gut aus darin. Sie sind wie sie sind. Entrückt den Weiden, auf denen wir fetten Kühe grasen, die wir uns unsrer eigenen Oberschenkel schämen. Uns ist unser Anfang abhanden gekommen, geheimnisvoll im Glanz liegt er jenseits unsrer Erinnerung verborgen und wiederholt sich nicht. Ja, nicht nur in der sozialen Lage, da liegen wir fest.

Doch weiden wir uns lieber am Aufschneiden und Ausnehmen (an den Ausnahmen) von Menschen: Die Frau wirft sich aus ihrem christl. sozialen Umfeld heraus dem Studenten zu. Ihm hängen derzeit noch die Schistöcke wie Nachgeburtssäcke an den Handgelenken. Was in der Nacht noch mit einer reichlichen Ejakulation belohnt worden ist, das glaubt jetzt, menschenähnlich, an den Tag treten zu dürfen. Daß die Luft so um uns saust, das sind wir nicht gewohnt, wir wohnen in einer

Zweieinhalbzimmerwohnung! Auf diesen beschwer-
lichen Steigen kommen wir nie zu den Spitzen, von wo die
Bäche herabfallen und der Schilauf erst richtig Spitze ist!
Sie und ich, wir finden uns nur wieder in den Jausenstatio-
nen, wo außer uns schon Unzählige warten. Keine Heimat, in der es Abend wird. Zeit, in der viele zu meiden,
wenige aber aufzusuchen sind, damit wir wie Wetter gegenseitig als Gegner uns schwer auf den Schultern lasten
können.

Schwerfällig wirft sich die Frau des Direktors in ihrem
Mantel aus Nerz und Alkohol gegen die Brust ihres derzeitigen Herrchens. Mit dem will sie die Welt verlassen,
die Kerne ausspucken und eine eigene Sonntagsbeilage
gleich daneben aufmachen. Sie will noch einmal neu anfangen, leicht vom windigen Michael umgeben. Dabei
wollen wir doch die Dinge nehmen wie sie sind: Dieser
Michael kann die Frau nicht geboren sein lassen, im Gegenteil, was stört, ist die Zeit, die seit ihrer Geburt schon
vergangen ist! Besonders hier, wo es hell ist und die
Zäume der Sportler in der Kälte knirschen. Doch das
Licht der Liebe – von Anfang an geht es neben uns her,
aber sogar unser Zigarettenanzünder leuchtet heller – ist
auf sie gefallen, hat sie als ein im Fallen schon aufplatz-
zendes Sackerl Abfall auf den Boden geworfen. Und die
Eingeborenen lachen. Fern donnern die Laster, hören
Sie? Gehen Sie ihnen ein wenig zur Seite!

Kaum bedürfen diese Menschen der Gesetze, werden sie
doch von ihren Gefühlen gemaßregelt. Die Frau wird
von dauerndem Gebrauch nicht besser, aber wenn sie
selbst sich vergreifen will an einem jungen Mann, der in

ihrem Ort wohnt: also nein! Da strecken die geschickten Söhne des Schicksals die Hände nach vorn und halten sich vollkommen bedeckt. Die Frau errötet knallig, ihr Gesicht glänzt, und es gibt sie nicht. Sie entsteht nicht im Sucher dieses jungen Mannes. In seinen Augen ist sie nicht schön. Wie der Tag wächst die Jugend an sich, treibt es miteinander und fällt, an ihren Schiern hängend, in den Unfrieden und die Umfriedung des Dorfes. Egal was kommt, alles Gegenwärtige ist ihr gleich lieb. Sie führt sich aus. Ihr gehört alles, uns nicht einmal der Platz, wo wir sitzen in den Raststätten und vom Kellner, der uns zu behüten sich weigert, übersehen werden. Gerti klammert sich an Michael, rutscht aber an seiner geplagten Plastikkleidung ab. Wohlgeführt von seiner Altersklasse, ist er ein Stück von der Frau fortgerissen worden. Er ist leicht, er ist gern dort. Menschen wie er werden als Geschenk, als Treuegabe vom Fremdenverkehr an die Prospekte weitergegeben. Wo er sich auch aufhalten mag in den Lokalen, still atmen Lüftungen und Kühlungen über seinem Kopf. Wir aber, wir Figuren, lassen uns so schwer bewegen, wie Blei hängen wir an unsren Kathetern, durch die unser warmes armes Wasser abläuft. Unfreundlich sind schon die Straßen. Wir Bergewanderer, auf Flaschen gezogen, zu Flaschen erzogen, Proviant der Natur, in der wir Schinken und Käse äsen. Ja, die Natur, damit die auch einmal eine Freude hat, wenn einmal wir uns vergiften. Man stirbt ansonsten doch eher an ihren schroffen Straßen und ihren kalten Produkten.

Michael hat sich schon ein halbes Stück entfernt. Das Licht scheint auch den Toten, aber besonders hängt es an ihm. Unsre himmlischen Olympialäufer, jetzt haben sie schon zwei Medaillen nach Hause gebracht, die ihnen um die Hälse hängen, während wir die Kehrseiten betrachten: die Luster des Ruhms, die sich im Fernsehen von der Decke nach uns ausstrecken, ohne uns je zu erreichen. So oberflächlich Michael auch ist, von nichts berührt, nichts gespürt, hier jubelt er doch ehrlich mit unsren Burschen und Mädchen. Die Frau torkelt in den Tiefschnee neben der Absperrung und setzt sich hin. Dieses feste Seil, an dem Strohballen kleben, dient dazu, die Frau mitsamt den übrigen, die nicht und nicht ausgelassen sein wollen aus ihren Koben, von dem sportlichen Volk, das auf den Brettern lebt, die seinen Sarg bedeuten (und Schifahrern auf den Heldenplätzen zujubelt: Karli Schranz! Karli Schranz, der gehört uns ganz), getrennt zu halten. Der Körper der Frau spannt sich zu einer Architektur der Sehnsucht, um die Strecke zwischen sich und der verschwundenen Jugend zu verkürzen. Vielleicht können wir zumindest mit unsren Freunden Schlitten fahren! Aber nein, Michaels Gruppe ist bereits fertiggestellt. Sie sind einander stets vor Augen und bleiben manchmal auch gern daheim, um in den einschlägigen Journalen zu leben und einander in ihren Bildern hochleben zu lassen. Diese jungen Männer, in denen die Frau schlafend gern aufgehoben wäre: statt zu spielen, hoffen sie, bald in die Chefetagen hochgespült zu werden. In den Tiefen des Waldes wandern sie heut noch lustig in Haut und Haar und lustwandeln die Jäger.

Die Frau erhebt sich, torkelt herum und setzt sich wieder hin, sie ist einfach unbewirtbar. Diese Frau hat sich ihr eigenes Wirtshaus in einer kleinen Flasche mitgebracht. Sie trinkt. Michael ruft lachend nach ihr, und da streckt auch schon ein anderer kleiner Halbgott aus seinem eigenen Kelch (einer Bierdose), der schon oft seine Feinde durch seine bloße Anwesenheit verunstaltet hat, seinen Arm aus und zieht lachend an Gerti, um sie aus dem Tiefschnee zu holen. Er reißt an ihren Ärmeln. Bald geht es ihm zu langsam. Er schupft sie einfach aus dem Tiefen ins Seichte, wo er selbst nicht sein möchte und wo man die Kinder getrost alleinlassen kann, geröstet werden sie eine Stunde später aus der Sonne zurückkommen. Unter den Wolken verstummen die Tiere, das bedeutet nichts Gutes. Zum Schlachten müssen sie immer umziehen, damit ihr Blut spritzen kann. Beinahe ohne zu denken, starrt die Frau mit ihrem frisch vergoldeten Kopf ins Licht. Jetzt fällt sie wieder um und wird weitergeschleppt. Die ersten greifen ihr unter den Mantel. So manches Kind zieht so lange an seinem Geschlecht, bis es erfreut etwas über sich herausgebracht hat. Die Frau breitet ihr neu geformtes Haar im Schnee aus. Der Nerzmantel schwappt über Gerti. Vor den einfachen Häusern der Region fallen Kinder mit schweren Kübeln hin. Sie haben dort nahe am Wasser gebaut, der Grund dafür war feucht und billig. (Ähnlich unsren Träumen vom andern Geschlecht!) Das Gewicht des Gipfelkreuzes tragen sie in ihren Rucksäcken täglich hinauf, damit Gott weiß, wofür er das alles auf sich genommen hat.

Ein wenig von der Frau und ihrer Gruppe entfernt straucheln Anfänger, man fragt sich, warum sie nicht stumm wie Schiffe untergehn, aber nein, sie schrein! Und weshalb? Weil sie sich nach Beförderung sehnen, die sie sich aber anders vorgestellt haben. Wer Sie auch sein mögen, und weil Ihnen die öffentl. Verkehrsmittel dafür zu schäbig sind! Sie transportieren sich ins Ungewisse und haben dazu noch ihre Pickeln, ihre Steigeisen und Thermosflaschen zu schleppen! Doch sie scheinen dies alles der Welt, von deren Mutwillen sie sonst umhergeweht werden, vorzuziehen. Lächelnd laden sie einander ein, dafür reicht ihr Atem. Diese Jungen, sie usurpieren die Welt und verbrauchen deren Produkte, in denen sie leben und von denen wiederum sie verbraucht werden. Zuerst kommen die Lungen an die Reihe. Geschäftig leben, lernen und lehnen sie herum. Ohne daß ein Leid sie je bedeckt hätte, diese Neulinge, können sie schlafen, und beim Erwachen schauen sie an sich hinunter: da verkehren ja schon ein, zwei Parteien! Hallo! Sie mußten nicht lang nach guten Partnern und guten Partien suchen, es wird vielmehr nach ihnen gesucht durch die Lautsprecher der Flughäfen und im Werbefernsehn. Diese Muntermacher. Nehmen wir eine beliebige Sehenswürdigkeit und erkennen wir: diese Leute sind es viel eher wert, gesehen zu werden. Sie sind wie das Gift, das im Mohn schläft, d. h. einen Millimeter außerhalb der Gesetze blühen sie erst richtig auf. Immer wartet lächelnd einer und geht plötzlich weg, wenn wir an ihn und um ihn herum streifen, immer knallt irgendwo eine Autotür, immer werden Tankstellen befahren, wo man die Sprache ihrer Dichtungen versteht. Ihr Leben ist ganz geschwollen von dem Aufenthalt zwischen zwei Linienflügen (einmal richtig aus sich herausgehen können, wie wir uns ebenfalls wünschten!). Was für ein Einfall, aber sie haben ja recht. Die Jugend. So angehäuft ist sie in sich! Ich gehöre leider nicht mehr dazu. Und noch etwas: bei all ihren Geschäften lächeln sie, selbst im Schatten des Waldes, wo sie auch ihr Geschäft verrichten. Leer wie Gesang ruhen sie in der Luft, nicht einmal vom Astwerk gebremst. So können sie direkt auf den Boden fallen und die traurige Stelle erhellen, wo andre von mühsamerem Wuchs eine Forststraße herausgesprengt haben, nur um selber ein bißchen wandern und turnen zu können. Sie lachen, das scheint ihnen oft das Beste zu sein, sorglos lenken sie die Töne aus ihren Walkmans in sich hinein, werden ganz unstet davon, weil sie der Musik, die in sie rinnt, nicht entkommen können. Von mir aus, wenn es ihnen nur gefällt! Und diese Frau muß sich ausgerechnet an ein Arschloch wie Michael hängen, der sich selbst, aber natürlich nicht seine Ziele, längst aus den Augen verloren hat. Nie, vielleicht aus Faulheit, ist ihm eine Frau nach seinem Wunsch ausgefallen, nein, er wünscht sich ein menschlicheres Häusel, vielleicht einen Loft, wo er sich endlich auf dem Boden wird aufstellen können, um seine Begierden nach Rassemöbeln und Klassemädeln zu stillen. Selbstverständlich bildet sich hier, in die Fichtenwurzeln verstrickt, ein mittlerer Wirbel um Gerti, ein Apfelstrudel (ein Auflauf) neben diesem kleinen Bach, wo Arbeiter, Angestellte und freie Betriebsausflügler im Schnee ganz neu sich zusammensetzen dürfen, nachdem man sie gejagt und ihnen notfalls Nägel durch die Oberschenkelknochen gejagt hat. Warum sonst sollten sie nachher behaupten können, sie seien wie neu geboren nach einem Tag Sport und mehreren Tagen harter Arbeit?

Ja, wir machen alle große Schritte nach vorn oder wir fahren gleich, wenn man uns läßt. Aber daß diese Frau ihre Augen ausgerechnet auf Michael geworfen hat, unter dem sie aufzublühen meint, und mit dem sie wenigstens ein paarmal ausgehen möchte. Mit dem sie aber auch liebend gern daheimbliebe. Ihr Mann vertraut sich ganz seinem Geschäft an. Dieser Mann, der könnte Michael, dessen Freunde und das halbe Bruttosozialprodukt des Landstrichs samt dem Braten, den er heute zu Mittag ißt, ohne weiteres in den Sack stecken, wenn dieser nicht bereits voll wäre. Die Sehnen der Schifahrer werden auch bald gestillt werden, nur Geduld, die Schifahrer betreten dann das Wirtshaus.

In einer jauchzenden Traube werfen sich die jungen Sportler, juchu, über die betrunkene Gerti. Aus ihrem eigenen Tank haben inzwischen auch sie ihre kräftigen Schlucke genommen. Es birgt das Gebirge sie und bewahrt sie vor der Sichtweise ihrer Mitmenschen. Diese riesige Fichte steht auch noch davor. Es ist an ihnen nicht gespart worden. Zum Beweis zeigen sie ihre Solo-Spargel vor, die sie aus der Schibekleidung gezogen haben, nicht schlecht, wenn man sie vergleicht mit den blassen Trieben der übrigen Menschen, die beieinander hocken, kakken und der Erde nicht wohl tun. Sie lachen aus ihren Hälsen. Sie schwenken mit ihren Schistöcken herum. So zahlreich sind sie, ein Faktotum der Sportartikelwirtschaft (ein Wirtschaftsfaktor), sie erleben das Höchste: unterhalten wollen sie sich, während sie vergehen und die Zeit vergeht. Während sie vom Bergstadion ins Ziel fliegen. Mit ihren Gewichten lasten sie aufeinander, ihre Gesichter sind einander zugekehrt, einen großen Schwanz haben sie auch, über dem sie atmen. Wenn wir alle so wie sie zusammenhielten, die Kellner in den Lokalen und die Wächter an den Toren der Discos könnten uns niemals trennen! Die wissen, in welchem Haufen sie das Glück schützend vor unsrem Zugriff zu verbergen haben. Bis hierher hat uns unser Reichtum getragen. So weit erscheinen wir in der Natur, die von außen zu uns kommt. Wir aber, keines Geistes Kinder, wir werden nach unsren Zierden geordnet und müssen draußenbleiben. Und der Boden nagt an unsren untoten Füßen, die immer weitergehen müssen.

13.

Das eilende Leben verkörpern sie, auch die Mädel, nicht umsonst sind sie Freunde, die einander verleumden werden, wenn sie nach ihrer Promotion als Konkurrenten in die Ämter springen. Während reihum das elende Leben, die schmächtigen Kinder mit ihren kaputten Zähnen, Wirbelsäulen und Wirbeltieren, die sie fürs Umbringen erziehen, auf diese Abfahrer blinzeln und selbst vom Olympiagold nur träumen können. Österreich, du Exportfaktor, dich selbst solltest' exportieren, gleich als ein Ganzes in den Sport! Wir lesen in der Krone, wenn wir arme Gestalten auch einmal passieren dürfen. Trauern Sie nicht, trauen Sie sich endlich was! Dieses Dorf streckt sich nicht auf seiner Wiese aus, nur damit Sie in den Haufen hineintreten.

Michael lacht am lautesten, er hat sich ja auch am meisten vorgenommen. Diese Frau, die am Abhang ihrer Tage steht, wird er sich vielleicht ein zweites Mal vornehmen, vielleicht auch nicht. Er holt, vor Neugier wie ein Kind schreiend, seine Hängerute heraus. Ist ihm das jetzt nur so herausgerutscht? Die Mädchen, die so oberflächlich vorkommen in den Zeitschriften, von denen sie zu Bildern gemacht werden, sie bilden aus ihrer Stirn einen Schirm vor dem Paar, das da ins Blaue hereingeschneit ist. Sie lachen und trinken und werden unentwirrbar. Da steckt auch eine Zweiliterflasche im Schnee und ein Cognac. Egal, was sie tun, an den Bergen hängen sie und bleiben untereinander stehn, bis die Lawine sie trifft. Ihnen werden nicht die eigenen Felle davonschwimmen. In ihren Geschlechtern gärt es noch nicht, man kann sie gleich kuhwarm trinken. Es ist egal. Gerti und Michael rutschen unter dem Gekreisch ihrer inneren Stimmen in das Gehölz der Fichtenschonung. Dann wird es stiller. Sie gestalten eine Insel in dem Hain, da haben wir's. Michael zeigt, wie wenig erigiert sein Glied noch ist, und Gertis Scheide ist unter der Seide überdeutlich ausgeprägt, als hoffte sie, in diesem löchrigen Boot noch irgendwohin zu kommen. Sakra, dort drüben auf dem Hang lärmen die Leut, als wären sie alle zu einem einzigen lauten Schrei geworden. Wir können hier ja gar nichts hören von den dummen Mätzchen der Klitoris, die Gerti sich so gern ausreiben ließe. Diese Meute, wahrscheinlich hat Mutter Natur sie gerade aus ihren Plastikhäuten geschält, die Würsteln! Das allgemein gültige Organ wird Gerti gezeigt, man zerrt ihr die Hände von Gesicht und Geschlecht fort. Beides zum Platzen mit zornigen Gesängen gefüllt, wie ich sehe. Die Buben halten ihr die lebendigen Hände oben über dem Kopf zusammen. Niemand könnte in dieser Stellung seiner Familie über den Bildschirm hinweg zuwinken. Die Frau streckt sich nach Michael aus. Ihr Gesicht wird langsam faltig, wie den Umstehenden mitgeteilt wird. Doch es spricht von Liebe. Von manchen Liedern ist das das höchste, mit dem wir uns feiern lassen und verteuern wollen. Das Seidenkleid wird bis zur Taille hinaufgeschoben und das Hoserl, mit dem sie zufrieden war, hinunter. Und jetzt kitzeln wir die Dunkelheit, bis sie krachend über uns zusammenbricht. Dafür sind uns Freunde ins Haus geschickt worden, daß sie immer als erstes die Schamlippen auseinanderzerren müssen, die die Frau mit sich führt: in die Tiefe greifen, daß es lebendig werde, das

Ameisenhäuferl. Da wimmelt's wie in den Bahnhofslatrinen des Nachts, wenn der Wein weht, daß jeder sich dort ablagern kann, sein Wasser abschlagen, nur weil er grade wieder voll ist. Jetzt werden also diese Fußlappen, diese Abtreter, die alle vier unser sind, auseinandergezogen, bis Gerti aufheult. Es wird ihr dann gewährt, daß man sie wieder zusammenfaltet wie einen Prospekt, so achtlos, aber einen Finger wollen wir doch noch hineinstecken und dran riechen, bevor der Wanderer ganz im Abfluß verschwindet. Es war uns nicht bewußt, wie weit die Schatten schon hineinreichen in dieses Lebewesen, und zwar durch diesen Schlauch, der hier noch zu entdecken wäre, ja hier, hinter dem Türl der Scham, an deren Haaren gezerrt, gezetert und gezupft wird. Pop Musik erfüllt Hörerwünsche, die Beine Gertis sind so weit es geht auseinandergespreizt, und der Walkman wird ihr ans Ohr gepreßt. So muß sie liegen bleiben und wird achtlos an der Fut gezupft, die ist saftig, und Gertis Mann pflegt mit schnellen Schritten in ihr aus- und einzukehren. Von weither kommt er, wir hören es laut. Es ist unglaublich, was man mit den dehnbaren Schamlippen alles anfangen kann, um sie, als wär's ihr Schicksal, in der Form zu verzerren. Man kann sie z. B. zusammendrehen wie eine spitzige Tüte, und vom Oberland biegt sich das Gebirge aus Gertis Kleid. Das tut doch weh, denkt keiner daran? Und jetzt noch ein bisserl lachen und zwikken und ausklopfen, so ist's recht. Diese Kinder gehen in der Welt herum, gern, und erzählen von ihren Taten. Ob ein Friseur hier dauerhaft zu schmücken vermochte, ist schon nicht mehr festzustellen. Hinter diesen Bergen ist Gerti zusammengesunken, verspottet wie ihr ganzes Geschlecht, das den Strom der Haushaltswaren einschalten, aber seinen eigenen Körper nicht verwalten darf. Wie Gras unter dem Schnitt in Demut versinkt. Dieses Fleisch zerteilt sich wie im Spiel, es geht zur Ruhe und erntet im Schlafen noch mehr: das betrifft vor allem die jungen Mädchen, im Lachen zerreißen ihnen die eigenen Zähne die Gesichter. Ihre Haare müssen noch nicht eigens zubereitet, können (roh wie sie sind) genossen werden. Sie lieben irgendwen. So wie der Adler seine Jungen ausbrütet, droben, fast im Nichts schon, aber die Eier hat er doch so hoch hinaufschleppen müssen. Und es haßt das Alte die Kinder, und eine Hose wird ein Stück hinuntergezogen.

Na, gehn wir nicht so weit, daß wir, selber Knechte, mit Gewalt das unsre nehmen von der Gerti. Wo der Wind und diese ganze Liebesbande ohnedies einen über Gebühr aufgeblähten Mantel aus ihr gemacht haben. Es wird herumgetorkelt ohne Maß und Ziel, es ist nicht viel dran. Ich weiß nicht, aber muß das jetzt sein, daß Michael auch noch zeigt: seine Mutter und vor allem sein Vater haben an ihm nicht gespart, was sein Glied betrifft. Damit schreitet er herum, aber es erhebt sich nicht recht, sein frisch ausgepreßtes Geschlecht, in dem die Eiswürfel schwimmen. Er schwenkt's vor der Frau. Haben Sie eben den Donner gehört? Na also, warum treten Sie dann nicht zurück und lassen mich auch einmal im Video zornig ihre Geschlechter aufplusternde Menschen anschauen? Dort auf die Reservebank gehören Sie hin, dort sieht niemand Ihre stockerlartigen Arschbacken und Ihre müden Hundezitzen, während Sie umständlich in die Glut blasen. Schämen und schäumen Sie sich mit Cremes ein, um die Unterschiede zwischen Ihnen und der gütigen menschl. Klasse (Güteklasse A) zu verwischen.

Tragen Sie Ihr Unglück zum Herrn einen Stock höher über Ihnen, aber wecken Sie die Gestorbenen nicht auf! Außer einem behenden Strahl kommt nichts aus Michaels Stachel, die Menschen sind von ihm übers Feld hinweg angezogen worden. Das Gebirg hängt überm See, es rudern die Hände allein. Diese Mädchen stehn und schauen, die Stimme hört auf, aus ihren Ritzen zu quellen, sie greifen sich an die Locken, an ihr schlaues Geschlecht, das selber locken kann, bereit sind sie, es um jeden zu schlingen, der da kommt, und den sie, ebenfalls an seiner Frisur, seiner Bekleidung und seinem Fahrwerk zu unterscheiden gelernt haben.

Michael, der wirbt mit seiner ganzen kleinen Seite für den krachmachenden Fachhandel. Im Fernsehn brennen die Sinne in kleinen Haufen. Sie sind als Speise gedacht für unsre Jugend, die sich im Schnee, im Wasser aufhält, kaum daß sie einmal Atem holen gehn muß. Ja, dieser junge Mann ist schon ein sauberes Früchterl. Die arme Gerti. Die so zornig geprüft wird in der Schule des Lebens. Stumm schauen sie eins den andern an und gedenken einander als Speise. Es stehen die Berge doch still, warum sie unbedingt durch das Auto auseinanderrücken? Froh zu sein, bedarf es wenig, ein wenig dicht – wie unsre Dichter – am Ufer zu spielen und sich eingekauft zu haben in den goldigen Netzen des Sportfachhandels, das reicht Ihnen nicht?

Und diese Mädchen, ein Wort noch, sie sind soeben in sich eingetroffen, pralle Buschen Schamhaar wachsen, Almrausch, an ihren sanften Hängen, gesund weht es von ihnen, den angenehm in sich Wohnenden und durch die Fenster der Magazine Angeblickten, her. Sie beugen sich jetzt über die Frau, sie sind ja auch schon besoffen! Auf einmal werden sie weggehn. Woher sind sie denn geschickt worden und was für Gespräche führen sie mit ihren himmlischen kleinen Tagebüchern? Wo wollen wir bleiben, etwa in den Locken in ihrem Schoß? So sehen die Berge uns an, wo sich die Bäume kräuseln. Heute gehen diese Leute noch zu einer Geburtstagsfeier und schauen sich dort die andren kleinen festen Gäste an. Wie Kinder hängen sie, dahergeweht, dauergewellt, in den Gurten unsrer neidischen Blicke, meine andren Damen, an denen es schon schütter wird und die Sie sich durch Fernsehserien erschüttern lassen. Das Wasser in uns können wir nicht aufhalten, wenn es kochen und aus unsrem Häuschen schießen will. Seien wir ehrlich, wir gönnen ihnen nicht ihre vielfältigen Gesichter, während das Alter uns ähnlicher macht mit uns selbst, die wir mit allen teuren Wassern gewaschen sind. Ruhen jetzt halt auch Sie inmitten Ihrer schmal gewordenen Ufer! Jedem das Seine, meine lieben Kleinen! Das sind aber noch nicht die Grenzen unsrer Firma, nur Empfehlungen, an die sich unser Preis gefälligst halten sollte.

Michael hat ihn nämlich herauf, zutage gebracht, seinen Schwanz, zum Zeichen, daß er sich nicht aufhalten lassen kann. Erst muß er sich wieder aufladen lassen. Er setzt sich lachend der Frau auf die Brust und hält ihre Arme über dem Kopf zusammen. Er läßt seine Nudel in ihren Mund hängen, damit sie an dieser Nahrung Dienst tue. Gerti kann alles sehr gut erkennen, und in ihren noch halb heruntergestürzten Hosen passiert was. Einen zischenden Strahl läßt sie unter sich gleiten, sie hat wieder einmal zuviel getrunken. Lachend entreißen ihr die Mädchen ihren nassen Schlüpfer, den sie ihr die Beine hinuntergestreift haben. Ganz ungebunden sind jetzt Gertis Füße. Alle schlucken etwas aus der Taschenflasche, aber Michaels Schwanz ist immer noch ein rechter Flachmann, alles was recht ist. Sie tunken Gerti das Haupt, dieses kleine Häusel, das an die Villa ihrer Empfindungen recht windschief angebaut ist, ins nicht mehr nüchterne Wasser. An ihrer lieben Fut und an ihrem lieben After wird lachend gefinkelt und gefingert, oh, würde sie doch möglichst bald wieder vom Schlaf aufgefunden! Wo wollen wir sein, wo wollen wir bleiben? Wie bei einem Frosch klappen der Frau die Beine links und rechts zusammen. Sie strampelt gar zu wild. Richtig weh getan wird ihr aber nicht, wofür wäre diese nirgends und für nichts haftende Gesellschaft sonst gegründet worden? Michael stochert mit einem Zweigerl ein wenig in ihrem etwas kahlen Hügel herum, ewig spielen die kleinen Buben, um sich zu besänftigen. Halt, noch etwas, er schüttet ihr den letzten Rest aus der Flasche in die Muschi und gibt ihr gar eine Ohrfeige, die aber nicht zu fest ausgefallen ist. Au, wir verbrennen.

Es schneit jetzt so herzlich, wie wir es uns vom Winter erwarten. Die letzte Flasche ist weggeworfen worden. Von Gerti will niemand im Ernst einen Schluck nehmen, obwohl sie sich verschenken würde, bis das Grün sich wieder zeigt. Ihre Möse wird nur auseinandergefaltet und, diese Broschüre kennen wir schon, lachend wieder zusammengeklappt. Die Lapperln klatschen in den geübten Händen. So wichtig ist das Ganze wiederum nicht. Weiter drüben, von wo wir die Gerti abgeschleppt haben, jauchzen die Schifahrer immer noch in ihren kleinen Seen aus Bier und Jägertee. Sie strahlen und brüllen. Von der Last ihres Vergnügens ist der Waldboden auch schon ganz angesoffen. Der Rock ist Gerti wie ein Sack, in dem sie inmitten von Markenzeichen aufs Aufwärmen warten soll, über den Kopf gezogen worden. Die Strapse haben keine schädlichen Nebenwirkungen, wenn der Mann einmal tüchtig mit seinem Geschlecht schlenkern möcht. Michael wedelt ihr mit der Lage seines Organs vor dem Gesicht herum. Sie sieht es nicht, wirft unter dem Rock linkisch den Kopf einmal in die eine, dann in die andre Richtung, Michaels unerreichbarer Götterspeise, die in ihrer ewigen Form, ihrem einmaligen Format bewahrt ist, gedenkend. Ihr Gesicht, auf das still Bäume blicken, wird wieder hervorgeholt, der Mund unter Zwang geöffnet. Die Wangen werden leicht geklapst, dabei spürt man die Zähne darunter das Gesicht in seiner derzeitigen Form mühsam zusammenhalten. Das solltet ihr auch, zusammenhalten, liebe Buben und Mädel, aber ihr tut es ja ohnedies in euren knappen T Shirts! Mit euren geschickten Händen und schicken Mützen. Tun wir so, als erblickten wir, einander schauend, einen Film, der einfach einschlägt (einen einschlägigen Film). Jetzt machen sie der Gerti auch noch das Oberteil vom Kleid auf und zeigen ihre zwei Brüste, die sie aus der Seide herausspringen lassen. Jetzt haben wir aber ein Bild gewonnen, hollaro! Natur hat die beiden Fleischleibchen, schlecht dosiert, aus ihrem Vorratsbehälter dorthin geklatscht. Es wird gelacht, meine Österreicherinnen und Österreicher, und nach dem Fernsehen vermischt ihr euch dann wieder! Oft ruht unter leichten Tritten ein schöneres Schicksal, nur: wo hab ich jetzt die Tapete hingeklebt? Da hängt sie ja, an mir! So leimt man sich selbst. Gerti muß ihr Maul aufsperren und diese Erscheinung in sich einsaugen. Gut ist es übrigens auch zu rodeln, aber nie, bitte wirklich nie inmitten der Schifahrer: die können es nicht leiden, wenn sie, die letzten Aufrechten auf dieser Welt, unter einem, der auf einem einzigen wandernden Brett hockt, beleidigt und gestört werden. Ihre Mittelklasseschlitten stehen selber ganz eigen auf den Parkplätzen herum und eröffnen sich für ihre Besitzer, die etwas zu spät vom Feuer genommen und etwas braun geworden sind. Genau hier sind sie zu finden, beachten Sie die beigelegte Landkarte! Sie müssen nur fest an etwas Einschlägiges glauben und jemandem dafür die Zähne einschlagen. Und in Gerti prasselt noch immer ein hübsches Feuer, das durch die Gestalt einer Meterwurst in ihrem Mund dargestellt wird. Na, meine Herren und Helden, lassen Sie mich einmal durch den Sucher schauen, Sie haben doch selber jeder ein spannendes Glied!

Nein, Ersatzteile gibt's vorläufig keine. Das Gewitter, das von unsrem Gott, dem Geschlecht, ausgeht, läßt uns alle auf kürzestem Weg in unser Verderben rennen. Lassen wir dem Mann doch die Sinne, damit er in Ruhe über sich nachsinnen kann! Wir Frauen müssen uns halt selber besser einrichten und dann der fernhin hallenden Stille aus Ihren leblosen Geräten, meine Herren, lauschen, die noch unter der milden Spannung des Garantiescheins beben, daß ihre Frist nicht ablaufe. An uns denken die Männer zuletzt! Fremd ist Michael eingezogen, fremd zieht er ihn wieder heraus. Verächtlich tropft er mit seinem Halbsteifen noch ein wenig in Gertis Gesicht, das sich nicht rechtzeitig in Sicherheit bringen konnte. Die Freundinnen und Freunde, die Stirnen glühend vor Lächeln und Leben, sie ziehen sich ebenfalls in wärmere Gegenden zurück und zupfen ein wenig an ihren Kräften, bevor sie zu gehobenen Arbeitskräften werden. Man kann nichts machen. Drum, tritt nur aus der Bar ins Leben und sorge nicht! Das Tischlein deck dich Gertis wird wieder verpackt. Michael, der nicht einmal fürs Vorspiel angewärmt werden konnte, lacht herzlich. Als ein erfrischender Strom wollen sie jetzt alle um die Wette von den Alpen herunterrutschen. So verursachen sie Krieg in diesem hellen Licht, nur damit sie, die Tal Söhne, mit ihren Schweifen noch einmal kräftig herumpeitschen können. Reihen sich ungeduldig unter jene ein, die bald still entschlafen werden. Drängen sich auch noch vor, die arm Geborenen werden ihnen schon nicht zürnen! Kennen vom Vater die Boten genau! Damit wir uns nicht mißverstehn: vor der Liftstation, wo die Erde mit Pappbechern übergossen ist. Diese Blöden, die zu fremden Böden hergefahren sind und sich da begegnen, jetzt werden sie beiseite gestoßen, müssen bei sich selber einkehren. Sich geduldig anstellen mit all ihren schönen Langlauf Kassetten, die sie ein Leben lang gesammelt haben. Ihre Fürsten singen jetzt im Chor und viel lauter! Außerdem läuft die Jugend ganz von selber und nicht einmal schlecht.

Ich begreife, und Sie fühlen sich ganz warm an.

Keine Kinder von Traurigkeit sind sie. Helfen der Frau auf die Beine, bürsten sie ab, der Schnee knirscht lachend unter ihr. Allzu viel hat sie um dieser Söhne willen nicht leiden müssen. Jemand drückt ihr den nassen Schlüpfer, eine Ansichtskarte zum Andenken, in die Hand. Der Mantel wird ihr sogar zugeknöpft. Die Lebensmittelproduktion ihres Körpers beginnt ihr Haar schon wieder ordentlich durchzufetten. Sie hat auch bereits den Scheck unterschrieben, die neuen Kleider müssen in der Boutique nur noch geändert werden. Sie hat ihren Körper frisch überziehen wollen, und doch fühlt sie mit jedem Tag stärker die schweren Säcke, die ihre Haut zu tragen hat. Es war nicht so gemeint von den Söhnen und Töchtern, diesen goldenen Eiern in den Nestern der allg. bildenden höheren Schulen. Auch uns könnte es jeden Moment von unserem schwachen Stamm beuteln! Wie Laub fielen wir dann in die schönen Gärten der Besitzer, vom Mehltau befallen, und die Frau Direktor kann rechnen und rechnen, sie kriegt keinen anständigen Haufen zum Verbrennen zusammen. Nur die Kinder, von den Himmlischen geführt, singen im Chor, wenn sie einkehren in dieses Haus und ihre Eltern verlachen auf einem wunderbaren Teppich. Wir werden es später nicht hören. Michael ist jetzt gesprächsbereit, da es zu spät ist. Er greift krachend vorn in ihren Mantel und ins Kleid, zupft und schraubt ihr lachend an den Brustwarzen. Die andre Hand schiebt er ihr zwischen die Hinterbacken. Dann steckt er ihr noch eine vernünftige Zunge in den Mund. Den Schwanz hat er schon selber freiwillig zurückgenommen, um ihn noch einmal zu überarbeiten. Er ist ja immer froh, wenn er ihn aufgreifen kann. Wo der Kerl immer herumstreunt! Es ist nichts gewesen als Zeit. Die Autotüren knallen, sie sprechen von Freuden und Freunden, für die bezahlt worden ist, denen man sich anvertraut hat wie den Fitneßgeräten, die man besitzt oder selber darstellen muß. Doch umsonst! Die Himmlischen werden nie gleich den Menschen sein, nur sie können sich freuen, bei sich selber einzukehren. Hilflos entsteigt den Leuten, was sie getrunken haben, und zwar steigt es ihnen hoch. Sollte doch ausruhen in ihnen! Sie erbrechen sich, gegen ihre Autos gestützt, in den Schnee. Die Frauen lärmen, die Kinder lamentieren. Gut, das Fahrzeug fährt weg, aber der Inhalt dieser Menschen bleibt hier und schlummert in der Natur, wo sich das Wahre ereignet und die Waren von ihren eigenen Etiketten beschwindelt werden. Zornig schreien sie alle danach, ewig halten zu wollen und ewig einen attraktiven Menschen im Arm halten zu dürfen. Doch die Herrscher füttern nur einmal im Monat, und wir verausgaben uns dann zu sehr, die Zeit wird es an den Tag bringen.

Gerti wird in ihren Wagen gesetzt. Ruhe! Man helfe mir ausdrücken: Sie ist in der Hände und Zungen Gewalt gewesen. Fast ist sie schon davongeeilt, zornig an ihren Gängebändern herumschaltend. Die Sicherheitsgurte sind das wenigste, sie zu halten. Andre Gefesselte haben ihr dazu geraten. Wie der Künstler zur Kunst kommt, so kommen die Kinder des Dorfes, um ihre rhythmischen Plagen von dieser Frau entgegenzunehmen. Das Kind beugt sich über die Geige, der Mann über das Kind, um es zu strafen. Der Werkschor singt am Sonntag, um seine Persönlichkeit auszudrücken. Sie singen zu vielen, aber doch als eine Einheit. Diesen Chor gibt es: Damit seine Mitglieder wie ein Mann an den Strängen ihrer Stimmungsbänder ziehen, während hoch über ihnen die Fabrik lauert. Ab und zu hat sie Durst und nimmt die Herde auf, daß es die Strommasten tief im Land hören, wie's summt von den armen Leuten, die aus sich eine Reihe formen. Wie Kinder halt. Viele sind gekommen, wenige aber wurden ausgewählt, ein Solo zu singen. Der Direktor hat das Hobby seiner Arbeit, deswegen ist er ganz in Ordnung. Die jungen Leute schütten sich in ihre Fahrzeuge, jetzt geht's in die Ferienquartiere, wo sie noch mehr in sich und von sich hineinstopfen können. Die Zimmer sind alle ausverkauft. Holde Straße, die mitten durch die Ebene führt, damit jeder seine Ruh hat außer den Anrainern, denen es vom Lärm aus den Ohren blutet, bis sie selber auf Urlaub fahren können.

Die Frau rast durchs Land. Ihr Verstand wütet in ihrem Kopf und stößt gegen die Schädelwanne, in der er aufbewahrt ist, d. h. er stößt an seine Grenzen. Sie wird von den Schifahrern dahingejagt, die ihrerseits in ihren PKW-Nistkästen (manchmal sind die fast so groß wie Schränke und darin nur diese kleinen Hiasln alle!) tschilpend zurück in ihre Käfige geweht werden. Wir betrachten den Frieden, den die Natur in unsere Herzen gesät hat, und essen ihn gleich aus dem Papierl. Einsam scheinen die Glühbirnen auf uns. Die letzten Abfälle werden aufgehoben. Die Familienväter fallen, ganz ihren launischen Einfällen folgend, über ihre Ungehörigen her und stieren in der Erinnerung des Tages nach Nahrung, ob man noch etwas davon essen kann. Da taucht vor dem dumpfen Wald ein Reh auf, wir nehmen es gleich mit, ganz fett wird es von unsren Butterbrotumhüllungen. Sie kauen es wieder und wieder, dann beruhigen sie sich mit einem schönen Buch und einem schrägen Programm. Für die letzten Unaufhörlichen geht's noch einmal den schmalen Pfad hinauf, den sie gleich hinunterstürzen werden, während an den Ufern schon das Wilde herumschleicht, dem die Landschaft ab 17 Uhr übergeben wird. Aus Faulheit halten sich die Einheimischen in ihren Häusern verborgen, die Männer übergeben sich selbst dem Fernsehgerät, in dem sie Tier und Land betrachten und etwas über ihre eigenen unsinnigen Gebräuche lernen können. Die Frauen sind arbeitslos. Der Wind weht über die Gipfel und beruhigt den Schmerz, gerade soviel wie nötig ist, um sich mit einer Serie über Bierbrauer und Ölbauern ablenken zu können. Ja, das Fernsehen ist fast zu schnell für den Anlaß, ich meine: den Anlasser, mit dem sie sich ausschalten und den Apparat ein.

Der Tag wird im Ernst nicht mehr lang mit Blau herumschmeißen. Gerti macht im Wirtshaus unterwegs ausgiebig Rast. Wie wunderbar es aus weiter Ferne zu ihr hereingeschneit kommt. Sie trinkt aus Neigung, viele trinken aus Pflicht, wohlgeschieden von den Lieben, die fröhlich etwas zu trinken verlangen, wie sie verlangten, daß die Lüfte mit ihnen spielen, wenn sie den Hang hinuntersausen. Eine ganze Schar, mit der der Tag gekrönt war, drängt sich an der Theke und schüttet sich weiter voll. Die Natur wird wieder einfach und einfarbig. Morgen wird sie erneut von menschl. Stimmen erweckt und mit munteren Hammerschlägen ihr Publikum von den Pisten runterklopfen. Ja, das Publikum, es ist ganz abgezogen von der Decke Natur, aber sein buntes Heute klebt noch an ihm, es wird das diensthabende Lokal ganz vollgestopft von diesen Touristen. Eine um die Trinkquelle des Menschen keimende Rauferei wird von der Wirtin beruhigt. Wie schön, aus heiterer Weite kommen wir, vom Berg zu Tal geworfen und schon voller Bier. Ein paar Holzknechte, die liebsten Diener der Berge, randalieren bereits, angefeuert von den Städtern, im Schankraum, bevor sie wie Äxte ihren Frauen das einzige Standbein auch noch spalten. Gerti sitzt still mit zerknitterter Stirn inmitten der Gäste, die ihr eigenes Jausenbrot und eine Salatgarnitur zu zerknüllen haben. Gleich morgen oder heute abend schon wird diese Frau vor Michaels Ferienhaus stehen und durch die Fenster hineinspähen, wie seine Freunde seine Güter in Anspruch nehmen. Und sie, die Zurückgestoßene, wird, niemand weiß wohin, wie ein flotter Gedanke in der Ferne verschwinden. Während ihr Mann die Gegend rodet und die Musik mordet. Mir ist kalt. Einer haben sie sich in den andern hineingestopft, wo sie in all dem Abfall nach dem lieben Bild herumwühlen, das sich ihnen gestern noch im Fotohandel erschlossen hat. Gestern noch. Und heute suchen sie bereits nach einem neuen Partner, um ein Lächeln auf sein Gesicht zu zaubern, bevor abgedrückt wird. Ja wir! Voller Qual werden wir sichtbar und wollen auch für andre hübsch sein, denn was haben wir nicht alles für unsre Kleidung ausgegeben, das uns jetzt fehlt, wenn wir uns vor unsrem Liebespartner ausziehen und verausgaben müssen. Doch einstweilen ernährt sich diese Frau von Alkohol; und die Ernte von andren Menschen, die ebenfalls saufen in ihrer bunten Vielfalt, bringt ihr nichts ein. Ein leichter Zwist um ihren Nerzmantel, auf den ein Schifahrer getreten ist, erhebt sich, muß sich aber wieder niedersetzen. Dieser Menschenwuchs hier unter der Rustikallampe: wie bringen sie ihre Formen doch zur Geltung in diesen bunten Plastikgrenzen, die sie sich setzen, damit ihre Formen und Normen nicht auslaufen, und die Modelle, nach denen sie gebaut wurden, erst recht nicht. So breit wie ihre Wohnungen schmücken sie sich und geleiten sich herum.

Wie vom Himmel hoch da geht es her. Die Frau tritt ungezielt zurück. Ein Glas wird ihr hingeschoben, der Tag scheint fast zu eilen, es dämmert schon über den Bergen. Gerti wird die dürftige Volksmeinung entgegengespritzt wie Wasser aus einer Kinderhand. Schwerfällig verlassen im Umkreis die Armen die Ihrigen, um mit schmutzigen Händen ausgeschüttet zu werden in den Gasthäusern, wie Quellen zu rauschen von dem, was sie in sich hineinstopfen. Doch diese Frau soll in ihr Heim, das Trinken will man sich von ihr nicht bieten lassen, sie soll lautlos sein, hier wohnt die Herde mitsamt ihren guten Leithirten, das Programm entnehmen Sie bitte der Fernsehseite! Die Frau Direktor ist eine heitere Wolke, zumindest sieht sie so aus, da sie jetzt vom Sessel zu Boden sinkt, wo sie wie sie sich bettet so liegt. Die Wirtin greift ihr grundgütig unter die Achseln. Von Gertis Kinn rinnt ein kleiner Bach hinab und breitet sich aus. Jeden Tag geht das nicht so weiter. Prächtig glänzt die Natur noch einmal, zum letzen Mal, von draußen herein, und die Herden ihrer Benützer ziehen mit geduldigen Rücken herein, froh, endlich selbst einen heben zu dürfen, statt sich unter den Peitschenhieben der Olympiaübertragungen aufbäumen zu müssen und über die Hügel hetzen zu lassen. Läßt man diese Menschen ungestört, Sie werden sehn, wie rasch sie dann verlieren, worin ihr haupts. Reiz besteht: den Filmstars ähnlich zu schauen und goldig im eigenen Fotoalbum, in dem wir unsre Ansprüche an uns selbst messen, auszuschauen. Doch hier schlagen die Wellen an ihnen hoch, und sie müssen sich unter einförmigen Eingeborenen durchsetzen. Sie tun es mit Klang, Farbe, Geruch und Geld. Ein Lied wird auf seine Benützer abgestimmt, die Tageszeit hat sich jäh geändert, das Wetter schlägt um. Der Wind schreit durch das kristallene Eis, das von den Bäumen hängt. In die Höhlungen der Frau verkrallen sich noch mehr Leute, schaut nur hin, zwei Männer heben sie jetzt auf. Ihre Münzen fallen über die Frau her. Es werden ihr ein Wein und ein Schnaps gezahlt. Unter Vorwänden, unter denen sie ihre groben Geschlechtsteile nicht verbergen können, tasten sie die Gerti überall ab. Ein Schwall Gelächter von ihren Frauen, die ebenfalls rasch, bevor das Licht wechselt, ihre behaarten Spalten aufbauen und in Stellung gehen. Sie triefen alle noch von der Natur, so vollgesaugt haben sie sich mit Leben. Es hat ja auch genug gekostet, wie Inseln in diesem Wirtshaussaal zu hocken und zu kotzen. Einer nimmt zum Spaß eine Frau huckepack, es wird größer und röter zwischen ihren Schenkeln, die sie links und rechts an die Wangen des Mannes preßt. Niemand wünscht, gegangen zu sein. Sie hopsen herum, einmal ist auch das dürftigste Vorabendprogramm zu Ende. Nur ein kurzer Weg, mit Gewalt in Sekunden zu überwinden, die Geschlechtsteile öffnen sich, und schon steigen sie ineinander ein und drücken auf die Tube, jammern nach Erlösung, und es donnert in ihren Eingeweiden von den vielen Glaseln, die sie dort, für wildere Zeiten eingerext, stehen haben. Im Dunkeln quellen die ersten schon aus den Fesseln ihrer Kleidung. Gerti wird in die Brust gezwickt, fröhlich und harmlos wie Gemüse wuchern wir in der Herren Länder, meine Damen! Das kommt von den höheren Regionen, in denen wir uns aufhalten und uns von den Trieben, die aus unsren Schihosen herausschießen, gern überraschen lassen.

Horuck, jetzt sitzt die Frau wieder ordentlich oben auf der Bank. Ihr wird ein weiteres Glas, in dem der Alkohol rasch veraltet, hingeschoben, das sie mit einem Schwung ihrer Hand fortwischt. Die Spendierhosenträger schreien vor Wut und rütteln die Frau am Arm. Die Wirtin schickt das Schankmädchen einen Fetzen holen. Gerti erhebt sich und wirft ihre Geldbörse auf den Boden, in der gleich Menschen zu wühlen beginnen, deren Schweißgesichter vor dem Geld sich zu verärgern beginnen. Die Armen drängen sich im Hinterzimmer zusammen und erinnern sich an die Arbeit, die vor ihnen einst ungezwungen die Beine breit gemacht hat. Doch dort gibt's keinen Eingang mehr für sie. Oh, hätten sie sie noch! Jetzt sind sie den ganzen Tag zu Hause und dort mit dem Geschirr geschäftig. Und die andren Gäste? Nichts als ein schönes Wetter und einen flegelhaften Schnee erflehn sie sich. Ihr Leben wird morgen in den Bergen wieder verwegen werden, vielleicht aber auch verregnet, falls die Temperaturen, wie vorausgesagt, kräftig steigen sollten. Die Wirtin: sanft ebnet sie sich im Guten ihren Weg. Sie scheint, Gerti unterm Arm, wie über Wasser zu schreiten, über den Abschaum der Ausflügler, wie er obenauf schwimmt, hinweg. Sehen Sie, wie sicher diese Reisenden aus dem Nichts entstanden, sich mit Gaben, auf Sportartikelmessen geboren, überhäufen und dem Tod in den Bergen entgegengehen. Ein nationales Lied wird ungeniert hervorgestoßen. Die Sänger haben mit Sirenen nicht viel gemein, vielleicht noch den Klang, nicht aber das Aussehen. Doch sie singen und singen, jetzt erst recht! Erschrocken sitzen die Bewohner, die nicht einmal Papierarbeiter sein dürfen, vor ihren Bildschirmen und starren auf die listenreiche Erfindung ihrer selbst, hat denn niemand teil an ihrem

Leiden? Und warum sind sie vom Leben geschieden und entlassen, noch ehe sie und ihre Schier sicher im Keller eingestellt werden konnten?

Allein oder gar zu mehreren sollte man in diesem Zustand nicht fahren, sonst ist man ja zu Lebzeiten nicht mehr sicher vor sich selbst! Doch Gerti, die streckt sich nach der Decke ihres kleinen Gemächtnisses und stößt sich vom Ufer ab. Sie legt sich in ihren Riemen zurecht. Zwanglos verstreut sie sich in ihren Gefühlen. Michael: jetzt gehen wir ihn wieder holen aus seinem Haus, bevor er erkaltet. Gleich wird diese Frau, von Sinnen getrieben, vor einem fremden Haus heulen, weil niemand da ist. Lassen Sie uns weitergehn! Die Lichter sind gleich eingeschaltet. In der Anzahl, in der auch wir meist bleiben, eins und einer, aber immerhin, so fährt sie auf ihre Beute, die andren Autofahrer, los. Es passiert nichts, wie durch ein lang anhaltendes Wunder. In ihren Heimathemden dröhnen die Herren, weil sie aufs Essen warten müssen, stürzen die Hunde auf Besucher zu und reißen sich gesund an ihnen. Deswegen wohnen wir jeder gern für uns und halten uns als unsre eigenen zahmen Tiere in Gewahrsam. Nehmen nur ab und zu einen zagen Schluck von einem andern, der vorgibt, übervoll zu sein von süßem Verlangen. Aber wenn man einmal wirklich was verlangt, dann kriegt man es nicht von ihm!

14.

Aufrauschen die Kiestropfen vor dem Haus, die Hunde springen zu unsren Hälsen hoch, und die Tür geht auf. Die Frau geht sogar noch einen Schritt weiter, dem mildernden Licht entgegen, das ihren warmen wartenden Mann umstrahlt. Die Kinder sind längst ohne die Tröstungen von Musik und Rhythmus nach Hause geschickt worden, wo sie jetzt halb aus ihren Schlupflöchern ragen, von den Vätern geschlagen. Erleichtert, die Quellen der Kunst an den Lippen versiegt zu sehn, erfreut wie man es auf Familienfotos sieht, sind die Kinder schon auf dem Forstweg übereinander hergefallen und haben sich die Gestalten und die Kleidung zerfetzt. Man soll die Nachbarn nicht zu oft zusammenbringen, sie bringen ja nichts zusammen als einen zu ärgern! Alles was der Herr Direktor gewollt hat, das hat er jetzt wieder, sein Wort ist uns Befehl. Von seinem Mund krachen die Küsse. Den Löffel mit seinen aufgelösten Sinnen hält er unters Licht, doch nichts erhitzt sich. Er küßt die Frau ab wie die Mutter das Kalb, auch unter ihre Achseln will seine Zunge. Er wird automatisch warm bei ihrem Anblick, seine feuchte Figur bleibt aber vorläufig noch geschlossen. Gebaut ist er wie ein Berg, und die Bäche sind schon über seine Stirn geronnen, kein Vergleich zu dem, womit seine Arbeiter überströmt werden, wenn sie, von ihren Kuraufenthalten (nachdem ihnen die Wunden und Bußen zu ihrer Existenz hinzugefügt wurden) schwer gezeichnet, den Brief in dem blauen Kuvert erhalten. Keiner von ihnen jedoch begriffe seine Frau wie jetzt dieser aufgebauschte Direktor, der sie in ihre Ufer zurückgeleiten möchte. Was hat sie da im Sack, es ist ja nur ihr nasser Schlüpfer, den er auf den Dielenboden wirft. Wie oft ist das schon passiert, doch meist tun die Dienenden diese Pflicht, wenn wieder einmal die Wasser im Hahn nicht gebändigt werden konnten. Die Putzfrau wird morgen diese Lebensspur beseitigen. Gerti soll in ihren nicht geringen Auslauf Stall kommen. Das Kind, das den ganzen Tag über zu mehreren herumgerannt ist, kommt jetzt, arg verständlich in seinem Geplärr, auf die Mutter zugeschossen, ganz zugeschwitzt von dem Ärger, den es seinen Freunden zubereitet hat. Es wird ihm Himmlisches und Heimeliges über die Lippen gesandt von der Mutter, die wiederum vom Himmel gesendet wurde. Sie ist das Päckchen, das ganze Völker zu tragen und zu fürchten haben. Wer hat jetzt wieder den Knopf dieser Familie gedrückt? Daß es ihnen endlich aufgeht: sie sind drei Personen, wenn es hoch und kalt kommt, das Wetter selbst in seine Schranken zu weisen. Die Familie: die Frau ist nicht mehr nüchtern, gutmütig wird das auf ihr Konto geschrieben vom Vater, der das Scheckbuch mit sich führt. Sein Eigentum ist ihm das Liebste. Der Mann streichelt lächelnd die Frau, doch schon eine Sekunde später gräbt er, wie rasend, ein Terrier in einem fremden Bau, unter ihrem Mantel, scharrt an dem Revers ihres Kleides, das der ungezogenen Frau sofort ausgezogen werden soll. Liebevoll wird ihre Wange mit den Fingern gestrichelt, als hätte der Schöpfer den Bleistift vorzeitig abgebrochen, und jetzt muß das Leben selbst das Werk korrigieren. Die Frau kommt mit der Automatik Steuerung nicht zurecht. Sie lehnt schwer in ihrer Gehschule.

Wer von uns würde nicht gern auf den Wiesen des Lebens vergessen werden, nur um plötzlich wieder aufzutauchen in den Trümmerln seiner Kleidung (alles klein und genormt wie Reihenhäuser, aber nicht einmal mit einem König würden wir tauschen)? Sich einem andern ganz überlassen, der gerade so schnell vorübereilt, daß er uns schon noch kennenlernen wird! Hervorgehoben aus der Schar, den Schienen, die zum Geld gehn! Sich, da endlich selig erschienen, auf das Kind zu stürzen, ist für die Frau mehr als ein Gedanke, ja, die Himmlischen, die wollen jetzt feiern, Ferien unter Geiern und Geigern! Auf, nach Wien, ins Konzert! Sie wälzt sich mit dem Sohn auf dem Vorzimmerteppich, im Vorwand zu spielen, aber ihre Hand (sie schweißt nicht) greift dem Kind schon heftig unter den Hosenbund. Der Mann strengt sich zu einem Lächeln an, denn er will die Frau wieder für sich allein haben, sofern er soviel Leben auf einmal auch abzutöten vermag. Wir werden sehen. Schwer hängt bereits sein entschlossener Fleischklotz an ihm, er wiegt von seiner Hüfte herab mehr als der Kopf, mit dem er denkt und sieht. Jetzt ist da schon wieder ein Zusammenhang entstanden, aber er will nicht hängenbleiben. Das Fleisch zwingt einen oft, lange auszuhalten wie in einem Fernautobus, in dem man bei geschlossenen Vorhängen durch die Nacht jagt, Fenster an Fenstern vorbei, und da sich alles bewegt, kommen die Leut nicht zusammen.

Die Hand hat der Direktor schon in der Hosentasche und streichelt seinen Knüppel durch den Sack hindurch. Gleich wird sich sein reichlich abgemessener Strahl auf die Frau stürzen. Und auch das Kind strahlt. Es ist nicht

einfach mit ihnen, das Kind versinkt bereits wie Klein-
tierfutter unter der Schneide der Mutter, die sich ge-
streng in sein Fleisch bohrt. Die Mutter kichert, die
Haare in den Staub des Bodens geschmiert, um den sich
die Hausfrau nicht kümmert. Das Kind möcht erzählen
von dem, was seine Spielkameraden an ihm verbrochen
haben. Doch der Vater hat nicht soviel Zeit wie Sie, Kinder zu lieben. Er kniet hilflos über seiner Familie, dem
einzigen Kleinen inmitten des Großen Gänzlichen, das er
geschaffen hat. Sie lachen alle herzlich. Sie werden vom
Vater abwechselnd gekitzelt, als wollte er das Leben aus
ihnen herausbeuteln. Alles lacht weiter, der Mann ist immer weniger gerührt. Das Kind kann ihm gestohlen werden! Er peilt lieber den Schoß der Mutter an, auf dem er
selber sitzen möchte. Dem Kind wiegt Glück nicht und
Unglück auch nicht schwer, da muß sich doch was machen lassen. Es soll umkehren in die Ordnung, ja, mehr
noch, es soll Ordnung selber schaffen in seinem Zimmer-
chen! Krankheiten werden stets von der Mutter gelin-
dert. Und auch den Mann müssen die Frauen in sich aufbewahren, damit er in dieser Aufbahrungshalle bewahrt
bleibt vor dem Feuersturm, der die Körper in die Nacht
hinaus wirft wie's Hunderl, damit alle sich entleeren und
nachher gut schlafen können. Üppiger Christelschmuck
wird auf dürre Zweigerl gehängt. Die Hauptsache ist,
man hat gelebt und ist hell auf den Tafeln aufgeschrieben
gewesen, und was man erst gegessen hat die Sakraments
Speisekarte rauf und runter! Nein, hier auf dieser Tapete
ist nur Geschmack daheim! Der Sohn, unser Publikum,
kennt das Körperhakeln und Fingermalen schon von vielen vorangegangenen Malen. Er ergaunert sich ein Versprechen vom Vater, in dem Gott und Götze Sport die

Hauptrolle spielen. Er wird angerufen werden von Verheißungen, von spannenden Schneeteppichen, die über die abgelegensten Berge gelegt sind. Ich meine, es wird spannend sein, diese vielen Läufer alle über den Boden bis zum Nabel der Erde rennen zu sehn. Es wird dem Kind ein Erlebnis versprochen, denn der Vater erwartet sich viel vom Körper der Mutter und dessen Abzweigungen, die in die Nacht hinaus führen: Diese Landschaft kann über fünftausend Personen nicht fassen!

Sie strotzen in ihren zweckmäßigen Hosen, die Herren, auch der Sohn trägt schon dazu bei. Dieses Kind, dem allzu scharfes Wachstum von der Mutter nicht vorzuwerfen ist, hat sie sich ihm doch selbst als karges Futter vorgeworfen. Dieses Kind, dem frischen Geschlecht zugehörig, ist von der Mutter aufgezogen worden, und jetzt kann's nicht mehr zum Stillstand gebracht werden, es läuft und läuft! Doch nun zu den Herren, von denen der Direktor am höchsten droben ist. Sein Schwanz kann jederzeit in Sekundenschnelle aus einer warmen Badewanne geboren und herausgegriffen werden, kann arbeiten, und dann wird er wieder zufrieden eingeholt vom Schicksal, in dem Kraft zum Tennisspielen, Motorradfahren und sonstigem Fuhrwerken wohnt. Es wippt beim Gehen an Ihnen, meine Herren, im schwachen Gezweige versuchen die Männer viel, ich aber bin allein. Das Kind denkt über eine Periode der Erdgeschichte nach, die es nachträglich leider (zu spät!) nicht mehr miterleben kann. Der Vater hat ihm vorhin ein Lexikon geholt und sich belehrerisch über seine wohlbedachte Anzahl Kind gebeugt. Mehr von einem Kind würde die Interessen der Mutter vielleicht doch zu stark vom Vater ablenken. Der will seine Frau selbst ans Bett fesseln, giftig wie die Krankheit: Gott ist gemein, aber er ist hier nicht gemeint.

Wie eine Glocke läutet der Direktor über seiner Sitzgruppe, in die er über die Reiseleiter eingestiegen ist. Draußen stehen dunkel die Bäume und warten. Versöhnt ist die Familie, schwer und unhöflich hängen die Hodensäcke in ihren allerliebsten Verkleidungen, in den mit Papier ausgelegten Schränken, in den Ballons der Unterhosen und Jogginghosen. Doch ein kleiner Eingriff nur, und schon ist alles wieder hervorgeholt. Das Geschlecht, dem wir angehören, jeder dem seinen, springt nämlich elastisch wie das Gummiband, das die ärmeren Menschenbüschel (denn sie zählen nicht einzeln) zusammenhält, heraus aus dem Sackerl, wenn der Einsame sich an sein Eigentum wendet wie an seinen Schatten, der ihm als einziges unter den Wesen genau angemessen ist. Das Bündel Leben, ja, das senkt sich aus dem Leiberl heraus, und es geht uns gut. Wer vieles will, wird sich etwas kaufen müssen. Sogar das Kind: schon glänzt es wie ein ganzer Mann, der andre beugt und sich vor andren verbeugt. Es geht von einem zum andern, deutet auf seine Gestalt, die sich nicht ausbessern läßt, und wandert auf einer neidischen Bahn, um rasend schnell an uns vorbeizufahren. Der bloße Eindruck davon ist schon sehr tief. Ja, dieses Kind ist noch klein, aber es ist speziell als Mann geplant, glaube ich.

Jetzt ist es noch ein Verreckerl von einem Kind, so klein, aber es drückt auf unsere Trommelfelle, daß wir gegen die armen Nachbarn fliegen, die sich beschwerten, wenn sie es wagten. Lieb senkt die Mutter den Mund über sein

Haar. Der Vater wird bereits unerschöpflich, er kann kaum noch an sich halten. Was er sonst vor seinen Angestellten verborgen hält, er kann jetzt nicht umhin, stark auf seine Triebe zu drücken. Er schiebt sich von hinten an seine Frau heran. Verächtlich beugt die Frau sich vor, damit es in ihrer Tiefe lebendig werde. Vor Lachen, weil es gekitzelt wird, lädt das Kind seinen Dung ab, ins Gesicht der Mutter hinein. Es macht nichts, wir tollen herum, als wären wir uns feucht aufgestoßen. Die Frau kann gar nicht genug aufpassen, doch zu spät, da ist sie hinterrücks schon halb entblößt, während sie vorn noch an dem Kind saugt, ihm gute Worte gebend, es möge sein Spielzeug wegräumen. Mehr wagt dieser Mann nicht und gewinnt trotzdem. Gleich einem Tiefflieger bestreicht er den Hintern seiner Frau wie gegens Licht flattern die Vögel. Seine Gesundheit spürt der Vater heute in sich tosen und Freispiele gewinnen. Legt seinen geschwollenen Sprengkopf heimlich, von der weiten Hausjacke getarnt, an die Arschritze seiner Frau, wo er gründlich nachprüft, worüber er verfügt. Er muß nur noch eine Furche ziehen, so hilft der Bauer der Erde nach. Keiner von uns muß das Leben allein tragen. Aber warum hilft ihm keiner beim Autokauf, damit ein Gefährte alles mit ihm trägt? Schauen wir uns mit offenen Augen gegenseitig ins Geschlecht, damit wir besänftigt werden, schlank, wie wir uns mittels Medikamente und Diät zu sein bemühen. In geschäftiger Konkurrenz mit den andren, die ihre eigene Spur zu legen gekommen sind. Sogar an der offenen Tür überlegt der Direktor noch, welchen Eingang er nehmen soll, um sich einzufahren, welch eine Ehre, als Garbe dargebracht zu werden! Oh Gott, wie schön, eine schwere Ladung auf dem Karren zu sein, der wohlig im

Schlamm steckt und sich dort wälzt. Die Verkehrszeichen haben Menschen mutwillig hinweggerissen!

Es wird in der Familie weiter geküßt und gefurzt. Glückseliges Warten ist beendet, glückliche Worte durchziehen den Raum. Die Stimme quillt dem Fürsten des Hauses hervor, sie wird zur Schlacht, die er gewinnt. Es reißt ihn mit sich fort, fast hätte der Himmel seine Arbeiter und Angestellten vergessen, die von ihrem obersten Chef und seiner hl. Kirche angeschmiert worden sind und dafür wohlgestalt und wohlbestallt in ihren Ställen stehenbleiben müssen, wo sie zornig mit ihren Glocken bimmeln und an ihren Stricken schaben. Was? Nicht einmal ihren einzigen Raum verschonen sie vor ihren Tritten?

Die Frau weiß, wo ihren Mann der Schuh drückt, mit dem er gleich ihren Zaun eintreten wird. Manchmal hält er es kaum bis zum Abend aus und bestellt sie in sein Direktorenzimmer im Werk, wo dieser Greifvogel nicht länger an sich hält und zornig seine Eigenheimlichkeit zu beziehen wünscht. Er greift sich ins Gewölk des Geschlechts, und dieses wächst, dem Brande gleich. Schon wird der kleine Gewinner hervorgezogen aus dem Kammerl über den Hosenbeinen, wo er gelauert hat, bis ihm einer den Traumreise Gutschein zeigt zum Goldregen in der Schürze. Freude für den Besitzer, von fern schon spüren seine Hunde ihn am Geruch und fallen übereinander her. Alle Tag ist ein Fest. Ob uns wenigstens der Schlaf heute noch finden wird? Wir hätten ihn verdient, still verharrend auf den Gipfeln unter unsren wärmenden Schichten, damit wir kein Schneebrett lostreten. Denken Sie an die vielen Falten allein in den Herrenhemden,

aus denen die Männer ihre heiligen Bacherln heraus-
schütten können!

Und auch in die elegante Bekleidung Gertis werden heute
schon zum wiederholten Mal Breschen geschlagen. Die
Herren und ihre Blasebälge, mit deren Hilfe sie laut zu
tönen vermögen; lieb weht es dagegen im Sommer, im
Winter müssen wir selbst Atem holen. Das Kind merkt
fast nicht, daß es unter uns tritt und getreten wird. Gibt
es jetzt nicht bald Abendessen? Muß der Direktor seine
Frau etwa noch einmal für eine Weile aus seinen Klauen
lassen? Will er denn, daß sie ganz nüchtern wird? Stumm
schauen das Tier und sein Strick einander an. Der Direktor vermag noch mehr: den Körper seiner Frau in dessen
ganzer Ungestalt auf dem Küchentisch zusammenzumi-
schen, wie es ihm in den Teig paßt, der, gut zugedeckt,
wandern soll. So erschafft sich die Familie ihre Nahrung
und die Erde ihre Wesen selber, so verabschieden sich die
Gäste auf den Schwellen, obwohl sie doch gut zu essen
bekommen haben. Meine Herren! Auch Sie sind mir
zwar fremd, aber Sie werfen mit sich herum, daß die
Netze quietschen. Die Aufschnittplatten krachen auf die
Tische, die Familie setzt sich nieder, die schweren Brot-
klumpen mit deutlich voneinander abgesetzten Körnern,
grob und teuer auf den goldkorngerahmten Tellern, sie
alle haben sich hier einmal zusammengesetzt, damit
komme was der Vater will. Erst wird er die Frau dick
einschmieren, und dann, noch lächelnd vom Tag,
schließlich hat er Brot verdient und das Brot gibt er jetzt
an seine Familie aus, ja, dann werden die schweren
Schlegel auf das dumpf klingende Becken der Frau fallen.
Ich glaube mir, aber ich glaube nicht an mich! Halten

wir auf alle Fälle die Feiertage und lassen wir uns vom Werkschor die Instrumente schärfen! Das Kind soll leben, es hat sich so ergeben. Jäh und ohne Vorwarnung, wie die Sonne ja auch manchmal blitzschnell zusticht. Hoch auf den Gipfeln entzündet sie sich jetzt schon für morgen, aber wir Gehaltigen, wir auf den Gehaltslisten der Papiertiger, wir haben heut schon unser prasselnd Feuer gehabt und hielten unsre Körper dran, bis sie fast in Licht und Nichts aufgegangen wären. Ich rate Ihnen nur eins: Sorgen Sie für Getränke, dann haben Sie keinen Grund zur Sorge mehr!

Ein bisserl verebbender Schall kommt noch von draußen herein, schließlich ist es spät, und das Private schirmt sich ab, um sich allein zu unterhalten. Die für Speisen und Unterhaltung sorgen müssen, dort in den kleinen Häusern über dem rauschenden Bach, wo sie mit den Geschirren klimpern, diese ewig halb Erzeugten, halb Unerzogenen: Jaja, wir Frauen! Wir sind auch bei uns (nicht bei Trost). Um mehr aus unsren Männern zu machen, können wir sie nur vollstopfen. Die Familie sperrt jetzt die Tiere aus, die aus der Finsternis nicht mehr zu uns herein scheuen können. Auch im Dorf werden jetzt überall die Augen zugedeckt, und stierln Sie gefälligst in Ihren eigenen Papierln! Morgen werden sie allesamt aus den Bäumen der Umgebung Papier machen kommen, als wär's ein Feiertag für sie. Der Direktor drängt sie inzwischen sogar aus dem Bündnis, das er mit ihnen und der Gewerkschaft geschlossen hat. Nur wer richtig singt, dem stimmen auch die Beträge im Sack. Die ungestaltigen Wirtshaussäle der Kreisstadt toben vom Applaus, wenn sie dort auftreten, längst als Speise vorgesehn und freundschaftlich vor den selbstgebackenen Klängen erschauernd, als wollten sie sich gegenseitig auffressen. Immer wieder klettert jetzt eine Portion Mann auf seine ihm gehörige Frau, um sich ernsthaft zu erschöpfen. So hängen sie wie die Felsen von ihrer Brut und den Brüsten der Gattin herab. Sie sind das gewöhnt. Von einer streichelnden Hand, die manchmal aus der Dunkelheit kommt, werden sie, flüchtig wie von einem mit Obst bewaffneten Zweig gestreift. Wenn sie doch nur einen Augenblick länger leer liegenbleiben dürften (dann spürten sie manchmal diesen Luftzug)! Niemand soll die leeren Flaschen sofort wieder aufheben! Jetzt schmeicheln die Frauen mit ihren Waffen, damit sie etwas geschenkt bekommen, ein neues Kleid für ihre Belanglosigkeit. Sie gefallen durch ihre Fähigkeit zum Dulden, aber sie gefallen nicht vielen. Ein angebranntes Gulasch wird dann gleich zur Welt.

Wir sehen und hören voneinander.

Als die Tür ins Schloß gefallen ist, beginnt auch die Gerti, hinter ihrem Vorhängeschlößchen zahm zu werden. Aber muß der Direktor deswegen handgreiflich werden? Das Kind jagt von einem zum andern, es bläht sich auf. Der Vater möchte dem Kind Vergessen schenken, er hebt es am Hosenlatz empor und läßt es wieder zurück auf den Boden fallen. Endlich soll aus dem Hals der Mutter ein soziales Gewürge ausgestoßen werden. Rasch, einen Finger hinein! Nur das Kind, von einem Knaben gespielt, stört noch, indem es Wahrheiten aus seiner ebenfalls gepreßten Kehle ausschenkt: Es will was geschenkt bekommen. Nach welchen Kritteleien ist dieses

Kind eigentlich ausgesucht worden? Die Eltern werden erpreßt und sitzen stumm aufeinander in ihrem schönen Wohnsitz. Der Vorrat der Kindersprache scheint unerschöpflich, aber es fehlt an Vielfalt, es geht nur um Geld und Güter. Dieses Kind wünscht sich glaubhaft ganze Wirbelstürme von techn. Geräten tätärätätä. Seine Sprache stolpert aus allen Höhlungen, über welche die Mama Tierbilder gepickt hat. Es liebt die Mutter dieses Kind, denn sie gehorchen beide dem gemeinsamen Gesetz, daß nicht die Erde sie gezeugt hat, sondern der Vater. Ganze Warenkataloge sprießen aus dem Kind. Auch ein Pferd könnte angeschafft werden. Ja, das Kind wünscht mit einer Sache voll und ganz übereinzustimmen, und das ist nicht die Stimme der Geige, das ist der Sport. Die Waren werden zu Worten, gelt ja, Geld ja. Der Vater muß noch einmal seinen Hosensack loslassen, in dem er sein Ding zurückhält, an dieser Frau kann man einfach nicht tatenlos vorübergehen. Er wird das Kind schon zurechtstutzen, vielleicht schleppen wir es am Haar zum Mahl? Der Fernseher gibt eine Bild- und Tonquelle ab, eine Qualle, die ihre Tentakeln ins Zimmer streckt und die Jugend sich selbst am Beispiel verschiedener Berühmtheiten erkennen läßt. Es ist sehr laut. Der Obmann dieses Vereins schreit zornig seine Entscheidung: daß sie alle drei zwar von einem Vater gemacht, aber von mir erdacht sind!

Die Mutter schlingert in ihrem alkoholweichen Körper herum und stößt sich an ihren Haushaltsgeräten. Ohne Nöte kauft diese Familie sich ihre Umgebung. Schauen Sie, dieser Friede! Die Tische biegen sich unter dem Schein der Tischlampe, die auf die geheimen geheiligten Eßsachen scheint. Was für ein heimatliches Land. Der

halbsteife Schwanz des Vaters liegt brav wie ein Jagd-
hund zwischen den Oberschenkeln auf der Sesselkante,
nichts fehlt, die Eichel schaut halb hervor, es biegt sich
das Geländer unter ihr. Es stürzt aus den Männern heraus, dort wo ihr Eingeweide beginnt, dort eilen sie mit
Weile, und immer weiter und weiter schnüren sie durchs
Unterholz. Nein, dieses Geschlecht legt sich nicht eher
schlafen, als bis es sich noch einmal geregt und tüchtig
geregnet hat. So hätten sie's denn gern. Der Vater wetzt
auf seinem Sitz: Wie abwechslungsreich, wie lieb das Tal
zwischen seinen Schenkeln doch gestaltet ist! Lang lang
ist's her, und so und so lang ist er. Die Frau schaut vor
sich hin und haut manchmal auf den Tisch. Ließe man
sie, wie sie wollte, gleich folgte sie wieder ihren neuesten
Begierden und stürmte ins Beträchtliche, das Michael
heißt. Dieser Weg ist ihr jetzt verschlossen, fürchte ich.
Sie murmelt dunkle Worte aus ihrem kaum geöffneten
Mund. Das Ferienhaus des Studenten, dieser Wallfahrts-
ort für Gertis Fleisch, da können wir später auch noch
hinfahren. In den Häusern singen die Kinder nicht, und
sie klatschen nicht mit ihren Händchen, auch die Sonne
traut sich nichts mehr. Es wird still. Wann, ich frage
mich, wann wird die Frau die Dringlichkeit ihres ört-
lichen Sicherheitsorgans begreifen?

Das Kind scherzt herum, nun ganz zur Bestie aufgedreht.
Immer vor dem Schlafengehen, wenn man vom Nacht-
mahl so wenig hält, fängt das Kind an, sich vor Leibhaf-
tigkeit in sich herumzuwerfen. Auch die Mutter legt den
Kopf heftig auf den Tisch. Ihre aufkläffende Wunde
hängt mit Michael zusammen. Sie zeigt, daß sie nichts
essen, aber etwas trinken wird. Der Vater, für den es

schon zur Jagd knallt, läßt in seinem Abfahrergewand bereits die Geschwindigkeit frei. Das Kind ist ihm lästig, da ist er nun in seinem eigenen Haus, wo die Menschen sterben, wenn sie nicht rechtzeitig ins Spital kommen. Die letzten Arbeiter entrinnen dem Wetter und eilen in ihre seligen Stuben. Bald wird es ganz still sein. Der Schwanz des Vaters, diese herkulische Muskulatur, wird von der Mutter angelockt. Dieser herrische Köter, jetzt schläft er noch ein wenig, bald wird ihm Geruch in die Nase ziehen. Oben wird mit dem Kind über die Schule gesprochen. Dann wird die vornübergesunkene Frau in die warme Achselkehlung gekniffen, sie wird bei den Schultern genommen und wieder aufgerichtet. Das Kind macht sich jetzt immer mehr zum Vorgesetzten des Essens. Aufgestört von seinem Begehren, versinkt der Vater tief in sich, ja, wir sehen, daß auch die Mutter hier angekommen ist, bloß um fortzufahren und erneut wiederzukehren. Diese Leute können nicht still sitzen bleiben, was ja ganz allgemein auf die unheimischen unheimlichen Reichen zutrifft. Nirgends hält es sie fest, mit den Wolken und Bächen ziehen sie herum, ihre Kronen rauschen über ihnen, und ihre Börsen rascheln. Woanders ist es besser, und sie öffnen ihre Brust der Sonne. Und immer dieselbe Antwort auf die Frage: Wer ist am Telefon? Das Kind wird lästiger, es poliert an seinen Geschenklisten für den Geburtstag herum, aber von seinen Wünschen hobelt es nichts weg. Der Vater tut's als Prinzip ebenso. Perlend wird er die Mutter mit seiner Quelle erfrischen. Das Leben rauscht um seine Knöchel, wahrhaftig, in der Hitze seiner Sinne, die kein Gummi zusammenhalten könnte, da ruht sein Leib, und hübsch flackern die Brände aus seiner Gestalt. Das Kind verlangt vieles, damit es das meiste davon bekommen kann. Die Eltern, die inmitten ihrer Empfindungen endlich verstaut sind vom Schlafwagenschaffner (draußen fliegt die Landschaft vorbei, und ihre Triebe wachsen über sie hinweg und hinaus ins Freie), sie wollen aus verschiedenen Gründen, daß das Kind den geöffneten Mund wieder schließen möge. Abmachungen werden gebrochen. Eine Stunde Geige üben ist doch nicht die Welt. Die Frau ißt jetzt doch eine Kleinigkeit von Bissen. Das Kind wird noch lang nicht reifen. Machen lieber wir uns fertig!

Sie können ja nicht nackert umeinandersitzen, das Kind störte sie dabei. Dieses Kind ist ja im Delysium. Keine Geheimnisse hat es vor seinen Eltern, wie es da hinter seinen verbliebenen Milchzähnen mit der Milch herumsprudelt. Das ist eine recht starke Bindung, diese Architektur, mit der es an den Eltern befestigt ist, das Kind. Eigentlich stört der Sohn nicht nur, wenn er am Tropf der Geige hängt. Er stört immer. Solchen Überfluß (Kinder) bringen nur unbedachte Beziehungen zuwege, die sich ihre eigenen Störenfriede ins Haus holen, damit diese hell und blöd wie Lamperln aus ihrer ungelenken Sprache heraus zu leuchten beginnen. Statt daß sie es alle miteinander in allen möglichen Löchern ihrer Wohnungen miteinander treiben können. Der Vater möchte endlich den Stoff von seiner Frau wegziehen und ihren Hügel schwungvoll hinunterrennen, aber nein, das Kind durchdringt wie ein Feiertag den Raum, sein Horn durchtönt die Wohnung, in der alles zur Liebe einlädt, vor allem die ausdrückliche Bauart des Vaters, der, ähnlich der großen Couch im Salon, für die Liebe glänzend geeignet ist. Wie schön diese Geschäfts Reisenden des Geschlechts an den

Wegen blühen, diese geschonten Pflänzchen, bitte nicht ausreißen, sie reisen schon von selber! Sei im Wald versteckt, aber tritt ihnen nicht auf die Füße, sie können inmitten all des Grüns wahnsinnig giftig werden!

Der Vater wirft in der Küche ein paar Tabletten in den Saft seines Sohnes, um diesen ewig Diensthabenden einmal zum Schweigen zu bringen. Viel kann der Sohn mit seinem Safterl halt noch nicht anfangen, aber der Vater, oho, wenn dann Ruh ist, wird er aus dem Anzug in die Mutter stoßen, über den längst geebneten Weg trampelnd. Gott schickt seine Berg und Tal-Wanderburschen weit herum, bis sie sich endgültig gegenseitig verwüsten und dann mit den Kindern zum Gruppentarif weiterfahren dürfen. Beim Erscheinen singen sie und stülpen sich Präsumptive über, beim Verlassen des Organs lassen sie ihren Misthaufen zurück. So ist die Vorschrift über die Rastplätze unsres Lebens, dabei bleibt die Landschaft ungebunden im Tal liegen. Die Stiege, die uns zulieb vom Gebirg kommt, wird der Vater herabsteigen und gleich zur Erfrischung in die Molkerei der Mutter gehen, wo er direkt von der Stange trinken kann. Eine Sonderanfertigung nach Maß gibt es auch für einen Direktor nicht. Diese Brustwarzen sind von der Zeit gut zugedeckt, aber sie gehören zu seinem Alltag wunderbar. Endlich soll sich das Kind zum Schlaf niedersenken auf dies Haus, nachdem es noch ein kleines Stückel auf der Geige zu spielen vorgegeben haben wird. Jetzt Schluß mit dieser Gestalt! Wir gehen ins Bett. Noch ein Abendleid für die Mutter, die ihren Sohn aber vor ihrem Angesicht gar nicht mehr richtig wahrnimmt. Wie oft ist ein Bild davon geschossen worden! Das Kind lacht und schreit und rauft ein wenig, bis auch die letzte Pille in sein Blut geflossen ist. Ja, dieser Sohn plappert, als wollte er sich im Rampenlicht des Abends in sich selber wälzen, in der Tunke seines Reichtums. Auch Größere nicht und Stärkere nicht traun sich trotzig ihr Dings vor ihm herzuzeigen. In denen ihren Häusern stehen ja Käfige, dicht daneben, wo auch Menschen essen. Die Mutter sucht, den Verkehr mit Vaters Geschlecht zu vermeiden, diese Verwüstung, mit der er sein Werk mit Mitteln des hl. Bundes in ihr errichtete. Ja, sie will wohnen, aber nicht besucht werden.

Was täten wir nicht alles, um den zahllosen Reden aus den Zweigen des Kindes auf ein Ausweichkonto zu entkommen, wo auch wir uns endlich hinlegen können und, wie das Geld, im Schlaf mehr werden? Es ist ja, als hätte man diese Flasche endgültig entkorkt. Geschickter als die Wanderer selbst sind ihre Erinnerungen, deutlich sprechen ihre Kontoauszüge vom Berg an Zinsen und wunden Zinsfüßen. Der Sohn soll schlafen und selchen, das Bad ersparen wir ihm meinetwegen heute. Na, endlich, hab ich's nicht gesagt, endlich hört er mit seinen Ausdrücken auf und lehnt sich im Sessel zurück. Vorhin hat er mit jedem Wort frech seine Kenntnisse behauptet, jetzt decken ihn schon Luft und Zeit, als wäre er nie gewesen. Alles, umsonst ist nichts, mündet in einem Getränkefaden an seinen Lippen, an seinem Kinderkinn, wo sein Lächeln geblüht hat. Das Kind wird, da es endlich Ruh gibt, von der Mutter unartikuliert umarmt und geküßt. Bis morgen ist Ruhe. Hauptsache der Sohn ist aus dem Weg geschlagen. Es hat uns ja förmlich umzingelt, das Kind. Wo wir alle Öffnungen voll zu tun haben, uns selber in unsrer derzeitigen Lage, der Liebe, zusammenzukleben. Aus rohen, schwer beladenen Wänden ist das Kinderzimmer gebaut, der Vater trägt den Sohn hinauf und läßt ihn aus dem Gewand und aufs Lager plumpsen wie einen weichen Polster. Was liegt, das pickt. Das Kind schläft schon, zu müde, um aus seinem kleinen Zipfel heut noch Funken sprühen zu lassen. Die Großen nützen ihre Verwandtschaft miteinander aus und greifen einander in die Kiemen, um zu zeigen, daß ihnen das Alter nichts anhaben kann. Sie sind nicht gehemmt und ernten gern, sie haben nichts mehr zu verlieren. Wie am Himmel die Insekten, wird der Vater gleich herabschießen und sich ins frischgeschnittene Gras schmettern. In weniger als fünf Minuten hat der seine Frau auf den Schoß gespießt, bei seiner plumpen Gestalt ein Wunder. Meine Herren, Sie haben lang genug mit Ihren Schläuchen herumgespritzt! Jetzt holen Sie den Weißen Riesen, und auf den Knien, des Abends, im Hafen des Hauses, wenden Sie ihn an! Die Männer: die Augen sind ihnen ausgestochen worden, und jetzt wollen sie auch dauernd wen ausstechen.

So jung ist dieses Kind und schon glanz voll (ganz voll). Zärtlich legt sich die Mutter als Zugabe ins Kinderbett, bewahrt eine liebende Nacht sie? Nein, sie wird bald unter den starren Muskeln ihres Mannes, der absahnen will, ausgelöscht werden. Das Kind schläft schon fest. Die Mutter erschöpft sich in sinnlosen Küssen, die sie über die Decke breitet. Sie knetet den schlaffen Talg des Sohnes. Wieso hat er für heute aufgehört zu gedeihen? Daß sein Geist so schnell entweicht, ist unnatürlich. Sie kennt das Kind doch genau. Welchen Hahn hat der Vater zugeschraubt? Der aber ist längst in seinem Hobbyraum und pumpt sich Saft in den Kolben, bis er sich ganz auf der Höhe fühlen kann. Den Saft des Sohnes hat er mit Schlaf vergiftet, damit das Kind wohnen kann in der besänftigenden Nacht, beschützt von seinen Sport Helden und der Chemie. Er wird schon wieder aufwachen, um fern über die Hügel zu rutschen, aber jetzt ist er einmal von der Mutter Seite weggenommen. Und die Mutter muß bei diesem Kind bleiben, denn was danach kommt, das weiß man nicht.

Gerti zwängt sich unter die Decke, legt ihre Küsse neben dem Kind auf das Kissen. Sie wühlt in den Kaldaunen der Decke, dämmert ihr langsam, daß sie rettungslos mit der Ferse in die Bindung zum Mann geraten ist? Und jetzt schweigend in die Spur und abgefahren! Nur diese Bindung hält sie im Gebirge fest, bis sie trauernd versinkt. Jetzt ist der Vater schon in seiner Werkstatt, um sich ans Ladegerät zu hängen, eine gute Flasche wird nie verschmäht. Ist das ein Recht, das die Natur, die es uns gegeben hat, wieder von uns nimmt? Etwas später steht er im Klo und pißt alles wieder aus. Derweil rennt die Frau schon, unter ihren Mantel geduckt, aus dem Haus. Sie hetzt wie der Bauer, der schändliche Nagetiere jagt, durch den Vorgarten, schlägt, ohne sich zu besinnen, Haken, macht Umwege. Sie hat den Autoschlüssel im Laufen aus der Tasche gerissen. Wann beginnt endlich die kommende Zeit? Schon sitzt sie im Wagen, dessen schweres Hinterteil gleich wegrutschen wird, wenn sie so fortfährt, um ihn, schwankend, auf die Bundesstraße hinauszureißen. Das Gefährt im Dunkel ängstigt die letzten verlorenen Seelen, die nach Hause wanken, um auf

Zärtlichkeit mit Brutalität zu antworten. Die Scheinwerfer werden nicht eingeschaltet, die Gerti fährt wie im Traum, da die sonnigen Orte noch fern sind und die Hügel alle bekannt und weit weg. Es wäre besser, dieser Gestalt im Guten zu kommen. Das Kind blüht inzwischen in seinem Bett und läßt sich in seinen Träumen gehen. Der Direktor drückt sich aus auf seinem Klo. Er hört das Geräusch des Wagens und läuft auf die Terrasse, den vorschriftsmäßig mit drei Fingern gehandhabten Schwanz noch in der Hand. Wo will die Frau hin, will sie im Leben über ihre Gedanken hinweg? Und Sie, meine Herren, die Sie sich an Ihre Bohrköpfe klammern, wie können Sie Ihrem Sehnen Worte verleihen? Der Direktor setzt sich in seinen Mercedes. Die beiden schweren Gefährten werfen sich in die Landschaft hinaus, wetzen an ihren Scharten. In Liebe stürzen sich derweil die ärmlicheren Anlieger dieser etwa 3 km langen Irrbahn aufeinander, es dröhnt ein bißchen aus den Apparaturen der unbehobelten Angestellten, und schon sind sie wieder fertig mit ihren Gesten der Liebe. Ja, die Gäste der Liebe! Die fühlen sich bei Fremden nicht daheim. Es rasen die beiden PKWs hintereinander her. Sie klettern kleine Böschungen hinauf und rutschen wieder herunter. Sind wir froh, daß die Motoren unter den Mützen so stark sind und die jugendlichen Discoheimkehrer mit ihren gefährlichen Pferdestärken wie Rodeln vor sich herzutreiben vermögen. Der Mann hat vorher nicht einmal die Tutteln der Frau abgreifen können. Sie fahren. Heute gibt es in der Natur kein Wachstum mehr, aber morgen wird vielleicht eine neue Lieferung Saft eintreffen. Es liegt Schnee, auf diesem Baum wird aber irgendwann einmal wieder eine Frucht hängen, mir nicht bekannt der werte Name.

Der Direktor hat euch alle seine Naturprodukte beisammen und rast hinter der sozialen Kontakteinrichtung seiner Frau her. Er MUSS sie einholen. Mit Volldampf Getriebene, so stürzen sich die beiden über die Straßen. In Kürze taucht das Ferienhaus Michaels am Wegrand auf, oh ihr Lieben, die ihr uns heute nicht begegnet seid, was für ein Glück habt ihr gehabt! In den hellen Fenstern ein Beamter der Eleganz, groß in die Dunkelheit hinaus verkündet. Die vielen abgegriffenen Stellen am menschl. Körper, bitte sehen Sie selbst, können mit Hilfe der Industrie und ausländischer Unternehmen in eine recht ansehnliche Ferienkolonie verwandelt werden, in der wir unsre vielfältigen Interessen an der Leine spazierenführen dürfen. Und vorn schauen unsre schweren stählernen Beißkörbe heraus. Ja, wo die Flut des Begehrens auf die Weide fällt, da wachsen die Herren über sich selbst um fast zwanzig Zentimeter hinaus. Dann führen sie uns auf ihr schmales Wegerl, und es heißt von ihnen, sie hörten nicht eher auf, als bis ihnen Strom Gas und Zeit ausgegangen seien. Einmal rein, einmal raus, und dann ruhen sie sich aus.

15.

Lächelnd droht Michael von seinem erleuchteten Feld her, wo er jenseits der Panoramascheiben herumfließt. Seine Welt ist gut verfugt, er verfügt über genügend Fahrkünste, und er verfliest sich, jung und für mindestens drei Jahre gerettet, mit seinen blanken sanitären Lebensanlagen. Seine Tür wird er jetzt um keinen Preis öffnen. Lärmend sinken zwei Menschen an seiner Schwelle nieder, wo sonst die Sonnen Züge der Freunde haltmachen. Michael ist nicht zu erreichen. Die Frau tritt gegen die Tür, hämmert mit den Fäusten dagegen. Was war, scheint nichts gewesen zu sein. Die vielen Sachen, die er mit ihr gesagt, getan hat, und alles umsonst! Aber um die Sprache sind Menschen ja nie verlegen, und mehr ist auch nicht in ihnen verborgen. Es beginnt, leise zu schneien. Das auch noch. Hinter seinem hübschen Faserverputz aus Kleidung steht der Student am Fenster und schaut. Die Nacht ist von ihm schon teilweise entzaubert worden. Diesem jungen Mann gehören mehrere Schiaufzüge, und es zieht ihn auch sonst hinauf oder in die Ferne. Mit leisem Klirren und ausgelegt mit Markenzeichen, auf die er sich sogar setzt, zieht er über die Grate des Landes. Nie allein und nie still, und bald wird auch die Sonne wieder auf ihn scheinen. Es beginnt, leise zu schreien. Wolken von Wild treten aus den Wäldern auf die Lichtung, und dieses mittlere Mitglied der jungen Herde steht still da, verständnislos in seiner Helligkeit, die auch andres Ungeziefer anzulocken scheint. Michael steht da, freundlich geladen, wo er unter Strom steht. Er ist zu Hause und behält sich. Die Frau weint vor seiner

Tür, ihr Herz arbeitet wie wild. Ihre Sinne sind verstimmt, weil sie schon wieder Überstunden machen sollen und überdies im Freien nicht so gut klingen, nicht bei diesen Temperaturen. Fast gleichzeitig endet der mit Alkohol überladene Kreislauf der Frau, und sie sinkt an der Tür zu einem Haufen zusammen. Mist auf einem gefrorenen Beet. In Strängen ziehen bei Tag die Lifte hin, um den Eintritt in die Landschaft zu gewähren, ohne Liebe trifft und fällt man auf andre Menschen. Diese Frau, nie darf sie sich richtig zu Haus fühlen auf der Erde. Etwas menschl. Strömung und Stimmung gelangen auch noch in die Büsche. Ein Skandal.

Durch die Unebene sind sie tagsüber gewatet, die Sportlerinnen und Sportler, doch jetzt, da man sie brauchen würde, da läßt sich keiner blicken, um die Frau aus ihrem Überfall auf sich selbst zu reißen, ihr ans Herz zu greifen und ihre Speichen anzuhalten. Für gewöhnlich sorgt der Direktor in seiner Firma für die Regulation des Wirtschaftsflusses, in dessen begradigtes Bett er sich dann, einig mit seinem Glied, leitet und selbst ein recht ordentliches Bacherl zustande bringt. Er sorgt dafür, daß das Wasser auch wieder in seinem Sinn und durch seine Sinne abläuft. Das Ehepaar wird zur Zeit von Häusern, Bäumen, Nacht umschattet. Gerti hämmert gegen die mitleidlose Tür und ist schon an ihr hinuntergerutscht. Sie tritt mit den Füßen dagegen. Der Student, bevor er überhaupt noch etwas tun könnte, ist schon jede Anstrengung wert. Er lächelt und bleibt an seinem Platz stehn, schließlich ist ja Hermann, ihr Mann, da, nimmer will er ihm gleichen. Und dieser Mann wendet den Blick nach oben, wo er niemanden gewöhnt ist. Die Blicke der

Männer treffen sich auf halber Strecke, sie sind beide motorisiert. Fast gleichzeitig, einen Augenblick lang, spüren sie, wie sich ihre Körper gegens Sterben auflehnen. Michael knickt sich zur Vorbeugung um ein paar winzige Grade ab. Sie haben beide schon die Muschi von der Gerti an ihren Ohren rauschen gehört, na danke! Nicht noch einmal mit den Armen rudern, nur um vom Propeller der Lüste, die klirrend und kristallen in Kopfhöhe Wind machen, die paar lustigen Zentimeter aus dem Gleichgewicht gebracht zu werden. Es steht zumindest einem von ihnen nicht dafür, die teure Kleidung um des Willens dieser Frau willen von den Stellen zu rücken. Der junge Mann zündet sich eine Zigarette an, da ihm nun schon einmal die Flamme in die Hand gegeben ist, angekettet an seinen Schihang, wie er dasteht und die Raubvögel der Berge um sich rauschen hört. Die wollen ihm das letzte Flämmchen noch entreißen aus seinem Gasfeuerzeug, um es den Menschen unter ihm zu bringen, die sich mit Gott doch verbundener fühlen als er. Ihm ist das Feuer im Dorf egal, er muß es ja nicht hintragen. Gerti hat sich dem Sog ihres Herdes, wo's auch nett prasselt, entzogen. Jetzt ist es aber genug, sie soll sich fassen lassen, der Edelstein im Direktorenheim! Tiefprüfend faßt der Direktor sie um die Taille und beginnt, sie über den rauhreifbetasteten Nachtboden hinweg zu schleifen. Sie stampft und strampelt mit den Hufen, da platzt einem ja der Kragen! Sie trägt immer noch das Seidenkleid von heute morgen, in dem Hoffnungen gekeimt haben, und auch von vorn und hinten schaut es, Gertis Figur gemäß, gut aus, wenn auch, als hätte der Tag, von Schnee überhangen, sich schon ein wenig geneigt. Der Student ist nun einmal kein Gebender, und es wird auch keiner aus ihm. Er schaut hinaus, beschattet seine Augen, aber das Licht reicht aus, das Paar in Herrlichkeit einzusäumen. Er lehnt, was er kennt, nicht immer ab. Er hat schließlich probiert, frech übers Feld zu gehen, das Wild zu ärgern, die Luft zu atmen und sie dann, gebraucht, der Piste wieder zurückzugeben. Allerdings: Viel weiter in die Landschaft hinaus reicht er nicht, sein Schein, doch einen Rahmen kann er wohl anfertigen für diese heilige Familie und die zu Karten gerahmte Aussicht auf sie. Michael beschirmt die Augen, um seine Blicke an die Dunkelheit zu gewöhnen. Die Natur ist nicht mild, die Natur ist wild, und die Menschen fliehen vor ihrer Leere ausgerechnet ineinander, wo immer schon einer ist. Vielleicht wird Michael einen Schluck mit dem Direktor trinken gehen, der das Bild, das Michael angefangen hat, mit seinem eigenen dummen Pinsel vollenden möchte, der Wichtelmann. In den Fichten braucht man die Sprache nicht mehr. Schmeißen wir sie halt weg!

Die Stille kehrt die Straßen, und Gott verklärt die Insassen dieser Gegend, ja, von denen arbeiten immer noch etliche, manche an ihren Möbeln und Wohnungen, an denen sie herumschnitzen, der Rest besorgt's seinen derzeitigen Partnern, die unsteten Aufenthalts sind. Es müssen immer welche neu herangeschuftet werden (und gehn auch sofort den Bach hinunter), um das ewige Versprechen der Natur auf Arbeit und Wohnung wahrzumachen. Endlich werden sie seßhaft! So halten sie denn die Versprecher fest, die die Natur ihnen gab: ihre milden Fehltritte, aus denen Menschen geworden sind; und menschl. Fehler haben auch den Wald zerstört, von dem sie leben. Und noch etwas, das die Natur versprochen hat: das Arbeitsrecht, nach dem jeglicher Bewohner, der ein Bündnis mit seinem Unternehmer geschlossen hat, auch von Gott wieder durch den Tod erlöst werden kann (die stinkende Losung Gottes). Jetzt hab ich mich versprochen. Und auch die Landesfürsten wissen keine Lösung aus dem Dilemma. Die Arbeit wird weniger, die Menschen werden mehr und tun alles, damit das so bleibt und sie selber auch bleiben können. So wie jetzt, da sie ihre Lebenszeichen müd, aber stolz an die Wand hängen und dann den Hobel abgeben. Ringsum beginnen Körper sich zu entfalten, es entstehen Gestalten von seltsamster Bauart. Könnte der Erbauer dieser Autobahnbenützer diese von Hoffnung geröteten Mißgeburten aus ihren zerwühlten Ehebetten erstehen sehen (und was sie sonst noch alles erstanden haben!), er würde sie glatt noch einmal umbauen, ist er doch selber sehr viel aufregender erstanden aus seinem engen Kammerl, uns allen zum Vorbild, das in Museen und Kirchen studiert werden kann. Diese schlechten Zeugnisse, die wir alle dem Schöpfer ausstellen, indem wir einfach da sind und nichts dafür können: jetzt regen die sich alle, summen, bewegen sich zur Arbeit ihrer Leiber im Takt der Popmusik von Ö 3 oder einer noch schlichten Platte. Wie gelassen hat Marx auf uns reagiert! All die vergeudeten Schulden, die sie jetzt, eng aneinander geschmiegt, eintreiben gehn, wer gäbe ihnen auch was zu dieser Stunde! Nicht einmal der Wirt an der Brücke, in seinem dunklen Drang, mehr zu kassieren, als er an Getränken ausgegeben hat, der selber an dem Mahl nascht, das er bereitete, und wo die 86jährige Küchenhilfe Josefa die Teller abschleckt, die Reste verschlingt. Immer bleibt was übrig von der Arbeit, an der sie hängen wie an den Geliebtesten nicht. Die Frauen sind frisch zubereitet oder eingekocht worden. Ja, auch sie begehren etwas, aber nicht mehr lang, wie sie da dröhnen unter der Peitsche des Wetters, das ihnen sogar ihr Gewand noch diktiert. So brummen ihre kreiselig dicken Körper vor sich hin, das Leben dauert fort, der Mann verschwindet dauerhaft im Tod, die Stunden sinken zu Boden, aber die Frauen bewegen sich flink durchs Haus, nimmer sicher vor all den Schicksalsschlägen. Wie sich ihre Gewohnheiten gleichen! Es ist jeden Tag dasselbe. Das wird morgen sein. Aufschub! Aufschub! Aber der nächste Tag ist noch nicht eingetroffen, die Hausfrau kann ihn noch nicht betreten, um von noch mehr Arbeit erledigt zu werden. Sie ruhen jetzt fühllos ineinander, die Kolben stoßen herab, die unwegsamen Küsten der Körper werden angesteuert und verfehlt, ja, wir fallen zwar, doch wir fallen nicht tief, wir sind so seicht wie's seicht ist um uns. Ginge es nach dem, was wir verdienen, wir könnten uns grade noch Schuhe kaufen, um unsre müden Füße als Wanderer zu verkleiden, mehr aber nicht, und schon sind unsre Knöchel umspielt von unsren Partnern, die selber spielen wollen und sich für Trümpfe halten, oh Schreck, sie stechen uns ja wirklich! Und die Entfernung zum Himmel bleibt immer gleich groß. Rasch den Fuß hinaufgestellt auf das Trittbrett des Autos, das wir unsren Körpern in Form von Arbeit abgetrotzt haben in vielstündiger Tätigkeit für die Fabrik. In Gotteskindsgestalt sind wir hineingetreten, und nach vielen Jahren bleibt nichts übrig als dieser Tritt in den untersten Mittelklassewagen, und der Eintritt ins Werk wird uns, deren Gang sich inzwischen leicht geändert hat, durch einen Schaltkünstler, der frisch an den Knüppel getreten ist, verwehrt. Ja, sie haben unser Platzerl ersatzlos gestrichen, die Fabrik arbeitet inzwischen schon fast von allein, das hat sie von uns gelernt! Doch bevor die Armut einzieht und der Wagen verkauft wird, wollen wir selber noch ein paarmal aus der Fremde zurückkommen. Wir wollen uns selber noch ein paarmal in den andren hinein verschwenden, von diesem einen Tisch vertreibt uns kein unsrem Besitzer entschlüpfter Gedanke, kein werbender Anzug aus der Zeitung, kein Unfug, mit dem wir schnell unser Leben verkürzen, weil wir armen Arbeitspferde uns unbedingt noch ein paar Pferdestärken mehr auf unsre Weide dazuholen mußten. Und schließlich der Direktor: nimmer herrscht er allein! Der Konzern, dieser gefangene Bussard, nicht einmal der kann ja in die Höh schießen wie er will, wer weiß, welche andre Bestie er dabei träfe!

So haben wir alle unsre Sorgen, wen wir lieben und was wir essen könnten.

Man würde sie gar nicht für unecht in ihren Gefühlen halten, sondern für wahre Juwelen, mit denen sich andre schmücken: Die Scharen der schartigen Leiber, wie sie da, zu ihrem Besten gewandelt (neue Schuhe!), auf den Wegen ihrer kleinen Verliebtheiten wandeln und unruhig in ihren Zimmern herumrutschen. Ein Menschenchor, der sein vielstimmiges Echo mit dem Sessellift zum Vater in die Luft schickt. Der hat die erogenen Stellen erschaffen, mit denen sich die Frau am Abend schmückt, und ihre Arbeit läßt sie darunter rasch, ehe jemand sie noch gebührend bezahlen kann, wieder verschwinden. Verdattert schauen die Männer in die Löcher ihrer Frauen, die das Leben gerissen hat, ja, sie erschauern, als wüßten sie schon: die Schachtel ist längst leer, die ihnen seit Jahren die Körner vorschüttet. Es hänget aber an einem die Liebe. Und morgen früh muß der erste Bus erwischt werden, und wenn sie noch so hilflos nach ihrer Frau schlagen müssen, die an ihnen und ihrem kurzen Lauf hängt: Schießen Sie los! Die Arbeit liegt nicht auf der Straße.

Diese Wege gehn auch die andren in den Tod. Sie begleiten sich eine Weile gegenseitig, atmen laut vor dem Tor, damit ihnen aufgemacht wird. Und dort kommen noch mehr Menschen, die sich gegenseitig in die schwachen Zweige gefallen sind, um die Glieder ineinander zu verschränken. Damit sie gemeinsam sind, wenn sie dem Vorarbeiter gegenübertreten müssen. Man muß doch etwas tun können! Größer werden und zu mehreren sein wär schon ein guter Anfang, wenn man da hinsinkt unter dem Schnitt, den die Fabrik jeden Tag macht. Und aus der Beute wählen die Eigner das Beste, das Sie in diesem Jahr erlebt haben an den Stränden Riminis und Carolas, wo Sie, üppig aufblühend, versunken sind unter dem Schutt Ihrer kurzlebigen Freuden.

Der Direktor dieses Werks schleift seine Frau zurück zum Wagen, um sich die kurze Betriebspause mit noch mehr Betriebsamkeit zu verkürzen. Aus seinem Sender tönen Liebesworte in ihr Ohr, und sie empfängt sie strampelnd und stammelnd wie Liebespaare ohne Stereoanlage ihre Tanzmusik nach Mitternacht. Das Fenster, in dessen Ausschnitt wir einen der bunten Jogginganzüge sehen, wie sie sonst, nur kleiner und geringer, in den Ausflugslokalen zur Abfüllung gelangen, bleibt hartnäckig hell. Der junge Mann streckt seine Ärmel, die von einem festen gestrickten Bund abgeschlossen werden, und starrt hinaus auf diese reizlosen Menschen, die aber in ihrer Art vollkommen sind, betrachtet man ihre Einkünfte aus dem Menschenwerk und ihre Einflüsse auf die Politik im Landtag. Wie wunderbar, mit den Reichen gemeinsam zu singen und doch nicht ihrem Werkschor angehören zu müssen! Ihre Gebräuche zu lernen, dabei aber nicht auf den Feldern stehen und sich zur Erntezeit die Haare schneiden lassen zu müssen! Wie die schweren Stiere weiden die beiden Wagen nebeneinander vor dem Haus, und das eine Tier wird jetzt ein Stück ausgeweidet. Die Tür geht auf, das Lämpchen an. Es werden Koseworte in die Heimat Gertis gesandt. Nicht zu strafen ist dieser Familienvater gekommen, sondern zu trösten und erneut in Besitz zu nehmen, schon glänzt es wie eine Stadt hinter seinen Toren. Er hat keine Wünsche als die nach seiner Frau, die ihm genügt, im Gegensatz zu andren, die gar nicht aufhören können, genügsam zu sein, zu singen und zu sagen, welches Foto in den einschlägigen Heftanstalten sie bevorzugen. Wie die in ihren Geschlechtsbetrieben nach Arbeitsschluß noch herumfuhrwerken! Und schauen Sie sich an, was sie, die Hechte in den Karpfenteichen, sich eingefangen haben: mir scheint, manchmal zeigt die Natur keine Milde. Der Direktor hängt an seiner Frau, gewohnt sind ihm ihre breiten Gassen. Und während der stille Heiminsasse hinter dem Fenster noch bei seinem lieben Motorradkatalog in der Luft hängt, stülpt der Direktor die Gerti über die Vordersitze (vorher hat er noch einen Knopf betätigen müssen, ich sage nicht welchen), schlägt ihr das Kleid über den Kopf und bezwingt ihre Hinterbacken, so daß er gleich über den grob unbefugten Damm in ihr Inneres eindringen kann. Zärtlich kneten die Hände die Euter, freundlich züngelt die Zunge ins Ohr. Dies ist schon oft getan worden, denn gern baut ein Haus sich an ein andres an, nicht um den Nachbarn zu stützen, sondern um ihn zu quälen. Es ist zwar ein bißchen unbequem, der Sommer ist fern, die Straße ist entlegen, die Tiere schmecken gut, und alles kommt in die dafür vorgesehenen Räumlichkeiten oder wenigstens nicht weit ab vom Schuß ins Büchserl. Wie im Schlaf kann diese Brandung heranrollen und auf dem Hochsitz inmitten der Natur Platz nehmen. Darunter, im Schimmer des Feldstechers, die verbundenen Glieder, die zwischen Arbeit, Geld und den Mächtigen, die nun einmal nicht gern allein sind, hin und her hetzen. Sie müssen sich ständig aufeinander legen und aufeinander anlegen. Der Menschen Tätigkeit beginnt mit neuem Ziele, das Wetter ist kalt, und jedesmal, wenn der Direktor seinen stämmigen Schwanz ein wenig herauszieht, wirft er einen kräftigen Blick auf seinen stillen Bewunderer im Fenster. Er muß sich dazu nur wenig verrenken. Vielleicht greift der junge Mann jetzt auch ins volle! Mir scheint, er tut's wirklich. Von der Hüfte abwärts gehören wir Männer eben zusammen. Das heißt, wir gehören unsren Frauen und lassen uns auf der Straße, ohne uns zu wehren, Schicksalslose in die Hand drücken. Nehmen wir doch Platz ineinander! Michael hat die Hand vorn in seiner Jogginghose, glaube ich, und stopft seine Kleidung ganz mit sich voll. Das Kleid Gertis ist auch schon ganz aufgeknöpft und die Beutel springen ihr heraus, Verzeihung! Egal, wenn auch die Lüfte dem Direktor ziehen, im Innersten achtet er auf Festlichkeit und Qualität, wir entschuldigen ihn. Mit dem Gesicht voran wird die Frau in die Autopolster gepreßt, als läge Schlummer in diesen Lederschatten verborgen. Die Beine hängen ihr links und rechts aus der offenen Tür heraus. Und ihr Mann, dieser brüllende Eingeborene, dem wir unsre Heimat überlassen haben, damit er Papier draus macht (die Bäume wären ohnedies zu einer scharfen Rasur verurteilt), der ist hier noch viel mehr zu Haus als wir's je sein könnten! Ich höre, wie dieser Vogel beim Singen schreit. Er geht der Gerti zur Seite und zwängt etliche seiner liebenden Finger in sie hinein. Er spricht freundlich zu ihr, beschreibt ihr die weiteren Treffer, die sie gewinnen kann. Dann fällt er wieder krachend in ihr Loch hinein. Er zieht sich kurz zurück und tastet sein Szepter ab: wir sehen, ungemessen und unmäßig sind seine Schritte. Die Frau wird nun vom Sachverständigen untersucht, der seine Kräfte unter der Motorhaube anspannt und seinen kleinen Verkäufer wieder losschickt, ja, mehr noch, er begleitet ihn persönlich, wir werden das Kind schon schaukeln und dann hinter ihm fest abschließen.

Längst sind Gertis Geheimnisse gelüpft, ihre versperrtesten Türen stehen offen, man gibt ihr jetzt noch Schläge auf den Sitz und ins Kreuz, so begrüßt man sich unter Freunden, und so verfehlen wir uns nicht. Auch mit der Zunge Kraftfahrzeug fährt der Direktor hinein, wer deutet uns das? Manche jungen Männer des Dorfes haben ihre Posten vor den Postern von nackten Frauen bezogen und hoffen, in Betracht gezogen zu werden, wenn's zur Verteilung der Posten kommt. Sie wollen einnehmen, aber nicht zahlen. Ihre Frauen helfen ihnen mit ihrer Unsterblichkeit und mit der hohen Sterblichkeitsrate ihrer Arbeit dabei. Der Direktor aber geht seinen heißen Weg allein. Jeder kennt seinen noch jugendlichen Strahl. Die

Frau muß ihn jetzt, ohne Ordnung mit ihm vermischt, in ihrem Arsch erdulden, da mag es noch so viele Pfade geben, und besser ausgebaute noch dazu. Während die andren Menschen der Krankheit preisgegeben sind, bedient sich dieser Herr mit Gleichmut an der angestammten Theke, von der auch, gleich aus der Nachbarschaft, sein Kind herstammt. Keine Angst, hier ruht sein Glied sicher. Jetzt trottet das aufgeregte Tier noch in der Frau herum, in der es zum Wachsen gebracht worden ist. Leicht fängt es sich in der Kette, die es abgerissen hat, das Kälblein. Und so bleibt's halt stehn, bis es fertig abgeknallt worden ist. Die Frau ist schon schwer gezeichnet vom Verbleib der vertrauten Schritte. Macht nichts, für alles gibt es eine gute Creme und ein gutes Geldgeschenk. Wer schmiert, fährt besser. Und bald spreizt sich wieder frisches Grün, damit der Mann es ausreißen kann.

Was für eine himmlische Gruppe, die sich aber bald wird ausruhen müssen. Leib an Leib bedrohen sie sich beide. Winselnd nach etlichen weiteren Ausrutschern, fällt der Direktor schlaff über seine Frau, die so günstig ausgestattet war. Ihre empfehlenswerte allerwerteste Region hat er gründlich abgeerntet, da wächst so schnell kein Futter mehr. Zornig schießt sein Fluß aus ihm, und von den Knechten, die ihnen auf goldenen Platten vorgesetzt werden, nehmen derweil mit Gewalt das Ihrige ihre Götter und Personalchefs. Wählen auch Sie aus vielem das Beste und sehen Sie: Sie haben es schon zu Hause, nennen Sie's Ihre bessere Hälfte und lassen Sie sie vor der Abwasch stehn und putzen und schwitzen!

Für diesmal ist der Direktor gültig und seine Frau glücklich gemacht. Aber morgen kann er ja erneut über die
Stränge schlagen, von der Hüfte her schießen und sich
jede Fahrkarte kaufen, wer weiß wohin. Immerhin, die
Frau ist immer noch behütet und begehrt, die Pfade mögen ringsum auseinanderfallen, so viele Wege gibt's ja zu
gehen, ins Theater, ins Konzert, in die Oper zum Abonnement, da kann man schon mal das Dings, das der Direktor einem winselnd überreicht, ablecken und wieder
neu verpacken. Der hat sie nun auf den Rücken gedreht
und wippt der Frau vor dem Gesicht herum. Ein dünner
Geiferfaden rieselt herab, und dafür wird der Frau das
Fleischlaibchen mit Soße gleich an die Lippen angelegt,
ein weicher müder Säugling. Mmmh, so ist's recht. Es
wird gewünscht, daß sie wieder saubermacht, was sie
zum Auftauchen und Auftauen aus der Küche gebracht
hat. Zuerst das Ufer, dann den Schaft, so schafft man
Ordnung, auch in den kleinsten Falten, schließlich will
man heute noch Auto fahren und die Polster mit seinem
Aktivschaum verschonen. Und dann soll die Gerti auch
noch den haarigen Sack abküssen, wenn das nur nicht
ins Auge geht. Wie einer Schlange zerreißt der Direktor
seiner Frau das Kleid, mit einem einzigen Ruck, es wird
ihr aber gleichzeitig geflüstert, daß sie morgen zwei neue
dafür bekommt. Das Kleid wird mit Kraft vorne ganz
auseinandergezogen. Gertis Körper wird aus günstiger
Höhe abgeküßt und wieder in seinen Sitz geschnallt, wo
er hängenbleibt und keinen Blick, den er erhalten hat,
herausgibt. Der Direktor zerreißt auch noch Gertis Un-
terkleid und entblößt ihre ganze baufällige Vorderfront;
bald wird wieder, wenn auch draußen, außerhalb der ab-
geschabten Aktentaschen, freundliches Grün erschei-

nen, ein, zwei Monate Joch noch! Der Fahrtwind und vereinzelt heimkehrende Menschen sollen das Gebäude nur ruhig betrachten, in dessen warmem Schatten der Direktor sich gewälzt hat. Die Frau schaut keiner Filmschauspielerin ähnlich, zumindest keiner, die ich kenne. Es ist still. Michael späht aus dem Fenster und strengt sich an, erneut zu wachsen, um aus sich das Beste, das meiste zu machen. Nicht alle Menschen haben ein schönes Geschlecht aufzubieten, um sich mit ihm unterhalten zu können. Dem Direktor ist Treue eben angeboren, das gehört sich. Wir sind die Herde des Hauses und erwärmen die Herren, wenn nötig.

Der junge Mann, der zahllosen Freunde gedenkend, in denen er sein Abenteuer aufbewahren wird, geht unter den allzu scharfen Duschstrahl. Seine Sinne sind ganz bei ihm und legen sich auf den Fußboden, wie Hunde zu schlafen auf den vorgesehenen Decken. Vielleicht wird später noch die Freundin vorbeikommen, während draußen Knechte gewaltsam das ihnen Zuständige nehmen. So lang hat er geruht, eine alternde Frau anzublicken, und so lang wird er noch ruhn, ein Kind der Welt. Ich glaube, er wird sogar noch schlafen, wenn morgen früh die Häusler einander im Autobus zu Tode trampeln und mit ihrer Habe über die Schädel und Stränge schlagen.

Als hätten sie mit ihren Autos das Leben getauscht, fahren der Direktor und seine Frau miteinander nach Hause, einer der Schützling des anderen, von einer Lebenslage in die andre Lage sich wälzend. Diese Leute können überall furchtlos ficken, ihre Taten werden von der Liebe und ihren lieben Putzfrauen immer wieder instand gesetzt. Es ruhen die Angestellten, aufwärtstragen wird sie bald der Schall ihrer Wecker. Still fegt das Auto die Ebene sauber. Die Gebirge stehen still, bis die Sonne morgen wieder ausgeteilt wird vom Fremdenverkehrsobmann, den Sportlern zur Freude. So holt sich das Direktorenpaar heim auf seinem großen Floß, ordnungsgemäß über die Bundesstraße und in der Geschwindigkeit gemäßigt. Kurz haben die beiden ihre Körper ergriffen, um Kraftstoff zu pumpen, die Quellen spritzten unter ihnen herum, ja, die Reichen erfrischen sich sooft sie wollen. In den kleinen Häusern ist es still, denn dort muß man das Benzingeld erst abzählen. Es waltet höchstens Gewalt, bis sie morgen in der Fabrik aufs neue verwaltet werden, diese Kleinhäuslersöhne, und ihre Frauen waten tagsüber in den Lacken des starken Geschlechts herum. Fruchtig frisch ist die Liebe im Becher, aber worin verwandelt sie sich in uns?

Die Arbeit der Geschlechter, ausgeführt heute von Direktor und Direktorin – danke für den doppelten Axel und den aufgerittenen Berger! – unter der sie schaudernd aufblühten, um sich nachher den Mund abzuwischen wie nach einem gierig eingeworfenen Essen, sie ist vielleicht, aber nicht sicher für heute beendet. Bis morgen wir uns froh im Licht wiederfinden, das aus den Scheinwerfern des Postautos strahlt, so früh noch im Dunkeln, und die kommenden Jahre erst! Nichts als diese Lichter streifen die armen Körper, die sich uns schamlos in ihrem morgendlichen Gestank, in ihren Auspuffgasen zeigen, allein die Lottoscheine, an die sie immer denken müssen! Man muß auch einstecken können, nicht nur austeilen.

Der Direktor stammelt leitende, liebende Worte, er verkündet sich und sein Programm, dieser Privatmann. Schon lebt er wieder in seinem Element, dem Geld. Was wäre er ohne seine Frau, wie er sie hartnäckig nennt. Froh klammert er sich mit der freien Hand, mit der er nicht lenkt, an ihren Körper und lenkt wenigstens dort. Wie ein warmes zahmes Tier hängt das Gebirge über ihm, er hat es schon ganz kahl geschoren. Den überzähligen Wagen haben sie betäubt und abgesperrt stehengelassen, ähnlich ihrem Kind. Sie waren eben nur auf ihr erheiterndes Geschlecht bedacht. Die Frau kann Waren, wie sie zu einer Frau eben passen, einkaufen gehn. Nun wird über den folgenden Tag und seine Entfaltungsmöglichkeiten spekuliert. Der Direktor spricht davon, wie abwechslungsreich er seine Frau später und die folgenden Tage vögeln wird. Er braucht oben, im Büro, den Aufruhr, damit unten sein Schwanz sich befriedigen und von der Frau gefangennehmen lassen kann. Vielleicht gefällt der Frau etwas Besonderes, dem sie auf dem Einkaufsbummel morgen blind folgen wird? Dieser Mann: der sichere Stern seiner Frau glänzt über ihm bis morgen früh, er weidet zart an ihrem Hals, schauen Sie doch auf den Weg, schauen Sie nicht weg! Die Tropfen fallen noch vom Mann herab, Schweiß und Sperma, das macht ihn nicht weniger, nicht geringer, nicht kleiner. Lächelnd betet er seiner Frau entgegen, die er unter seinen Strahl gehalten hat. Seine fleischigen Hoden sitzen still an ihrem sehnigen Stiel. Was für eine Erleichterung, sich in den Bann der Nacht zu begeben, wenn man nicht morgens, geblendet von der Küchenlampe, einer unter vielen, davonstürzen muß, ins Dunkel hinaus. Wenn das Feuer in einem und noch einmal eins, ein größeres, in unsrem

Motor brennt. Gesäubert, erneuert wird der Direktor gleich erneut mit seiner Gerti ins Bett steigen und sich an ihrem Busch verewigen, so schnell wie er hebt keiner das Bein und läßt sich in einem brennenden Schwall fahren. Vielleicht werden diese bei den heute noch einmal vom sanften Geschrei ihrer Körper, die was zu essen wollen, überschwemmt, wer weiß? Die Frau will sich das Kleid vor der Brust zusammenziehen, die Kälte zerrt an ihr. Doch der Mann verlangt, daß sie ihm und den Bewohnern des Landkreises in ihren kleinen Vorhöfen der Hölle noch ein wenig Unterhaltung bieten möge bitte, Brigitte, ach nein, Gerti. Das Kleid, das zugefallen ist, zieht er ihr vorn wieder auseinander, sie ist ja noch nicht ganz ausgegangen, die Gerti, ich meine, da glost gewiß noch etwas in der Asche. Die Heizung ist noch nicht recht warm geworden, der Mann aber schon. Es geht recht schnell bei ihm, am Kinn hat er eine wunde Stelle von einem Fingernagel Gertis. Kein vereinzelter Wanderer begegnet ihnen, der mit einem Bekannten noch ein bißchen vor dem Haus blühen möchte. Keiner mehr, der den Stempel der Macht auf der Stirn des Fabriksdirektors zu sehen bekäme. Und daher muß er wenigstens seiner Frau den Stempel aufdrücken, zum Zeichen, daß sie Eintritt bezahlt hat und auch wirklich aus der Wärme ihres Geschlechts mutig ins Freie getreten worden ist. In der Küche der Armen wird nur mehr der Herd unterhalten.

Der Mann nennt die Frau sein Liebstes, ja, auch das Kind gehört dazu. In der goldenen Mitte, im Zwickel des Dorfes, wohnen sie. Und klug teilt die Regierung mit dem Schöpflöffel die Sonderangebote an Menschen aus. Damit die Firmeneigner ihre Entscheidungen treffen und

Entschuldigungen erfinden können, wie sie mit den Subventionen und den menschl. Leibern herumgeschmissen haben. Immer glücklich dürfen sie sein inmitten ihrer Güter, und die übrigen erzählen von Sorgen auf ihrer handtuchschmalen Erde, auf die sie gleich Zäune pflanzen, kaum daß ihr Samen einmal für mehr als zwei reicht. Schon müssen sie an eine weitere Person denken!

Wir sind angekommen, das Kind schläft in seinem Gemächtnis.

Geduldig schlummert der Sohn an der Leine der Chemie Linz AG. Jetzt gehen wir aber auch schlafen, um einen Vorgeschmack zu kriegen, was vor dem Tod kommt. Dazu muß man sich erst einmal niederlegen, die Armen wissen es längst, sie sterben auch früher, und die Zeit bis dahin kommt ihnen immer noch zu lang vor. Der Mann weidet sich noch einmal an den mit Kosmetika überladenen Hautstellen seiner Frau, gleich wird er ihr knallend wie ein Gewehrschuß ins Bett folgen. Im Bad schon geschäftiger Lärm von Wasser und Erschütterungen. Gnadenlos wird ein schwerer Körper ins heiße Wasser geworfen, um ihn genießbar zu machen. An seiner Brust ruhen die Seifen und Bürsten. Die Spiegel werden beschlagen. Die Frau Direktor soll ihrem Mann kräftig den Rücken schrubben, genügsam ihre Hand in die Seife tauchen und auch sein mächtiges Geschlecht noch weiter massieren, es ist ganz in ihre Hände gegeben. Hinter dem Fenster verrutscht der Mond. Er ruft bereits nach ihr, der Mann und das halbe Kilo Fleisch (oder gar nicht gern weniger), das sein Meister ist. Schon schwillt es wieder im warmen Wasser und schwingt sich zum Herrn über das üppige kalte Büffet seines Leibes auf. Danach wird er die Frau baden nach den Mühen des Tages, keine Ursache, das tut er gern. Ringsum leben die Sterblichen von Lohn und Arbeit, sie leben nicht ewig und leben nicht wohl. Jetzt haben sie aber schon von der Müh zur Ruh gewechselt, in ihrer Brust schläft der Stachel, weil sie kein eigenes Badezimmer haben. Dem Direktor zerrinnt der Leib im Wasser, aber es sind immer noch genügend Festmeter übrig. Noch einmal ruft er nach seiner Frau, lauter jetzt, das ist ein Befehl. Sie kommt nicht. Er wird sich allein erweichen lassen müssen vom Wasser. Friedlich gleitet er auf die andre Seite der Wanne hinüber, soll er brüllen, daß sie kommt? Wie angenehm, daß einen das Wasser nicht wandelt und man nicht auf ihm zu wandeln lernen muß. So ein Vergnügen, so ein billiges. Jeder kann es sich leisten. Soll die Frau doch bleiben wo sie ist, oh Hitzeschwaden, nehmt mich mit! Er dreht den heißen Hahn auf, massiert ihn und wird friedlich, heiter. Die Fluten rauschen um den schweren Körper herum, an dem harte Kaumuskeln das Leben kleinmahlen und Firmen schlucken. Die Armen sind auch wie Wasser von den Felsen geworfen, doch sie bleiben wenigstens wo sie sind, in ihren kleinen Betterln und betteln einen nicht dauernd an, diese leidigen Menschen, denen man Zulagen bezahlen soll. Wie sie da blindlings, von einer Stunde zur andren, mit ihren heiligen Saiten, die ihre Frauen mühsam ins Gestell ihrer Körper gespannt haben, in die Maschinen geraten! Das viele Blut! Und alles umsonst, letztlich auch die gewaltigen Peitschenschläge ihrer Herzen, weil kein Blut mehr da ist, das sie antreiben könnten. Und die Kinder schwirren manchmal noch um vier Uhr nachts herum, glaube ich. Zumindest ein, zwei

Stück kommen jetzt immer noch betrunken von der Disco nach Hause zurück.

Doch der Sohn, so viele Jahre ist er hier schon unbeliebt, der liegt jetzt in seinem Bett, und der friedliche Mond geht dahin. Es atmet schwer, das Kind, von kaltem Schweiß überzogen, mit solchen Pillen im Saft, da ruht es sich gleich ganz anders. Unbequem liegt das Kind unter dem Auge der Mutter, die an sein Bett tritt und es geraderückt. Welk ist das Kind und dennoch ihre ganze Welt: es schweigt wie diese. Es freut sich gewiß aufs Wachsen, ähnlich dem Glied seines Vaters. Zärtlich küßt die Mutter ihr kleines Boot, das die Welt umschifft. Dann ergreift sie eine Plastiktüte, legt sie dem Kind über den Kopf und hält sie unten ganz fest zu, damit der Atem des Kindes darin in Ruhe zerbrechen kann. Üppig entfalten sich unter dem Zelt des Sackes, auf dem die Adresse einer Boutique aufgedruckt ist, noch einmal die Lebenskräfte des Kindes, dem vor nicht allzu langer Zeit Wachstum und Sportgeräte versprochen wurden. So geht's, wenn man die Natur durch Geräte zu verbessern wünscht! Aber nein, es will doch nimmer leben. Dann treibt der Sohn hinaus ins offene Wasser, wo er gleich ganz in seinem Element (Mutti!) ist und den Schnorchel bedient, durch den seine Kameraden die Welt von Anfang an wie durch Scheibenkleister hindurch sehen lernen: so sehr ist er ihr Vorgesetzter gewesen, ein kleiner Kriegsgott, mobil bei Arbeit, Sport und Spiel. Sie sehen alles, doch sie sehn nicht viel. Die Mutter geht aus dem Haus. Sie trägt den Sohn auf ihren Armen dahin wie einen knospenden Strauch, der einzupflanzen ist. Von den Gipfeln, auf denen das Kind heute gefahren ist und morgen wieder fahren wollte (eigentlich ist jetzt schon der nächste Tag ungeduldig angebrochen worden!), grüßt der Boden zum Abschied. Empörende Abdrücke in der Schneedecke. Na, irrt, schweift nur ums Feuer herum, wohl ein Erlebnis gehabt, was?

Die Mutter trägt das Kind, dann, als sie müd wird, schleift sie es hinter sich her. Hinter zarter Kleidung der Mond. Jetzt ist die Frau beim Bach, und zufrieden sinkt im nächsten Augenblick der Sohn hinein. Schöne Ruhe winkt, und auch die Sportler winken einander ja bei jeder Gelegenheit zu, wenn ein Publikum dafür da ist. Jetzt ist es wider Erwarten so ausgegangen, daß ausgerechnet der Jüngste der Familie das dumme Gesicht der Ewigkeit als erster wird sehen dürfen hinter all dem Geld, das, um einzukaufen, auf der Erde frei herumrennt, wenn es niemand an die Leine nimmt. Donnernd laufen die Menschen um die Wette und bitten um schönes Wetter. Und die Schisportler gehen ins Gebirg, egal, wer sonst noch dort wohnt und selber gern gewinnen möchte.

Das Wasser hat das Kind umfangen und reißt es mit sich fort, lang noch wird viel von ihm übrig sein, bei dieser Kälte. Die Mutter lebt, und bekränzt ist ihre Zeit, in deren Fesseln sie sich windet. Frauen altern früh, und ihr Fehler ist: Sie wissen nicht, wo sie all die Zeit hinter sich verstecken können, damit keiner sie sieht. Sollen sie sie etwa verschlingen wie die Nabelschnüre ihrer Kinder? Mord und Tod!

Aber nun rastet eine Weile!